FLAUBERT

Henri Troyat est né à Moscou en 1911. Fuyant la Révolution russe, ses parents – à l'issue d'un long exode – l'amènent en France où il fait ses études (lycée, faculté de droit).
Naturalisé français, il accomplit son service militaire et, alors qu'il se trouve encore sous les drapeaux, obtient le Prix du roman populiste pour son premier ouvrage, Faux Jour *(1935). Il publie encore* Le Vivier, Grandeur nature, La Clef de voûte *et* L'Araigne, *qui reçoit le Prix Goncourt en 1938.*
Sa manière change avec les vastes fresques historiques qu'il entreprend par la suite : Tant que la Terre durera *(3 vol.),* Les Semailles et les Moissons *(5 vol.) et* La Lumière des justes *(5 vol.). Son œuvre abondante compte aussi des nouvelles, des biographies (Pouchkine, Dostoïevski, Tolstoï, Gogol, Catherine la Grande, Pierre le Grand, Alexandre Ier, Tchékhov, Tourgueniev, Gorki, Flaubert, Maupassant, Alexandre II, le tsar libérateur, Nicolas II, le dernier tsar), des pièces de théâtre.* Le Front dans les nuages *marque un retour à sa première manière romanesque, tandis que* Le Moscovite *(3 vol.) et* Les Héritiers de l'avenir *(3 vol.) s'apparentent aux grands cycles historiques. Signalons également les derniers romans de Henri Troyat :* Toute ma vie sera mensonge, La Gouvernante française, La Femme de David, Aliocha, Youri. *Henri Troyat a été élu à l'Académie française en 1959.*

De Flaubert, on connaît la phrase provocante : « Madame Bovary, c'est moi. »
Mais qui est exactement celui qu'on ne cesse, depuis Proust, de proclamer le père du roman moderne, sinon un amalgame de toutes les contradictions ? Un fils de notable qui fut poursuivi pour « obscénité littéraire ». Un provincial frileux qui parcourut, carnet en main, la France, l'Egypte, la Palestine, la Turquie, la Tunisie. Un amant volontiers impudique et souvent désinvolte qui resta toute sa vie obsédé par la silhouette d'une femme rencontrée à quinze ans sur une plage normande et qui, jusqu'à la trentaine, n'osa avouer à sa mère qu'il avait une maîtresse. Un atrabilaire qui fut le plus chaleureux des amis. Un contempteur de la famille qui se ruina pour sauver sa nièce de la faillite.
La biographie que lui consacre Henri Troyat le suit pas à pas, des frondaisons de Croisset aux « faubourgs de Carthage », des quiètes rues rouennaises aux rassemblements fiévreux du Paris révolutionnaire de 1848 et aux salons étincelants de Napoléon III.
Fidèle à la vie de Flaubert comme à son dessein littéraire, Henri Troyat en restitue tous les timbres : exalté et sarcastique, cocasse et tendre. Au-delà de la minutie des faits, un grand dialogue.

Paru dans Le Livre de Poche :

HENRI TROYAT

de l'Académie française

Flaubert

FLAMMARION

I

LE COCON

Les deux jeunes gens se plaisent et recherchent toutes les occasions de bavarder en tête-à-tête. Leur penchant mutuel n'est un secret pour personne. L'un et l'autre sont sages et de bonne famille. Pourquoi ne pas les marier? C'est la question que se pose, en cette fin d'année 1811, le Dr Laumonier, chirurgien en chef de l'Hôtel-Dieu de Rouen. Il a recueilli à son foyer la petite Anne-Caroline Fleuriot, fille d'un de ses cousins (le Dr Jean-Baptiste Fleuriot), décédé en 1803. Anne-Caroline a perdu sa mère une semaine après sa naissance et son père à l'âge de dix ans. Élevée par deux anciennes maîtresses de Saint-Cyr qui tiennent un pensionnat à Honfleur, elle s'est trouvée seule au monde après la mort de celles-ci et le couple Laumonier lui a généreusement ouvert les bras. L'orpheline est, par sa mère, d'une excellente lignée normande, les Cambremer de Croixmare, dont les ancêtres appartiennent à la noblesse de robe. Elle est jolie, innocente, raisonnable. Ces qualités ont très vite séduit le Dr Achille-Cléophas Flaubert, âgé de vingt-sept ans, qui a été envoyé à Rouen pour travailler sous les ordres de Laumonier.

Les Flaubert sont champenois. Ils ont exercé de père en fils la profession de vétérinaire ou garde-haras. Sous la Révolution, le père d'Achille-Cléophas a été condamné à la déportation pour incivisme. Thermidor l'a libéré. L'enfance d'Achille-Cléophas s'est déroulée à Nogent-sur-Seine où le bouillant Nicolas soignait les animaux domestiques de toute la contrée. Rompant avec la tradition familiale, le jeune Achille-Cléophas s'est destiné, très tôt, à la médecine. Après des études brillantes à Paris, il a été reçu troisième au concours de l'internat des hôpitaux et est entré dans le service du célèbre Dupuytren. Ce dernier n'a pas tardé à prendre ombrage des dispositions exceptionnelles de son élève. Craignant qu'Achille-Cléophas ne le gêne dans sa carrière, il l'a éloigné de Paris en lui suggérant de solliciter un poste de prévôt d'anatomie à Rouen, sous les ordres de Laumonier.

Rouen est, à cette époque-là, une riche cité industrielle de cent mille habitants, fière de ses églises, de ses usines, de ses entrepôts, de ses vastes installations portuaires échelonnées le long de la Seine et où accostent des navires de toutes nationalités. Veillée par sa superbe cathédrale, elle s'enorgueillit d'être, avec son académie, ses musées, ses écoles, un centre culturel de première importance. En y arrivant, Achille-Cléophas n'a nullement l'impression d'avoir perdu au change. D'autant que son nouveau patron, Laumonier, lui manifeste dès l'abord amitié, estime et confiance. Il se sent à l'aise dans ce milieu familial, éclairé par la présence de la charmante Anne-Caroline. Heureux dans son travail, encouragé dans son amour, il fait part de ses intentions à celui qu'Anne-Caroline considère comme son père.

D'emblée, Laumonier approuve le projet de mariage. Mais la jeune fille est mineure, dix-huit ans. La décision dépend du conseil de famille. L'assemblée, comprenant des médecins, des propriétaires fonciers, des avocats, des membres du collège électoral du Calvados, se réunit pour étudier la moralité du prétendant. Après enquête, elle rend un verdict favorable. Le mariage a lieu le 10 février 1812 et le couple s'installe au numéro 8 de la rue du Petit-Salut.

Un an plus tard, le 9 février 1813, Anne-Caroline met au

monde un fils. Il s'appellera Achille, comme son père, et, si Dieu le veut, comme son père il sera médecin. Avant même qu'il ait fait ses preuves, sa mère est fière de lui. Elle est fière aussi de son mari qui émerveille son entourage par sa science, son élévation morale et son autorité. En 1815, quinze jours avant Waterloo, le Dr Flaubert succède au Dr Laumonier comme chirurgien en chef de l'hôpital de Rouen. Encore une naissance, celle de Caroline, mais l'enfant meurt en bas âge. Puis c'est un garçon, Émile-Cléophas, qui, lui aussi, ne vivra que quelques mois. Il est remplacé par un petit Jules-Alfred, dont la constitution débile justifie toutes les craintes. Entre-temps, à la mort du Dr Laumonier, le 10 janvier 1818, les Flaubert se sont installés dans l'aile de l'Hôtel-Dieu réservée au logement du chirurgien en chef. C'est une noble construction rectangulaire de pierre grise, à deux étages, avec de hautes fenêtres. Au rez-de-chaussée, une grande pièce sert de laboratoire et de salle de dissection. Car Achille-Cléophas ne se contente pas de soigner et d'opérer les malades, sa passion de la science le pousse toujours plus loin dans la recherche médicale. Il est déjà célèbre dans toute la région. Sa notoriété et ses émoluments augmentant avec les années, il achète, pour trente-huit mille francs, une propriété aux portes de la ville, à Déville-lès-Rouen, petite agglomération de deux mille cinq cents habitants, mi-rurale, mi-industrielle.

Le domaine, clos de murs, comprend une cour, un jardin, une maison de maîtres au toit en ardoise, une chapelle, des serres, une écurie, une étable, une grange, un four, le tout couvrant presque deux hectares. Ce sera la résidence d'été de la famille. Ravi de son acquisition, Achille-Cléophas fait installer au milieu d'un parterre fleuri un buste d'Hippocrate. Sa femme est à nouveau enceinte. Tous deux espèrent que l'enfant, cette fois, sera une fille. Or, le mercredi 12 décembre 1821, dans sa chambre de l'Hôtel-Dieu, à Rouen, Anne-Caroline donne le jour à un fils. Malgré la déception, les parents feignent de se réjouir de cette naissance. Le nouveau venu est prénommé Gustave. Le baptême a lieu le 13 janvier de l'année suivante, en l'église Sainte-Madeleine. Pour manifester son anticléricalisme, le père n'assiste pas à la cérémonie. Six mois plus tard, alors que le bébé Gustave gigote, superbe, dans son berceau, son frère Jules-Alfred meurt à son tour. Les parents ne se découragent pas pour si peu. Ils veulent une nichée nombreuse. Au nouveau deuil succède une nouvelle grossesse. Et c'est la venue au monde, le 15 juillet 1824, de la petite Caroline. Elle porte le même prénom que sa sœur morte dans ses langes, elle est de deux ans et demi plus jeune que son frère Gustave et de onze ans plus jeune que son autre frère Achille. Celui-ci va déjà en classe où il se distingue par son application. Autant dire qu'il appartient au monde des grands. Trois enfants vivants sur six, c'est une bonne moyenne pour l'époque. Achille-Cléophas estime qu'on peut s'en tenir là. Pour aider au ménage, il engage une servante, Julie (de son vrai nom Caroline Hébert), qui, dès les premiers jours, marque une préférence pour Gustave, alors âgé de trois ans.

Le Dr Flaubert s'astreint à un emploi du temps rigoureux. Hiver comme été, à cinq heures et demie du matin, il quitte son appartement de l'Hôtel-Dieu et, la chandelle à la main, passe dans les salles de l'hôpital. Ses collaborateurs le suivent, de lit en lit, avec déférence. Il opère sans relâche jusqu'à midi et consacre le reste de la journée aux consultations. Malgré ses opinions libérales, dont il ne fait pas mystère, il est élu, en 1824, à l'Académie royale de médecine. Ses malades lui savent gré de son intégrité et de son dévouement, ses confrères l'admirent, les autorités le respectent. Aux yeux du petit Gustave, il est une sorte de déité omnisciente, au tablier éclaboussé de sang. Le monde entier repose sur ses épaules. Il sait tout, il peut tout, il commande à la vie et à la mort. Souvent Gustave et Caroline, après avoir joué dans le jardin, grimpent au treillage jusqu'à une fenêtre du rez-de-chaussée ouvrant sur la pièce réservée aux dissections. Ils voient leur père penché sur un cadavre, le scalpel à la main. Ces chairs livides et inertes, ces incisions profondes leur donnent l'impression d'une triste boucherie. Mais la curiosité est plus forte que la répugnance. « Le soleil donnait dessus, écrira Flaubert; les mêmes mouches qui voltigeaient sur nous et sur les fleurs allaient s'abattre là, revenaient, bourdonnaient!... Je vois encore mon père levant la tête de dessus sa dissection et nous disant de nous en aller[1]. » Le commerce de la maladie, de la pourriture et de la mort imprègne l'esprit des enfants dès leurs premiers pas dans le monde. Des brancards passent dans le jardin. Des silhouettes squelettiques se béquillent dans les allées. Certains pensionnaires ont, sur le visage, une expression d'idiotie clinique et Gustave s'amuse à les imiter, l'œil rond, la lèvre pendante.

Si son père porte sur ses vêtements l'odeur de l'hôpital, sa mère a un abord plus réconfortant. Mais avec ses yeux sombres et mélancoliques, ses cheveux très noirs, son teint pâle, ses lèvres qui sourient rarement, elle aussi est l'image de la souffrance. Angoissée, nerveuse, quelque peu maniaque, elle tremble pour sa progéniture. Certes, l'aîné de ses enfants, Achille, témoigne d'une santé et d'une intelligence réconfortantes, mais les deux autres ont une complexion si fragile qu'elle augure mal de leur avenir. Gustave, surtout, lui paraît à la fois hypersensible et intellectuellement retardé. À tout moment, il s'isole dans une sorte d'hébétude, le doigt dans la bouche, le regard éteint, sourd à ce qui se dit autour de lui et incapable de prononcer une phrase correcte. C'est sa mère qui lui donne ses premières leçons, avec une patience inquiète. Il bute sur les mots, regimbe à apprendre l'alphabet, et son père se désole devant tant de paresse. Ce fils lourdaud et borné l'agace. Il

1. Lettre à Louise Colet du 7 juillet 1853.

ne voit pas en lui, comme en Achille, le digne dépositaire du nom des Flaubert. Gustave s'en rend compte et se rencogne davantage. Comme sa mère, de son côté, lui préfère la douce Caroline, il se sent rejeté par ses parents et se tourne avec passion vers les amis. Il y en a un dont l'affection le comble : Ernest Chevalier. C'est le petit-fils du père Mignot, qui habite juste en face de l'Hôtel-Dieu. Le père Mignot prend parfois Gustave sur ses genoux pour lui lire à haute voix *Don Quichotte*. Ainsi, avant de savoir lire lui-même, Gustave s'enchante-t-il des prouesses imaginaires du célèbre pourfendeur de moulins. Il écoute aussi, avec une avidité émerveillée, les contes du folklore régional que lui chuchote la servante Julie. Cet univers de fantasmagorie se heurte dans sa tête aux images macabres de l'hôpital. D'un côté les caracolades hardies de l'imagination, de l'autre la réalité puante de tous les jours. De plus en plus le rêve devient pour l'enfant un refuge contre la vie. Il sait à peine tenir une plume et déjà il espère devenir un écrivain. Comme ce Cervantes qui a inventé Don Quichotte.

Le 31 décembre 1830, il vient d'avoir neuf ans et fait part de ses projets à son ami Ernest Chevalier dans une lettre à l'orthographe approximative : « Si tu veux nous associer pour écrire moi j'écrirait des comédie et toi tu écriras tes rêves, et comme il y a une dame qui vient chez papa et qui nous contes toujours des bêtises je les écrirait. » Et, un mois plus tard, au même Ernest Chevalier : « Je te prie de me répondre et me dire si tu veux nous associer pour écrire des histoires, je t'en prie, dit-moi le, parce que si tu veux bien nous associer, je t'enverrai des cahiers que j'ai commencé à écrire, et je te prierai de me les renvoyer, si tu veux écrire quelque chose dedans tu me fras beaucoup de plaisirs. » Les sujets se chevauchent dans son cerveau. Il les énumère : *La Belle Andalouse, Le Bal masqué, La Mauresque*. Le père Mignot l'encourage dans ses balbutiements littéraires et fait même calligraphier un éloge de Corneille, sous le titre : *Trois pages d'un cahier d'écolier, ou Œuvres choisies de Gustave F...* Cet exposé scolaire est suivi d'une étude sur la constipation due, selon l'auteur, à « un resserrement du trou merdarena ». Du sublime au scatologique il n'y a qu'un pas et Gustave s'en amuse. « J'avais raison de dire que la belle explication de la fameuse constipation et l'éloge de Corneille tourneraient à la postérité, c'est-à-dire au postérieur[1] », dit-il encore à Ernest Chevalier.

Ayant accompagné ses parents au théâtre, il ambitionne à présent de devenir un auteur dramatique. Saisi de fièvre, il ébauche des pièces et les joue avec sa sœur, Ernest Chevalier et, plus tard, un autre ami, Alfred Le Poittevin, devant les parents et les domestiques. Les représentations ont lieu dans la salle de billard. La table de billard, poussée contre le mur, sert de scène. La petite Caroline s'occupe des décors et des costumes, tandis qu'Ernest Chevalier fait fonction de machiniste, mais tous deux sont aussi acteurs. Pour répondre à l'appétit de la troupe, Gustave ébauche tragédies et comédies : *L'Amant avare*, « qui ne veut pas faire de cadeaux à sa maîtresse et son ami l'attrape », une « histoire de Henri IV », une autre de Louis XIII, une autre de Louis XIV... À la foire Saint-Romain, qui se tient au mois d'octobre à Rouen, il assiste à une représentation de marionnettes : la tentation de saint Antoine aux prises avec le diable. Ce spectacle le transporte d'aise. Le souvenir des hallucinations infernales du saint le poursuivra au long de sa vie. Tout ce qu'il voit, tout ce qu'il entend, tout ce qu'il lit excite son inspiration. Comme la plupart des débutants, c'est en copiant les autres qu'il s'offre, à bon compte, l'illusion de produire.

Avec la révélation de la littérature, son comportement se modifie. L'enfant renfermé, absent, amorphe des années précédentes, découvre, peu à peu, une raison de vivre. Il a

1. Lettre du 4 février 1832.

toujours, devant ses parents, cette attitude engourdie, mais elle dissimule un intense bouillonnement intérieur. Les personnages imaginaires qui l'habitent le détournent du monde où les grandes personnes veulent le confiner. Il déteste tout ce qui l'empêche de se livrer aux jeux gratuits de la pensée. Son besoin de s'épancher le pousse à écrire lettre sur lettre à son cher Ernest Chevalier. Elles sont signées : « Ton meilleur ami jusqu'à la mort, nom de Dieu! » ou : « Ton intrépide et sale cochon, ami jusqu'à la mort. » Il éprouve pour ce joyeux garçon une attirance irrésistible. Joies et déceptions, projets grandioses et lourdes plaisanteries, il voudrait tout partager avec lui. Ce n'est plus de la camaraderie, c'est une rage de communion, une soif de présence. « Un amour pour ainsi dire fraternel nous unis, lui écrit-il le 22 avril 1832. Oui, moi qui a du sentiment, oui, je ferais mille lieues s'il le fallait pour aller rejoindre le meilleur de mes amis, car rien est si doux que l'amitié. » Au comble de l'exaltation, il demande à l'apprenti de son oncle Parain, orfèvre-bijoutier, de fabriquer deux cachets sur lesquels sont gravés ces mots : « Gustave Flaubert et Ernest Chevalier, individus qui ne se sépareront jamais. »

L'année 1832 est celle du choléra en France. Un chariot est spécialement affecté au transport des malades. L'hôpital est bourré de moribonds. Derrière la cloison de la salle à manger, on entend des toux, des râles. Le Dr Flaubert est débordé de travail. Gustave ne souffre pas outre mesure de cette atmosphère macabre. Il a l'habitude.

Aux vacances d'été, en 1833, toute la famille part, en chaise de poste, pour Nogent-sur-Seine, berceau de la tribu Flaubert. À cette occasion, Gustave visite Fontainebleau, Versailles, le jardin des Plantes et voit jouer « la fameuse Mademoiselle George » dans *La Chambre ardente*, « drame en cinq actes dans lequel meurent sept personnes ». « Elle a rempli parfaitement son rôle [1] », affirme-t-il avec suffisance à Ernest Chevalier. Il n'en faut pas plus pour qu'il connaisse un regain d'enthousiasme créateur. Théâtre ou roman, tout lui est bon pourvu qu'il s'agisse d'évoquer l'univers des passions et le cliquetis des épées. Quand donc pourra-t-il se consacrer corps et âme à sa vocation? Pour l'instant, malgré cette flamme qu'il porte dans le cœur, il doit songer à la sinistre grisaille du collège.

---

1. Lettre du début septembre 1833.

II

PREMIERS ÉCRITS, PREMIERS ÉMOIS

C'est à l'automne de l'année 1831 que Gustave entre, comme externe, en classe de huitième, au Collège royal de Rouen[1]. Il a neuf ans et demi. En mars 1832, il devient pensionnaire. Dans cet établissement de tradition ancienne, la discipline est celle, rigoureuse, de la caserne. Les professeurs portent la toque et la toge à parements blancs. Chaque élève a son encrier de corne divisé en deux parties, l'une pour l'encre noire, l'autre pour l'encre rouge. Ils se servent de plumes d'oie qu'ils taillent au couteau. Tous sont en uniforme. Il n'y a pas de pupitres. On écrit sur ses genoux. Les classes, très vastes, sont mal chauffées. L'hiver, les enfants grelottent. Au-dessus de la chaire du professeur, se dresse une croix de bois noir. Le soir venu, les pensionnaires se retrouvent dans leurs lits blancs, derrière des rideaux blancs, dans le dortoir éclairé par un quinquet à l'huile. « Dans la nuit, écrira Flaubert, j'écoutais longtemps le vent qui soufflait lugubrement... J'entendais les pas de l'homme de ronde qui marchait lentement avec sa lanterne, et, quand il venait près de moi, je faisais semblant d'être endormi et je m'endormais en effet, moitié dans les rêves, moitié dans les pleurs[2]. »

1. Aujourd'hui lycée Corneille, en l'honneur d'un de ses plus illustres élèves. L'établissement avait ouvert ses portes en 1595.
2. *Mémoires d'un fou.*

À cinq heures du matin, c'est le réveil. Le roulement du tambour ébranle les murs. Aussitôt, la quarantaine de pensionnaires s'extirpent en grognant de leurs couvertures et s'habillent, ahuris, maladroits, dans la pénombre. Ils se lavent le museau en hâte, à l'eau glacée de la fontaine, dans la cour. Puis, regagnant le dortoir, ils se tiennent au garde-à-vous devant leur lit pour un premier appel.

Cette existence constamment minutée et surveillée exaspère Gustave. « Dès le collège, écrira-t-il, j'étais triste, je m'y ennuyais, je m'y cuisais de désirs, j'avais d'ardentes aspirations vers une existence insensée et agitée, je rêvais les passions, j'aurais voulu toutes les avoir[1]. » Il souffre d'être emprisonné, ligoté; il souffre d'être obligé de marcher en rang; il souffre de sa jeunesse. Et aussi d'être séparé d'Ernest Chevalier. Son ironie amère s'exerce à l'occasion des moindres événements qui marquent la vie quotidienne de la petite communauté. Avec fierté, il se veut différent des autres, dédaigneux des plaisirs faciles, hostile à toute forme de consécration officielle.

À onze ans déjà, il ricane lorsque le roi Louis-Philippe visite sa bonne ville de Rouen. « Louis-Philippe est maintenant avec sa famille dans la ville qui vit naître Corneille, écrit-il à Ernest Chevalier. Que les hommes sont bêtes, que le peuple est borné!... Courir pour un roi, voter 30 mille francs pour les fêtes, faire venir pour 3 500 francs des musiciens de Paris, se donner du mal pour qui? pour un roi! Faire queue à la porte du spectacle depuis trois heures jusqu'à huit heures et demie, pour qui? pour un roi! Ah! que le monde est bête! Moi, je n'ai rien vu, ni revue, ni arrivée du roi, ni les princesses, ni les princes. Seulement j'ai sorti hier soir pour voir les illuminations[2]. »

Et, l'année suivante, à douze ans, alors qu'il travaille, dit-il, à un roman sur Isabeau de Bavière, il renchérit, auprès d'Ernest Chevalier, sur la ridicule misère de la

1. *Novembre.*
2. Lettre du 11 septembre 1833.

condition humaine : « Tu crois que je m'ennuie de ton absence, oui, tu ne te trompes point et si je n'avais dans la tête et au bout de ma plume une reine de France au quinzième siècle, je serais totalement dégoûté de la vie et il y aurait longtemps qu'une balle m'aurait délivré de cette plaisanterie bouffonne qu'on appelle la vie[1]. »

Cette misanthropie puérile ne l'empêche pas de poursuivre ses études vaille que vaille. En classe, les élèves, dès la huitième, sont abreuvés de latin. La version latine et le thème, la dissertation latine, les vers latins, la grammaire latine, les explications d'auteurs latins occupent les trois quarts du programme scolaire. L'enseignement du français est négligé. D'ailleurs, Gustave est mal noté en cette matière. Trop d'imagination et pas assez d'orthographe. Il se rattrape en histoire naturelle et surtout en histoire. Conseillé par un jeune professeur enthousiaste, Pierre-Adolphe Chéruel, il dévore Michelet, Froissart, Commynes, Brantôme, Hugo, Dumas. Au cours de promenades collectives avec son maître, il découvre les vestiges du passé dans la ville et dans les environs. Les fastes et les violences des siècles révolus le consolent de la platitude des journées présentes. Avec l'assentiment de Chéruel, il se lance dans la rédaction d'une série de récits échevelés. Des contes et des pièces complètent cette explosion romantique. Dans la foulée, il décroche, plusieurs années de suite, les prix d'histoire. En 1834, il crée, pour ses camarades du collège, une revue manuscrite, *Art et progrès*, dont il est l'unique rédacteur. Cette année-là, il est en sixième, et le programme comprend – outre le latin – les fables, la géographie. En cinquième, il aborde le grec, l'histoire ancienne, l'anglais, *Télémaque*. Puis c'est la découverte de Beaumarchais, de Voltaire, de Shakespeare, de Rabelais, de Walter Scott... Chaque lecture nouvelle le détermine plus follement à être lui-même un écrivain. Il est le disciple de tous les grands auteurs qu'il fréquente. Sa production

1. Lettre du 29 août 1834.

de l'époque, dont il ne reste presque rien, s'amplifie. Il remplace la qualité par la quantité.

Mais déjà, aux premiers rêves littéraires répondent les premiers émois de l'adolescence. En 1834, alors qu'il passe les grandes vacances d'été en famille, à Trouville, station balnéaire encore peu fréquentée où ses parents possèdent quelques biens, il découvre les délices et les angoisses du flirt. Ayant fait la connaissance des deux filles de l'amiral anglais Henry Collier, Gertrude (née en 1819) et Henriette (née en 1823)[1], il s'éprend d'elles sur-le-champ. On échange quelques pressions de main, quelques soupirs langoureux, quelques baisers sur la joue, et c'est la séparation. « C'était quelque chose de doux, d'enfantin, qu'aucune idée de possession ne ternissait, mais qui, par cela même, manquait d'énergie, écrira-t-il. C'était trop niais cependant pour être du platonisme... Est-il besoin de dire que cela avait été à l'amour ce que le crépuscule est au grand jour[2]. »

Avec la rentrée des classes, il retrouve les salles froides, la promiscuité du dortoir, les devoirs bâclés. Mais, dans le train-train scolaire, il est éclairé par la pensée d'une œuvre à construire. Les manuscrits s'accumulent : *La Mort de Marguerite de Bourgogne, Un voyage en enfer, Deux mains sur une couronne, Un secret de Philippe-le-Prudent, Un parfum à sentir, La Femme du monde, La Peste à Florence, Bibliomanie, Rage et impuissance, Chronique normande du xe siècle.* Lui qui, plus tard, souffrira le martyre en élaborant ses phrases, laisse courir sa plume avec facilité, ivresse et grandiloquence. Dans *Un parfum à sentir,* il avoue les délices qu'il éprouve à noircir du papier : « Vous ne savez peut-être pas quel plaisir c'est : composer ! Écrire, oh ! écrire, c'est s'emparer du monde, de ses préjugés, de ses vertus et les résumer dans un livre ; c'est sentir sa pensée naître, grandir, vivre, se dresser debout sur son

1. Plus tard Mrs. Tennant et Mrs. Campbell.
2. *Mémoires d'un fou.*

20

piédestal et y rester toujours. Je viens donc d'achever ce livre étrange, bizarre, incompréhensible. Le premier chapitre, je l'ai fait en un jour; j'ai été ensuite pendant un mois sans y travailler; en une semaine, j'en ai fait cinq autres et en deux jours je l'ai achevé. » Sa philosophie est, dit-il, « triste, amère, sombre et sceptique ». Mais, par réaction contre ce penchant à la neurasthénie, il cultive la plaisanterie salace et le rire gras. C'est vers cette époque qu'apparaît dans ses fantasmes le personnage du Garçon. Imaginé par lui et quelques amis, dont un nouveau venu, Alfred Le Poittevin, le Garçon est une sorte de monstre hilare, grotesque, rabelaisien, chargé de dénoncer la bêtise provinciale. Sa vulgarité et sa faconde éclaboussent le monde qui l'entoure. Il est pour Gustave l'exutoire d'une formidable fureur contre la médiocrité.

Alfred Le Poittevin et Louis Bouilhet sont ses nouveaux compagnons dans les discussions philosophiques et les projets d'avenir. Alfred Le Poittevin est de cinq ans son aîné. Esprit méditatif, enclin à la mélancolie, il a cependant un goût très vif pour les jupons. Louis Bouilhet, lui aussi, s'intéresse aux filles. Entre eux, on cultive le langage outrancier, le cynisme viril. Gustave se met au diapason et écrit à son cher Alfred une lettre en forme de palmarès scolaire : « Continuité du désir sodomite : premier prix – (après moi) : Morel. Bandaison dans la culotte : premier prix : Morel. Masturbation solitaire : prix : Rochin[1]... » Il n'est question, dans les conversations entre camarades, que de « gland fromagifère, de membre viril, de motte, de baisades... »

Cette phraséologie ordurière n'empêche pas Gustave de rêver avec de grands battements de cœur à la femme idéale, inaccessible, souveraine, qui l'enchaînera à ses pieds. S'il se contente encore de plaisirs solitaires et de caresses furtives avec des camarades, il éprouve, par tous les pores de sa peau, l'appel de l'amour véritable, celui qui unit deux êtres

1. Lettre de 1837.

de sexe différent dans une extase forte comme la mort. Son flirt avec les petites Anglaises, à Trouville, l'a laissé sur sa faim.

Or, en 1836, les grandes vacances le ramènent, avec ses parents, sur les lieux de ses premiers troubles sentimentaux. En vérité, le voyage jusqu'à Trouville constitue, à l'époque, une petite expédition. Pour s'y rendre, depuis Pont-l'Évêque, il faut suivre un chemin impraticable aux voitures. On y va à pied, des chevaux portant les bagages. La station balnéaire n'est qu'un humble village de pêcheurs. Deux modestes auberges se partagent la clientèle des visiteurs et six cabines de planches, érigées sur le sable, servent d'abri aux rares baigneuses. Se confier au mouvement des flots est encore considéré comme une excentricité. La famille Flaubert est descendue à l'hôtel de l'Agneau d'Or. Gustave, qui a quatorze ans et demi, aime à se promener seul, cheveux au vent, au bord de la mer. « A cette époque, j'étais splendide », dira-t-il. Très grand, très svelte, le teint vif, les cheveux châtain clair, le regard vert et direct, il a, malgré son jeune âge, l'allure d'un athlète au mieux de sa forme. Un matin, comme il déambule sur la plage, il aperçoit une cape rouge, rayée de noir, qui risque d'être emportée par la marée montante. Il la ramasse et la dépose plus loin, hors de l'atteinte des vagues. Le jour même, au repas de midi, dans la salle à manger commune, une voix de femme, très mélodieuse, l'interpelle. C'est la propriétaire de la cape qui le remercie de son geste. En la regardant, il a un éblouissement. « Comme elle était belle, cette femme ! écrira-t-il. Je vois encore cette prunelle ardente sous un sourcil noir se fixer sur moi comme un soleil. Elle était grande, brune, avec de magnifiques cheveux noirs qui lui tombaient en tresses sur les épaules ; son nez était grec, ses yeux brûlants, ses sourcils hauts et admirablement arqués, sa peau était ardente et comme veloutée avec de l'or ; elle était mince et fine, on voyait des veines d'azur serpenter sur cette gorge brune et pourprée. Joignez à cela un duvet fin qui brunissait sa lèvre supé-

22

rieure et donnait à sa figure une expression mâle et énergique à faire pâlir les beautés blondes... Elle parlait lentement ; c'était une voix modulée, musicale et douce[1]. »

Chaque matin, il va la voir se baigner. Debout sur le rivage, il imagine les mouvements souples de la nageuse caressée par les vagues. Quand elle sort de l'eau, avec ses vêtements mouillés qui se plaquent sur les cuisses et les seins, il est comme pris de vertige. « Mon cœur battait avec violence, je baissais les yeux, le sang me montait à la tête, j'étouffais. Je sentais ce corps de femme à moitié nu passer près de moi avec le parfum de la vague. Sourd et aveugle, j'aurais deviné sa présence... J'aimais. »

L'objet de cette passion secrète se nomme Élisa. Elle a vingt-six ans. Devant tant de beauté, de grâce et d'assurance, la timidité paralyse Gustave. Il se sent trop jeune, trop médiocre pour intéresser une personne de cette qualité. Mais déjà il devine qu'elle sera la femme de sa vie, celle à qui il dédiera ses rêves les plus fous et qu'il évoquera sous d'autres noms dans ses œuvres futures. Sans rien savoir d'elle ou presque, il a envie d'être fidèle à son souvenir. Au vrai, Élisa n'est pas une créature très respectueuse des convenances. Ayant épousé à dix-huit ans, en sortant du couvent, un jeune officier, Émile Judée, elle s'en est séparée après une courte existence commune et vit depuis maritalement avec un Prussien naturalisé français, l'éditeur de musique Maurice Schlésinger, de treize ans plus âgé qu'elle[2]. Elle vient de mettre au monde un bébé, la petite Marie, qui, le couple n'étant pas marié, a été déclarée « de mère non dénommée ». Cette fillette, Gustave voudrait être à sa place pour baigner dans la chaleur de la femme aimée. Un jour, il voit Élisa découvrir sa gorge pour allaiter l'enfant. Le spectacle de cette nudité le

1. *Mémoires d'un fou.*
2. Maurice Schlésinger n'épousera Élisa qu'en septembre 1840, après la mort, en 1839, de Judée.

bouleverse. « C'était une gorge grasse et ronde, écrira-t-il, avec une peau brune et des veines d'azur qu'on voyait sous cette chair ardente. Jamais je n'avais vu de femme nue alors. Oh! la singulière extase où me plongea la vue de ce sein; comme je le dévorai des yeux, comme j'aurais voulu seulement toucher cette poitrine! Il me semblait que si j'eusse posé mes lèvres, mes dents l'auraient mordue de rage, et mon cœur se fondait en délices en pensant aux voluptés que donnerait ce baiser. Oh! comme je l'ai revue longtemps cette gorge palpitante, ce long cou gracieux et cette tête penchée, avec ses cheveux noirs en papillotes, vers cette enfant qui tétait et qu'elle berçait lentement sur ses genoux en fredonnant un air italien[1]. »

Maurice Schlésinger, « homme vulgaire et jovial », prend en amitié ce timide soupirant de sa maîtresse. Gustave fait du bateau avec eux, il leur tient compagnie dans leurs promenades, il partage même souvent leurs repas. Au mois de septembre, il assiste à un bal chez le marquis de Pommelle. Mais il est trop jeune pour danser. Il regarde les autres, les adultes. Situation humiliante et qui incite aux sarcasmes. Plus l'heure de la séparation approche, plus il souffre de ne pouvoir avouer son amour. Et soudain, c'est la fin des vacances. Les Schlésinger et les Flaubert plient bagage. L'idylle s'achève sur une plage déserte, sous un ciel pluvieux. « Adieu pour toujours! écrira Gustave. Elle partit comme la poussière de la route qui s'envola derrière ses pas. Comme j'y ai pensé depuis!... C'était dans mon cœur un chaos, un bourdonnement immense, une folie; tout était passé comme un rêve... Enfin je vis les maisons de ma ville, je rentrai chez moi, tout m'y parut désert et lugubre, vide et creux; je me mis à vivre, à boire, à manger, à dormir. L'hiver vint et je rentrai au collège... Si je vous disais que j'ai aimé d'autres femmes, je mentirais comme un infâme. »

De retour au collège, il ne peut oublier les enchante-

1. *Mémoires d'un fou.*

ments de l'été et décide de les décrire dans *Mémoires d'un fou*. La plume à la main, il revit, avec nostalgie, les moindres instants de cette aventure amoureuse, si importante pour lui et dont Élisa, sans doute, n'a rien su. Par discrétion, il la nomme Maria dans son récit. Et il conclut : « Oh! Maria! Maria, cher ange de ma jeunesse, toi que j'ai vue dans la fraîcheur de mes sentiments, toi que j'ai aimée d'un amour si doux, si plein de parfum, de tendres rêveries, adieu!... Adieu et cependant je penserai toujours à toi!... Adieu! et pourtant quand je te vis, si j'avais été plus âgé de quatre à cinq ans, plus hardi... peut-être[1]!... » Cette confession est dédiée à son nouvel ami, Alfred Le Poittevin. Ensemble ils se moquent des femmes en termes graveleux et ensemble ils en rêvent.

---

1. Les *Mémoires d'un fou* furent achevés en 1838.

III

ÉTUDES ET RÊVERIES

Alfred Le Poittevin a quitté le collège alors que Gustave était encore dans les petites classes. Mais leur amitié survit à cette séparation et se renforce même avec l'âge. Gustave éprouve pour son aîné une tendresse et une admiration profondes. Il a constamment besoin de son approbation. « J'ai encore pensé à toi, lui écrira-t-il quelques années plus tard. Je t'ai désiré avec un étrange appétit; car, loin de l'autre il y a en nous comme quelque chose d'errant, de vague, d'incomplet[1]. » Et encore : « Si tu venais à me manquer, que me resterait-il? Qu'aurais-je dans ma vie intérieure, c'est-à-dire la vraie[2]? » Le pessimisme romantique d'Alfred Le Poittevin trouve en son jeune camarade un terrain de choix. Au cours de leurs rencontres, ils s'excitent l'un l'autre à la peinture des sentiments extrêmes, des situations macabres, des présages horrifiants. Presque tout ce que Gustave écrit à quinze ans, en classe de troisième, est résolument poussé au noir. Dans *Rage et impuissance*, il évoque un homme enterré vivant qui dévore son bras. Dans *Quidquid volueris*, son héros est le fils d'un singe et d'une négresse. Dans *Rêve d'enfer*, il campe le personnage d'un vieil alchimiste qui habite une tour en ruine, peuplée de chauves-souris, et à qui Satan offre la jeunesse et

1. Lettre du 15 avril 1845.
2. Lettre du mois d'août 1845.

l'amour en échange de son âme. Mais l'alchimiste n'a pas d'âme. Et c'est Satan qui est floué.

Pour se reposer des grands orages de la passion, Gustave se plaît aussi à exploiter la veine satirique. Ainsi, inspiré par la très populaire *Physiologie du mariage* de Balzac, décide-t-il d'écrire la physiologie d'un employé de bureau. Il l'intitule : *Une leçon d'histoire naturelle. Genre commis.* C'est une caricature, lestement enlevée, où apparaît un personnage « petit, replet, gras et frais », dont certains traits rappellent le Garçon. Or, il se trouve qu'Alfred Le Poittevin dirige à présent un journal local, *Le Colibri*, imprimé sur papier rose et ouvert à la jeune littérature. Il s'offre à publier le texte de son ami. Gustave exulte : le voici sacré écrivain. Avec une feinte désinvolture, il annonce à Ernest Chevalier : « Mon *Commis* sera inséré jeudi prochain, et mercredi... je corrigerai les épreuves. » Ces épreuves, les premières de sa vie, il les attend avec fierté, avec inquiétude. Mais il n'oublie pas qu'il a quinze ans et demi et le goût de la rigolade. Si le début de sa lettre est d'un auteur consciencieux, la fin est d'un joyeux potache. Il vient d'apprendre que le censeur des études a été surpris dans un bordel et sera traduit devant le Conseil académique. Aussitôt, il jubile : « Quand je pense à la mine du censeur surpris sur le fait et limant, je me récrie, je ris, je bois, je chante, ah! ah! ah! ah! ah! et je fais entendre le rire du Garçon, je tape sur la table, je m'arrache les cheveux, je me roule par terre, voilà qui est bon. Ah! ah! voilà qui est blague, cul, merde. Adieu, car je suis fou de cette nouvelle[1]. »

Cette année-là, il remporte les premiers prix d'histoire naturelle et de littérature. Mais ces distinctions scolaires lui semblent dérisoires auprès du bonheur qu'il éprouve à avoir été imprimé dans *Le Colibri*. Au mois de décembre 1837, quelques jours avant son seizième anniversaire, il achève la rédaction d'un « conte philosophique », *Passion*

1. Lettre du 24 mars 1837.

et vertu, dont l'héroïne, Mazza, est une femme au tempérament tumultueux que ses rêves entraînent loin des conventions conjugales et qui, déçue par son amant, finit par se suicider : « Elle ne croyait plus à rien qu'au malheur et à la mort. La vertu pour elle était un mot, la religion un fantôme, la réputation un masque imposteur comme un voile qui cache les rides. » Trois mois plus tard, c'est un drame historique, *Loys XI*, dans lequel le roi Louis XI apparaît comme un ami du peuple qu'il défend contre les aristocrates et les privilégiés de la fortune. Puis vient une série de méditations désespérées : *Agonies, La Danse des morts, Ivre et mort...* Tous ces textes sont empreints de l'idée que la cruauté et l'injustice dominent l'univers et que la vie ne vaut pas la peine d'être vécue puisque la mort est au bout. « Souvent je me suis demandé pourquoi je vivais, ce que j'étais venu faire au monde, et je n'ai trouvé là-dedans qu'un abîme derrière moi, un abîme devant; à droite, à gauche, en haut, en bas, partout des ténèbres », lit-on dans *Agonies*. Seul l'amour d'une femme pourrait consoler Gustave de la mélancolie qui le ronge. Mais aucune ne s'intéresse à lui. Toujours hanté par le souvenir de la belle et intouchable Élisa Schlésinger, il termine les *Mémoires d'un fou*, confession désolée sur le mode byronien. Il y exprime, une fois de plus, sa haine de l'école, son mépris de l'humanité, son cynisme face à une vie qui n'a pas de sens et sa nostalgie de la mort. « Malheur aux hommes qui m'ont rendu corrompu et méchant, de bon et de pur que j'étais! s'écrie-t-il. Malheur à cette aridité de la civilisation qui dessèche et étiole tout ce qui s'élève au soleil de la poésie et du cœur! » Au bout de sa course terrestre, l'homme ne peut même pas espérer le repos dans l'abîme de l'éternité : « Mourir si jeune, sans espoir dans la tombe, sans être sûr d'y dormir, sans savoir si sa paix est inviolable! Se jeter dans les bras du néant et douter s'il vous recevra!... Oui, je meurs, car est-ce vivre de voir son passé comme l'eau écoulée dans la mer, le présent comme une cage, l'avenir comme un linceul[1] ? » À ces lamentations funèbres, succèdent sans transition les Mémoires proprement dits, tout imprégnés du charme de la première rencontre avec Élisa Schlésinger : « Ici sont mes souvenirs les plus tendres et les plus pénibles à la fois, et je les aborde avec une émotion toute religieuse... C'est une large cicatrice au cœur qui durera toujours, mais, au moment de retracer cette page de ma vie, mon cœur bat comme si j'allais remuer des ruines chéries. »

Pour les grandes vacances, Gustave retourne à Trouville avec l'espoir d'y retrouver celle dont il n'ose rêver qu'elle le distinguera un jour malgré son jeune âge et sa gaucherie. Or, elle n'est pas là. Sans elle, le village est triste, la mer terne, le ciel bas, les gens laids et médiocres. D'ailleurs, il pleut sans discontinuer. Enfermé dans sa chambre, Gustave se morfond pendant deux semaines. « J'entendais la pluie tomber sur les ardoises, le bruit lointain de la mer, et, de temps en temps, quelques cris de marins sur le quai[2] », écrit-il. À force de penser à Élisa, il a des hallucinations. Il lui semble qu'il ne pourra plus jamais aimer une autre femme. Sa vie est finie alors qu'il n'a pas dix-huit ans. Et la responsable de cette faillite ignore tout des tourments qu'elle inflige.

C'est un adolescent brisé, désenchanté qui, au mois d'octobre 1838, entre en rhétorique. Par chance, ses parents acceptent qu'il soit désormais externe. Cela lui permet, dit-il, de fumer le cigare au café National en attendant la sonnerie du collège. Heureux de son nouveau sort, il n'en est pas moins impatient de quitter à jamais l'école : « Il est vrai que je suis maintenant externe libre, ce qui est on ne peut mieux, en attendant que je sois tout à fait parti de cette sacrée nom de Dieu de pétaudière de merde de collège[3] », écrit-il à Ernest Chevalier. Pour

1. *Mémoires d'un fou.*
2. *Ibid.*
3. Lettre du 11 octobre 1838.

comble de tristesse, Ernest Chevalier et Alfred Le Poitte-vin, ses deux meilleurs amis, sont maintenant à Paris où ils poursuivent des études de droit. Pour se consoler de leur absence, Gustave n'a que la lecture, l'écriture et le souvenir. Son admiration du moment va à Victor Hugo, « aussi grand homme que Racine, Calderon, Lope de Vega », à Montaigne, mais surtout à Rabelais et à Byron. « Vraiment, confie-t-il à Ernest Chevalier, je n'estime profondément que deux hommes : Rabelais et Byron, les deux seuls qui aient écrit dans l'intention de nuire au genre humain et de lui rire à la face[1]. » Lui-même compose coup sur coup *Les Arts et le commerce, Les Funérailles du docteur Mathurin, Rabelais, Mademoiselle Rachel, Rome et les Césars*, mais surtout il travaille à un mystère de style médiéval, *Smarh*.

Inspirée à la fois par le *Caïn* de Byron et par le *Faust* de Goethe, cette œuvre étrange, prolixe, exubérante, où le dialogue alterne avec la narration, met en scène le combat d'un paisible ermite, Smarh, que sa soif du savoir livre aux entreprises de Satan. L'idée du vertige d'une âme pure devant l'abîme des connaissances surnaturelles hante Gustave depuis sa tendre enfance, depuis le spectacle de la tentation de saint Antoine par les marionnettes de la foire Saint-Romain. Pour vaincre la résistance de Smarh, il imagine, à côté du diable, un personnage terrible et bouffon, Yuk, dont l'ironie insolente s'attaque aux plus nobles aspirations de l'individu. Porte-parole de l'auteur, Yuk estime que la seule attitude raisonnable pour l'homme est le dénigrement systématique, le refus de tout idéal, le rire devant l'absurdité de ceux qui croient encore en quelque chose ou en quelqu'un. Le mystère s'achève par l'évocation de la fin du monde et le triomphe de Yuk. « C'est quelque chose d'inouï, de gigantesque, d'absurde, d'inintelligible pour moi et pour les autres, écrit Gustave à

1. Lettre du 13 septembre 1838.

Ernest Chevalier. Il fallait sortir de ce travail de fou, où mon esprit était tendu dans toute sa longueur[1]. »

Pendant que Gustave se bat contre les chimères, son frère Achille, le sage, le pondéré, passe sa thèse de médecine, à Paris, et, peu après, se marie. Celui-là ne se pose aucune question, sa voie est toute tracée, ses parents sont fiers de lui. Gustave ne le juge plus. Cet homme-là ne fait pas partie de son univers. C'est sans savoir au juste ce qu'il fera plus tard qu'il aborde, en octobre 1839, la classe de philosophie. Son professeur de philosophie, M. Mallet, reconnaît ses dons et le classe premier en composition. Gustave en est secrètement flatté, mais, devant Ernest Chevalier, il feint, comme il se doit, le mépris : « Quelle dérision! À moi la palme de la philosophie, de la morale, du raisonnement, des bons principes! Ah! Ah! paillasse! vous vous êtes fait un bon manteau de papier avec de grandes phrases plates sans coutures[2]. » Or, une tempête se prépare sur les bancs du collège. Jugé trop faible avec ses élèves, M. Mallet est remplacé par un certain M. Bezout. Les élèves, qui aimaient et estimaient M. Mallet, se révoltent. Pour rétablir l'ordre, M. Bezout inflige une punition à toute la classe : mille vers à copier. Encouragés par Gustave, les élèves rédigent une pétition contre leur nouveau maître. Le censeur choisit trois « insoumis » au hasard et menace de les expulser s'ils continuent à désobéir. Parmi les victimes désignées, Gustave Flaubert. Aussitôt il écrit une seconde lettre de protestation, que contre-signent douze de ses camarades. Il se sent la tripe d'un rebelle, il combat l'injustice, il pourfend la stupide autorité administrative, symbole de toute la société bourgeoise. Mais le proviseur, à qui le censeur a transmis la lettre, maintient la sentence. Afin d'éviter l'affront d'un renvoi pour insolence, le Dr Flaubert retire son fils du collège, en décembre 1839.

1. Lettre du 26 décembre 1838.
2. Lettre du 19 novembre 1839.

C'est à la maison que Gustave prépare, seul, son baccalauréat. Pour l'aider dans son travail, Ernest Chevalier, d'un an son aîné, lui adresse les notes et les devoirs qu'il a rédigés naguère lui-même, en classe de philosophie. Le découragement et la fatigue de Gustave son immenses. « Tu ne te figures pas une vie comme la mienne, écrit-il, le 7 juillet 1840, à Ernest Chevalier. Je me lève tous les jours à 3 heures juste et je me couche à 8 heures 1/2; je travaille toute la journée. Encore un mois comme ça; c'est gentil, d'autant plus qu'il faut repiocher de plus belle... Il m'a fallu apprendre à lire le grec, apprendre par cœur Démosthène et deux chants de l'*Iliade*, la philosophie où je reluirai, la physique, l'arithmétique et quantité assez anodine de géométrie. Tout cela est rude pour un homme comme moi qui suis plutôt fait pour lire le marquis de Sade que des imbécillités pareilles! Je compte être reçu et puis après... » Surmené, excédé, solitaire, il souffre à la fois d'être privé de ses amis et d'être privé de femmes. Des élans de sensualité le tourmentent. Il écrit dans *Souvenirs, notes et pensées intimes :* « Qui donc voudra de moi? Ce devrait être déjà venu, car j'aurais tant besoin d'une amante, d'un ange... Ô une femme, quelle belle chose! J'aime à rêver de ses contours. J'aime à rêver à toutes les grâces de ses sourires, à la mollesse de ses bras blancs, au tour de ses cuisses, à la pose de sa tête penchée. »

Le mois d'août s'avance, avec sa lourde chaleur, ses derniers piochages, ses angoisses prémonitoires. Enfin le 23 août 1840, le baccalauréat. Reçu! Quel pas en avant dans la vie! Gustave a dix-huit ans. Pour le récompenser de ses efforts et de sa réussite, son père, qui le juge anormalement déprimé et nerveux, lui offre de faire un voyage dans le midi de la France et en Corse. Mais le jeune homme sera accompagné d'un ami de ses parents, le Dr Jules Cloquet, de la sœur de celui-ci, une vieille fille, Mlle Lise, et d'un prêtre italien, l'abbé Stephani. De la sorte, pense-t-on en famille, il sera à l'abri des tentations. Bien qu'agacé par ce trio de chaperons attaché à ses pas,

Gustave se promet une grande joie du changement d'horizon qu'on lui propose. Il achète des carnets pour y noter les péripéties de sa randonnée. En véritable homme de lettres, il veut que tous les événements de sa vie se traduisent par l'écriture. D'illustres exemples l'inspirent : *L'Itinéraire de Paris à Jérusalem* de Chateaubriand, les *Impressions de voyage* d'Alexandre Dumas. Pourquoi pas les *Impressions de voyage* de Gustave Flaubert? Avant même d'être parti, il sent qu'il a changé de peau. Il n'est plus un écolier studieux, mais un homme libre, peut-être même un aventurier.

IV

EULALIE FOUCAUD

Les voyageurs se dirigent d'abord vers le sud-ouest. Ils visitent Bordeaux qui est, dit Gustave, « un Rouen méridional », Bayonne, puis Biarritz, où il se jette à l'eau pour ramener un homme qui se noie, Pau où il éprouve une blessure d'amour-propre en lisant à ses compagnons de route les notes qu'il a prises et dont ils sont incapables d'apprécier la valeur. « Peu d'approbation et peu d'intelligence de leur part, écrit-il. Je suis piqué, le soir, j'écris à maman, je suis triste; à table, j'ai peine à retenir mes larmes[1]. » La randonnée se poursuit par les Pyrénées, Toulouse, Nîmes, Arles... « Tu ne peux pas te figurer ce que c'est que les monuments romains, ma chère Caroline, et le plaisir que m'a procuré la vue des arènes[2]. » Le 2 octobre, le petit groupe se trouve pris dans la joyeuse cohue de la Canebière, à Marseille. Puis, c'est Toulon et l'embarquement pour la Corse. La tempête se lève pendant la traversée. Gustave est malade d'angoisse. Pour se donner du courage, il se transporte par la pensée dans sa chambre, à Rouen, ou à Déville, résidence estivale de la famille. « J'entrais dans le bosquet, j'ouvrais la barrière et j'entendais le bruit du loquet en fer qui retentissait sur le bois. » Ainsi, tout en aspirant à un destin hasardeux,

1. *Souvenirs, notes et pensées intimes.*
2. Lettre à sa sœur Caroline du 29 septembre 1840.

souhaite-t-il en secret retrouver le foyer paisible, stable, protégé où s'est déroulée son enfance. Audace et prudence alternées, cette dualité l'accompagnera, il le sent, tout au long de sa vie.

Le voici en Corse. Son œil enregistre aussi bien la beauté des paysages que la singularité des habitants. Il se renseigne sur la condition de la femme dans l'île et s'étonne de sa soumission aveugle à la volonté masculine. « Si le mari tient à la garder pure, ce n'est ni par amour ni par respect pour elle, écrit-il. C'est par orgueil pour lui-même, c'est par vénération pour le nom qu'il lui a donné... Le fils, même enfant, est plus respecté et plus maître que sa mère. » De retour à Toulon, il tombe en extase devant un palmier, symbole, pour lui, des splendeurs de l'Orient. Déjà il rêve de s'enfoncer, un jour, dans ces pays de soleil, de sable et de mystère. En attendant, on retourne à Marseille. Gustave n'a plus que le Dr Cloquet comme compagnon. Le prêtre et la vieille fille ont, entre-temps, regagné leurs pénates. Seul avec ce médecin débonnaire, Gustave se sent plus à l'aise. Ils descendent à l'hôtel Richelieu, au numéro 13 de la rue Darse, dans le quartier de la Canebière. Cet établissement est tenu par une femme de trente-cinq ans, fort belle, une créole, Eulalie Foucaud, et par sa mère. Eulalie Foucaud est très brune, avec une peau ambrée, un regard maternel et beaucoup de décision dans le geste et dans la parole. Dès l'abord, elle est frappée par la beauté de son jeune client. À dix-huit ans, Gustave mesure un mètre quatre-vingt-trois, et dresse, au-dessus de ses larges épaules, un visage aux traits purs et à la barbe blonde bouclée. Son amie anglaise, Gertrude Collier, dira de lui : « Gustave était aussi beau qu'un jeune Grec. Grand, mince, le geste souple, les jambes irréprochables, il avait le grand charme de ceux qui, parfaitement conscients de leur beauté physique et morale, méprisent toutes les formes de cérémonie. » Et Maxime Du Camp renchérira dans ses *Souvenirs littéraires* : « Avec sa peau blanche légèrement rosée sur les joues, ses longs cheveux fins et flottants, sa haute stature, large des épaules, sa barbe abondante et d'un blond doré, ses yeux énormes, couleur vert de mer, abrités sous des sourcils noirs, sa voix retentissante comme un son de trompette, ses gestes excessifs et son rire éclatant, il ressemblait aux jeunes chefs gaulois qui luttèrent contre l'armée romaine. »

Subjuguée par cet adolescent dont elle devine l'innocence, Eulalie Foucaud l'attire dans sa chambre. « J'étais encore vierge et n'avais pas aimé, écrira Flaubert dans *Novembre*. Je vis une figure d'une adorable beauté : une même ligne droite partait du sommet de sa tête dans la raie de ses cheveux, passait entre ses grands sourcils arqués, sur son nez aquilin aux narines palpitantes et relevées comme celles des camées antiques, fendait par le milieu sa lèvre chaude ombragée d'un duvet bleu. Et puis là, le cou, le cou gras, blanc, rond. À travers son vêtement mince, je voyais la forme de ses seins aller et venir au mouvement de sa respiration... Sans rien dire, elle me passa un bras autour du corps et m'attira sur elle dans une muette étreinte. Alors je l'entourai de mes deux bras et je collai ma bouche sur son épaule, j'y bus avec délices mon premier baiser d'amour... Elle ôta sa manche par un mouvement d'épaule. Sa robe se décrocha... tout à coup elle se dégagea de moi, dépassa ses pieds de dedans sa robe, et sauta sur le lit avec la prestesse d'une chatte... Elle se coucha, elle me tendit les bras; elle me prit... Sa main douce et humide me parcourait le corps, elle me donnait des baisers sur la figure, sur la bouche, sur les yeux, chacune de ces caresses précipitées me faisait pâmer, elle s'étendait sur le dos et soupirait... Enfin, se livrant à moi avec abandon, elle leva les yeux au ciel et poussa un grand soupir qui lui souleva tout le corps. »

Cette étreinte foudroie Gustave. Il est bouleversé de fierté, de bonheur et d'attendrissement. Quand il avoue à Eulalie qu'elle est la première, elle murmure, tout alanguie : « Tu es donc vierge et c'est moi qui t'ai défloré, pauvre ange[1] ! » En souvenir de ces instants miraculeux, elle va chercher des ciseaux et, se penchant sur Gustave, lui coupe une mèche de cheveux par-derrière. Ahuri de sa chance, il songe avec désespoir qu'il a une maîtresse et qu'il va devoir la quitter bientôt pour retourner auprès de ses parents. Pendant quatre jours, cette femme au tempérament impétueux le comble de caresses. Elle trouve en lui un amant aux dispositions exceptionnelles. Quand ils doivent se séparer, c'est pour tous deux un insupportable arrachement. Ils s'écriront pendant huit mois. Pour dissimuler cette brève liaison à ses parents, Gustave recommandera à Eulalie d'envoyer ses lettres chez son ancien camarade de classe, Émile Hamard, à Paris, qui lui fera suivre le courrier sous d'autres enveloppes. « T'avoir possédé et être privée de toi est un supplice affreux, un supplice d'enfer », lui dira-t-elle. Et, en lui annonçant son prochain départ pour l'Amérique, elle lui promettra de renouer avec lui, dans la passion, à son retour : « Je pourrai avec la même ardeur et le même bonheur te presser dans mes bras, te couvrir de baisers délirants et voluptueux et t'offrir encore un regard plein de feu et de désir. »

Lui, de son côté, conserve un souvenir brûlant de l'aventure marseillaise. Mais, en même temps, il craint que cette créature si belle et si exigeante n'empiète sur sa vie privée. Il lui est reconnaissant de l'avoir initié au bonheur des corps et s'inquiète des menaces qu'un trop vif attachement ferait courir à sa tranquillité. Déjà il éprouve le besoin de protéger en soi un jardin de méditation et de rêve contre les assauts indiscrets d'une maîtresse. Malheureux d'avoir quitté Eulalie, il se demande s'il aurait été heureux de l'avoir plus longtemps près de lui. En tout cas, elle représente à ses yeux l'amour charnel, alors qu'Élisa Schlésinger demeure, dans sa mémoire, le symbole de l'amour idéal. Ces deux types de femmes, l'une éthérée, inaccessible, l'autre palpable, utilisable, se partageront sa

1. *Novembre.*

38

vie et son œuvre, il en a le pressentiment, alors même qu'il se plaint de sa solitude.

Depuis son retour à Rouen, en novembre 1840, il a l'impression qu'en sortant des bras d'Eulalie il s'est épanoui, qu'il a pris de l'assurance, qu'il porte enfin sur le monde un regard pratique et blasé. Tout en répondant, avec une amabilité de plus en plus convenue, aux lettres de la Créole, il écrit à Ernest Chevalier : « Tu me dis que tu n'as pas de femme. C'est ma foi fort sage, vu que je regarde cette espèce comme assez stupide, la femme est un animal vulgaire dont l'homme s'est fait un trop bel idéal, le goût de la statuaire rend masturbateur, la réalité nous semble ignoble[1]. » Et, dégoûté de la France, de l'Europe, du monde civilisé, il rêve de s'en évader pour toujours vers l'Orient : « Je suis emmerdé d'être retourné dans un foutu pays où l'on ne voit pas plus de soleil dans l'air que de diamants au cul des pourceaux, confie-t-il à Ernest Chevalier. Il faudra à quelque jour que j'aille acheter quelque esclave à Constantinople, une esclave géorgienne encore, car je trouve stupide un homme qui n'a pas d'esclaves. Y a-t-il rien de bête comme l'égalité?... Je hais l'Europe, la France mon pays, ma succulente patrie que j'enverrais volontiers à tous les diables maintenant que j'ai entrebâillé la porte des champs. Je crois que j'ai été transplanté par les vents dans ce pays de boue, et que je suis né ailleurs, car j'ai toujours eu comme des souvenirs ou des instincts de rivages embaumés, de mers bleues... Je n'ai rien que des désirs immenses et insatiables, un ennui atroce, et des bâillements continus[2].

Malgré toutes ses préventions contre les règles de la société occidentale, il obéit à la suggestion de son père et accepte de faire son droit. Il sera juriste, puisque la famille le veut. Mais il n'en a pas moins une piètre idée de la justice : « La justice des hommes m'a toujours paru plus

1. Lettre du 28 mars 1841.
2. Lettre du 14 novembre 1840.

bouffonne que leur méchanceté n'est hideuse[1] », affirme-t-il. Or, Rouen ne possède pas de Faculté de Droit. Une seule solution : Paris. Il y rejoindra ses amis, et notamment Ernest Chevalier qui termine ses études pour devenir avocat ou magistrat : « Je te dirai donc, mon bel ami, que l'année prochaine j'étudierai le noble métier que tu vas bientôt professer. Je ferai mon droit, en y ajoutant une quatrième année pour reluire du titre de docteur... Après quoi, il se pourra bien faire que je m'en aille me faire Turc en Turquie, ou muletier en Espagne, ou conducteur de chameaux en Égypte[2]. »

Le 10 novembre 1841, il s'inscrit à la Faculté de Droit de Paris. Mais il continue de séjourner à Rouen. La veille du nouvel an, il évoque avec mélancolie le temps heureux où il attendait, avec son ami Ernest Chevalier, les douze coups de minuit : « Comme nous fumions, comme nous gueulions, comme nous parlions du collège, des pions et de l'avenir à Paris, de ce que nous ferions à vingt ans !... Mais demain, je serai seul, tout seul, et comme je ne veux pas commencer l'année par voir des joujoux, faire des vœux et des visites, je me lèverai comme de coutume à 4 heures, je ferai de l'Homère et je fumerai à ma fenêtre en regardant la lune qui reluit sur le toit des maisons d'en face et je ne sortirai pas de toute la journée, et je ne ferai pas une seule visite ! Tant pis pour ceux qui se fâcheront !... Comme dit le sage ancien : " Cache ta vie et abstiens-toi. " Aussi trouve-t-on que j'ai tort, je devrais aller dans le monde, je suis un drôle d'original, un ours, un jeune homme comme il n'y en a pas beaucoup, j'ai sûrement des mœurs infâmes, je ne sors pas des cafés, des estaminets, etc., telle est l'opinion des bourgeois sur mon compte[3]. »

Au bord du désarroi, lui le matérialiste à tous crins se découvre soudain une tentation mystique. Il est prêt à

1. Lettre à Ernest Chevalier du 30 novembre 1841.
2. Lettre du 10 janvier 1841.
3. Lettre du 31 décembre 1841.

croire que « Jésus-Christ a existé » et qu'il est doux de « s'anéantir au pied de la croix », de se « réfugier sur les ailes de la colombe ». Ce n'est qu'un éclair. Très vite il se retrouve avec, au cœur, le froid désespoir de l'athée. La perspective de devenir avocat le séduit encore moins depuis qu'il a pris ses inscriptions. Il lui semble qu'il est tombé dans un piège. Il s'en ouvre à son ancien professeur de lettres, Gourgaud-Dugazon : « Je me ferai recevoir avocat, mais j'ai peine à croire que je plaide jamais pour un mur mitoyen ou pour quelque malheureux père de famille frustré par un riche ambitieux. Quand on me parle du barreau en me disant : ce gaillard plaidera bien, parce que j'ai les épaules larges et la voix vibrante, je vous avoue que je me révolte intérieurement et que je ne me sens pas fait pour toute cette vie matérielle et triviale. Chaque jour au contraire j'admire de plus en plus les poètes... Voici donc ce que j'ai résolu. J'ai dans la tête trois romans, trois contes de genres tout différents et demandant une manière toute particulière d'être écrits. C'est assez pour pouvoir me prouver à moi-même si j'ai du talent, oui ou non[1]. »

C'est dans cet état d'esprit qu'il se prépare à partir pour Paris. Il n'est pas un étudiant qui songe vaguement à une carrière d'écrivain, mais un écrivain qui se désole à l'idée de n'être encore qu'un étudiant. Sa tête fourmille de projets ambitieux. Cependant, il craint que sa main ne le trahisse. Il écrit vite, trop vite avec une sorte de débridement fougueux. Est-ce bien ainsi qu'on construit les chefs-d'œuvre? Ne faut-il pas se surveiller davantage? Ce qu'il veut, c'est la perfection. Tant qu'il ne l'aura pas atteinte, ses élucubrations resteront dans un tiroir. Quant au droit, il s'agit tout au plus d'un prétexte pour tranquilliser la famille.

Flaubert arrive à Paris au début du mois de janvier 1842. Il a vingt ans et le désir de prouver au monde qu'il n'est plus un enfant mais un homme, avec une vocation

1. Lettre du 22 janvier 1842.

secrète, une philosophie amère, le goût de l'indépendance et le culte de l'amitié. Descendu à l'hôtel de l'Europe, rue Le Peletier, il écrit aussitôt à sa mère pour la rassurer : « "Tout est bien, tout va bien, tout est pour le mieux possible " », comme dit Candide. Je suis maintenant devant un bon feu qui me rôtit les jambes, je viens de humer deux tasses de thé corrigées d'eau-de-vie, je vais tout à l'heure aller chez M. Cloquet et nous allons nous livrer à des accolades furieuses... J'ai bien dormi et ne suis nullement fatigué... Adieu, je vous embrasse tous... Nota : Je n'ai point été écrasé par un omnibus, ma figure ne s'est pas allongée ni mon œil sorti[1]. »

1. Lettre du 8 janvier 1842.

V

ÉLISA

Après s'être renseigné sur le programme, les horaires des cours et le déroulement des épreuves de droit pour la première année, Flaubert retourne à Rouen. Il compte travailler chez lui. Mais, dès l'abord, les livres juridiques le rebutent. « Je ne fous rien, ne fais rien, ne lis et n'écris rien, ne suis propre à rien, annonce-t-il à Ernest Chevalier. Et pourtant j'ai commencé le Code civil dont j'ai lu le titre préliminaire que je n'ai pas compris et les *Institutes* dont j'ai lu les trois premiers articles que je ne me rappelle plus; farce[1] ! » Une consolation : le 2 mars, il tire au sort, à la mairie, un bon numéro, le 548, qui l'exempte du service militaire. L'armée lui paraît une institution aussi ridicule que la justice. Cependant, à l'approche de l'été, et donc de l'examen, il redoute de plus en plus un échec. Malgré son acharnement, il ne peut se familiariser avec la prose sévère des légistes. Il se délivre de sa hargne dans ses lettres à Ernest Chevalier : « La justice humaine est... pour moi ce qu'il y a de plus bouffon au monde, un homme en jugeant un autre est un spectacle qui me ferait crever de rire, s'il ne me faisait pitié, et si je n'étais forcé maintenant d'étudier la série d'absurdités en vertu de quoi il le juge. Je ne vois rien de plus bête que le droit, si ce n'est l'étude du droit, j'y

1. Lettre du 24 février 1842.

travaille avec un extrême dégoût et ça m'ôte tout cœur et tout esprit pour le reste[1]. »

En avril, il fait un bref séjour à Paris pour prendre ses inscriptions, renouvelables chaque trimestre, rend visite à Ernest Chevalier, lorgne les prostituées entre la rue de Grammont et la rue de Richelieu, puis revient à Rouen et se replonge avec écœurement dans les études : « Tu me demandes de longues lettres, j'en suis incapable, écrit-il encore à Ernest Chevalier. Le droit me tue, m'abrutit, me disloque, il m'est impossible d'y travailler. Quand je suis resté trois heures le nez sur le Code, pendant lesquelles je n'y ai rien compris, il m'est impossible d'aller au-delà, je me suiciderais (ce qui serait bien fâcheux, car je donne de belles espérances)[2]. » Pour se délasser, il va chaque jour, sur le conseil de son père, nager dans la Seine. Vers la fin du mois de juin, il se rend à Paris pour régulariser sa situation à l'égard de la Faculté. En effet, rien n'oblige les étudiants en droit à assister aux cours, mais ils ne peuvent se présenter aux examens qu'après avoir reçu un certificat du professeur dont ils sont censés suivre l'enseignement. Flaubert ne doute pas d'obtenir ce document de complaisance et, en attendant, travaille dur pour préparer son examen, qui est fixé au 20 août. Entre ses heures de bûchage intense, il flâne dans Paris et s'ennuie. « Si tu savais comme on s'ennuie l'été à Paris et comme on pense aux arbres et aux flots, tu te trouverais encore bien plus heureuse, écrit-il à sa sœur Caroline qui séjourne, avec ses parents, à Trouville. J'ai été deux fois déjà aux écoles de natation. J'ai haussé les épaules de pitié. Tous crétins ! une eau sale, des moutards ridicules ou des vieillards stupides qui y clapotent. Il n'y en avait pas un qui fût digne seulement de me regarder nager[3]. » Et, un peu plus tard, à la même : « Je crois pouvoir maintenant me présenter (à

1. Lettre du 15 mars 1842.
2. Lettre du 25 juin 1842.
3. Lettre du 3 juillet 1842.

l'examen) à la fin du mois d'août avec quelque chance, mon affaire commence à s'éclaircir un peu... Je travaille comme un véritable manœuvre et le soir je me couche avec la satisfaction bestiale du bœuf qui a bien labouré, du crétin qui a les doigts fatigués d'écrire et la tête alourdie de tout ce qu'il a voulu y faire entrer[1]. »

Alors qu'il cravache ainsi, ses chances de passer l'examen au mois d'août se trouvent brusquement compromises. Son professeur de droit civil, M. Oudot, « un crétin », s'est mis en tête de ne délivrer les certificats nécessaires aux candidats que si ceux-ci lui présentent les notes prises pendant ses cours. Flaubert, n'ayant aucun cahier à lui soumettre, tente de s'en procurer quelques-uns auprès de ses camarades : « Mais, dit-il à sa sœur, c'est assez difficile... Si donc il (M. Oudot) s'aperçoit qu'ils (les cahiers) ne sont pas de moi, ou que je ne puisse en avoir de confortables, mon examen va se trouver rejeté au mois de novembre ou de décembre, ce qui m'ennuierait fort car j'aime mieux en finir de suite[2]. » C'est exactement ce qui se produit. En dépit de toutes ses démarches, Flaubert n'obtient pas son certificat et doit se résigner à ne se présenter à l'examen qu'en décembre. Déçu, il boucle aussitôt ses valises et prend la diligence pour rejoindre sa famille à Trouville. Là, il s'abandonne au plaisir de ressasser des souvenirs amoureux, de respirer l'air salin et de paresser tout au long de la journée. « Je me lève à huit heures, je déjeune, je fume, je me baigne, je redéjeune, je fume, je m'étends au soleil, je dîne, je refume et je me recouche pour redîner, refumer, redéjeuner[3] », écrit-il à Ernest Chevalier.

De retour à Paris, au mois de novembre, après un court passage à Rouen, il trouve à louer un petit logement au numéro 19 de la rue de l'Est. Le loyer est de trois cents

1. Lettre du 9 juillet 1842.
2. Lettre du 21 juillet 1842.
3. Lettre du 6 septembre 1842.

francs par an; il achète pour deux cents francs de meubles. Son camarade Hamard l'aide à s'installer. Bientôt, il renoue des relations amicales avec Gertrude et Henriette Collier, ces deux jeunes Anglaises qu'il a connues à Trouville, et avec leur frère Herbert. De temps à autre, il va dîner chez eux et s'attarde au chevet d'Henriette qui, malade, est toujours allongée dans son lit ou sur un canapé. Ses loisirs sont rares. « Voici quelle est ma vie, précise-t-il à sa sœur. Je me lève à huit heures, je vais au cours, je rentre et je déjeune d'une manière très frugale; je travaille jusqu'à cinq heures du soir, heure à laquelle je vais dîner; avant six heures je suis de retour dans ma chambre et je m'y divertis jusqu'à minuit ou une heure du matin. À peine si, une fois par semaine, je descends de l'autre côté de l'eau pour aller voir nos amis (la famille Collier)... J'ai fait marché avec un gargotier du quartier pour qu'il me nourrisse. J'ai devant moi et payés trente dîners, si on peut appeler cela des dîners... Je surpasse tous les amateurs du lieu en rapidité pour manger. J'y affecte un genre préoccupé, sombre et dégagé tout à la fois, qui me fait beaucoup rire quand je suis tout seul dans la rue[1]. » Bien entendu, il peste contre le style du Code civil qu'il lui faut avaler à hautes doses : « Les messieurs qui l'ont rédigé n'ont pas beaucoup sacrifié aux Grâces. Ils ont fait quelque chose d'aussi sec, d'aussi dur, d'aussi puant et d'aussi platement bourgeois que les bancs de bois de l'École où on va se durcir les fesses à en entendre l'explication[2]. »

Au mois de décembre, le moral de Flaubert est si bas qu'il fait un saut à Rouen pour se réconforter, non sans avoir d'abord recommandé à Caroline et à sa mère d'être aimables et souriantes pendant son séjour : « Souffrez tant que vous voudrez des reins, de la tête et des engelures ou des piqûres, peu m'importe (j'en suis même content au

1. Lettre du 16 novembre 1842.
2. Lettre à sa sœur Caroline du 10 décembre 1842.

fond), mais faites en sorte de me rendre le logis agréable...
Un peu de vacances avec vous me fera un grand bien sous
tous les rapports[1]. » C'est étouffant de tendresse qu'il
retrouve sa chère Caroline, toujours plus ou moins souf-
frante, fragile confidente de ses farces, sa mère triste,
réservée et de noir vêtue, son père enfin, qu'il admire tant
et dont il se sent incompris.

Quelque peu requinqué par cette plongée dans le bain
familial, il revient à Paris juste à temps pour se présenter à
l'examen de première année de droit. L'épreuve a lieu le
28 décembre 1842. Il est reçu. Malgré son dédain de toute
consécration, il est fier de cette victoire. Surtout à cause de
ses parents qui ne font guère confiance à sa vocation
littéraire et mettent tout leur espoir dans la conquête d'une
situation sociale honorable et lucrative. Maintenant, il lui
faut s'armer de courage pour continuer ses études. Mais un
travail plus exaltant le détourne des livres de droit. Il a
entrepris d'écrire une sorte de roman personnel, *Novembre*,
inspiré à la fois du *Werther* de Goethe, du *René* de
Chateaubriand et de *La Confession d'un enfant du siècle* de
Musset. Mêlant l'autobiographie à la fiction, il y évoque le
désespoir chronique, les désirs vagues, le mépris du monde,
le goût de l'infini, la hantise suicidaire d'un adolescent de
dix-huit ans qui lui ressemble comme un frère. Gonflé de
sève amoureuse, il a besoin de s'anéantir dans la chair
d'une femme. Il en rencontre une, Marie, qui n'est autre
qu'Eulalie Foucaud. Et c'est l'ivresse de la première possession. L'épisode de Marseille est relaté ici avec une
précision nuancée d'émerveillement et de gratitude. Pourtant, après une courte liaison, le héros de *Novembre* se
dérobe en formulant une étrange pensée. « Ce n'était donc
que cela, aimer! Ce n'était donc que cela, une femme!
Pourquoi, ô mon Dieu, avons-nous encore faim alors que
nous sommes repus! Pourquoi tant d'aspirations et tant de
déceptions? Pourquoi le cœur de l'homme est-il si grand et

1. Lettre à sa sœur Caroline du 21 décembre 1842.

la vie si petite? Il y a des jours où l'amour des anges même ne lui suffirait pas, et il se fatigue en une heure de toutes les caresses de la terre. » Et encore, un peu plus loin : « Pourquoi donc avais-je hâte de la fuir? Est-ce que déjà je l'aimais? » Cette crainte de s'attacher physiquement à un être est bien caractéristique de Flaubert. Il ne peut supporter la contrainte quotidienne des liens. Il ne veut être l'esclave d'aucune passion. Et puis il y a son pur amour pour Élisa Schlésinger. Ce sentiment-là, pour conserver sa valeur quasi mystique, ne doit jamais aboutir. Nulle aventure sexuelle n'aura le droit de troubler durablement son règne.

Avec ce nouvel épanchement de son moi, Flaubert a l'impression d'avoir livré le meilleur de lui-même. Il a conscience que *Novembre* constitue un net progrès sur ses récits précédents. Certes, on y trouve encore beaucoup de soupirs, de dénégations fracassantes, d'amères professions de foi selon la mode du temps. Mais le style est plus sûr, le canevas plus solide. En vérité, si Flaubert a commencé à écrire pour s'amuser, pour imiter les autres, ce jeu est devenu pour lui une nécessité vitale et déjà il ne conçoit plus l'existence que comme un prétexte à littérature. Parlant de *Novembre*, il dira, quatre ans plus tard : « Cette œuvre a été la clôture de ma jeunesse [1]. » Et, de fait, il sent qu'il ne doit plus se complaire dans la relation romantique de ses états d'âme. Mais que raconter aux autres si l'on ne parle pas de soi? Il s'interroge avec anxiété, tout en se morfondant sur les livres de droit. Tapi dans sa chambre froide l'hiver, torride l'été, il envie « la jeunesse à trente mille francs par an », qui va tous les soirs à l'Opéra, aux Italiens, et « sourit avec de jolies femmes qui nous feraient mettre à la porte par leurs portiers si nous nous avisions de nous montrer chez elles avec nos redingotes grasses, nos habits noirs d'il y a trois ans et nos guêtres élégantes [2] ».

1. Lettre à Louise Colet du 2 décembre 1846.
2. Lettre à Ernest Chevalier du 10 février 1843.

Pour se distraire, il fréquente quelques camarades de Faculté et va, de loin en loin, au bordel. « Comment se plaindre de la vie quand il existe encore un bordel où se consoler de l'amour, et une bouteille de vin pour perdre la raison[1] », écrit-il à Ernest Chevalier. Mis au courant de ses frasques, son ami Le Poittevin l'en félicite en termes crus : « Quel tableau que celui de Léonie à genoux dans tes jambes, s'enivrant sans doute des parfums de ton gland fromagifère... » « J'ai admiré ta froideur à l'endroit de la femme que tu fais baigner. Le repos de ton membre viril ne tiendrait-il pas au froid de l'eau?... On n'es-tu pas épuisé par l'on ne peut plus fréquente habitude de la masturbation? » « Que fais-tu là-bas de ta peau?... L'heureux homme que tu fais... Tu promènes ton heureux phallus parmi le con des putains parisiennes comme pour y puiser la vérole; mais c'est en vain, les cons les plus maculés te le rejettent intact[2]. »

Or, contrairement aux joyeuses suppositions de Le Poittevin, Flaubert ne tarde pas à contracter une maladie vénérienne. Il la soigne tant bien que mal. Parfois, il cherche refuge chez les Collier, qui le traitent comme leur fils. Il est attendri par Henriette et lui fait souvent la lecture. Mais les Collier, dont l'appartement est situé non loin des Champs-Élysées, déménagent pour s'installer à Chaillot et Flaubert, découragé par la longueur du trajet, espace ses visites. « Il me faut, pour y aller, une grande heure et autant pour revenir, ce qui fait bien deux belles lieues et demie sur le pavé, écrit-il à Caroline. Quand il pleut et qu'il y a de la boue, ce n'est pas tenable. Mes moyens ne me permettent pas de prendre un cabriolet et mes goûts un omnibus. Je n'y vais qu'à pied et quand il fait sec. »

Une autre maison accueillante est celle du sculpteur James Pradier, que ses admirateurs ont surnommé Phidias.

1. Lettre du 15 mars 1842.
2. Lettres du juillet-août 1842 et du 18 mars 1843.

La femme de Pradier, Louise, rieuse, coquette et notoirement infidèle, fascine Flaubert. Il voit en elle un merveilleux gibier de roman. Au cours d'une soirée à l'atelier du sculpteur, il rencontre son idole : Victor Hugo. Aussitôt, il écrit à son « vieux rat », Caroline : « Que veux-tu que je t'en dise? C'est un homme comme un autre, d'une figure assez laide et d'un extérieur assez commun. Il a de magnifiques dents, un front superbe, pas de cils ni de sourcils. Il parle peu, a l'air de s'observer et de ne vouloir rien lâcher. Il est très poli et un peu guindé, j'aime beaucoup le son de sa voix. J'ai pris plaisir à le contempler de près. Je l'ai regardé avec étonnement comme une cassette dans laquelle il y aurait des millions et des diamants royaux, réfléchissant à tout ce qui était sorti de cet homme assis alors à côté de moi sur une petite chaise, et fixant ses yeux sur sa main droite qui a écrit tant de belles choses... C'est le grand homme et moi qui avons le plus causé. » De toute évidence, pour Victor Hugo, ce Gustave Flaubert à la taille de géant et à la voix claironnante est un jeune homme parfaitement inconnu qui a quelques notions de littérature, sans plus. Un admirateur entre mille. « Comme tu vois, conclut Flaubert, je vais assez souvent chez les Pradier; c'est une maison que j'aime beaucoup, où l'on n'est pas gêné et qui est tout à fait dans mon genre. »

Mais c'est encore chez les Schlésinger qu'il se sent le plus à l'aise. Il les a retrouvés à Paris et le voici devenu leur commensal. Tous les mercredis, il dîne à leur table. Ainsi, pendant des heures, il peut contempler le visage de celle qui, quelques années plus tôt, à Trouville, lui a révélé les affres et les douceurs des amours impossibles. À l'époque, Maurice Schlésinger est un homme très en vue dans le monde artistique, car il dirige *La Gazette musicale* et la plupart des musiciens célèbres recherchent sa compagnie. Cependant Flaubert, tout en acceptant ses invitations, n'éprouve guère de sympathie pour ce personnage bourgeois, arriviste et retors. En revanche, il subit profondément le charme d'Élisa qui ne lui a jamais paru plus belle ni plus désirable. Elle, de son côté, lui manifeste une tendresse à la fois maternelle et coquette. Cette attitude équivoque est exactement ce qu'il souhaite d'une femme. Sans doute ne veut-il même pas en faire sa maîtresse. Il la place trop haut pour ne pas craindre la désillusion qui suit chez lui toute possession charnelle. La distance entre les corps est un gage de perfection dans les sentiments. Pour mieux adorer Élisa, il préfère rester sur son désir. Et elle lui en sait gré. Entre ces deux êtres irrésistiblement attirés l'un vers l'autre, s'établit un climat trouble de pulsions refrénées, de rêves interdits, de chasteté brûlante. Il est dérouté de la voir si fidèle à un mari médiocre qui ne cesse de la tromper. Mais, en même temps, il l'admire pour la noblesse de sa conduite. Tout en aimant, de loin en loin, bousculer une drôlesse dans un lit, il éprouve un rare plaisir à s'agenouiller devant une créature immaculée qui le fait souffrir en se refusant à lui. « J'ai, dans ma jeunesse, démesurément aimé, aimé sans retour, profondément, silencieusement, écrira-t-il des années plus tard. Nuits passées à regarder la lune, projets d'enlèvement et de voyages en Italie, rêves de gloire pour *elle*, torture du corps et de l'âme, spasmes à l'odeur d'une épaule et pâleurs subites sous un regard, j'ai connu tout cela et très bien connu. Chacun de nous a dans le cœur une chambre royale ; je l'ai murée, mais elle n'est pas détruite[1]. » Cette liaison des âmes, Flaubert songe déjà à la célébrer dans un roman qu'il intitulera *L'Éducation sentimentale*. Mais, tout en l'écrivant, il doit poursuivre la préparation de son examen de droit. Excédé par sa vie d'étudiant famélique, il rêve, selon son habitude, à la maison familiale de Rouen. Ayant passé les vacances de Pâques auprès de ses parents, il confie à Caroline : « Il me semble qu'il y a quinze jours que je vous ai quittés... Je suis maintenant tout seul à

1. Lettre à Mlle Amélie Bosquet, du mois de novembre ou décembre 1859.

penser à vous, à me figurer ce que vous faites. Vous êtes là tous rangés au coin du feu, où moi seul je manque. On joue aux dominos, on crie, on rit, on est tous ensemble, tandis que je suis ici comme un imbécile, les deux coudes sur ma table à ne savoir que faire... J'ai retrouvé sur ma table les bienheureux livres de droit que j'y avais laissés. J'aime bien mieux ma vieille chambre de Rouen, où j'ai passé des heures si tranquilles et si douces, quand j'entendais autour de moi toute la maison remuer, quand tu venais à quatre heures pour faire de l'histoire ou de l'anglais, et qu'au lieu d'histoire ou d'anglais tu causais avec moi jusqu'au dîner. Pour qu'on se plaise quelque part, il faut qu'on y vive depuis longtemps. Ce n'est pas en un jour qu'on échauffe son nid et qu'on s'y trouve bien[1]. »

Et, peu après, à la même : « Je me remonte le moral, comme on dit, et j'ai besoin de me le remonter à chaque minute... Quelquefois, j'ai envie de donner des coups de poing à ma table et de faire tout voler en éclats... Le soir arrive, je m'en vais m'attabler au fond d'un restaurant, tout seul et la mine renfrognée, en pensant à la bonne table de famille entourée des figures amies et où l'on est chez soi, dans soi, où l'on mange de bon cœur, où l'on rit tout haut. Après quoi je rentre, je ferme les volets pour que le jour ne me blesse pas les yeux et je me couche[2]. »

L'examen est prévu pour le mois d'août. Flaubert s'y est préparé avec tant d'acharnement qu'il estime avoir des chances d'être reçu. Entre-temps, il a fait la connaissance d'un garçon de son âge, dont la désinvolture et le raffinement l'éblouissent : Maxime Du Camp. La rencontre a lieu dans la chambre d'Ernest Le Marié, un ancien camarade de classe de Flaubert. Maxime Du Camp relatera les faits dans ses *Souvenirs littéraires*. Le Marié tape sur son piano la *Marche funèbre* de Beethoven quand quelqu'un sonne à

1. Lettre de la fin avril 1843.
2. Lettre du 11 mai 1843.

la porte. L'instant d'après, Maxime Du Camp voit apparaître un jeune homme à la barbe blonde, le chapeau crânement incliné sur l'oreille. Le Marié les présente l'un à l'autre : Gustave Flaubert, Maxime Du Camp. Gustave Flaubert considère Maxime Du Camp avec une admiration immédiate. En face de ce personnage élégant, disert et quelque peu vaniteux, il se sent en état d'infériorité. Maxime Du Camp a la dégaine et l'esprit du Parisien authentique alors que lui n'est qu'un provincial égaré dans la grande ville. En tout cas, ils ont les mêmes goûts et les mêmes ambitions littéraires. Dès les premiers mots échangés, ils constatent qu'ils sont faits pour s'entendre. Mais très vite aussi, Flaubert se rend compte que Du Camp est prêt à tout pour décrocher la gloire tandis que lui, par conviction philosophique et par tempérament, dédaigne les vains hochets de la renommée. N'empêche que ce nouveau venu lui en impose par son autorité juvénile. Ils promettent de se revoir et, en effet, une robuste amitié naît, ce jour-là, entre les deux jeunes gens. Fils d'un chirurgien éminent (membre de l'Académie de médecine), Maxime Du Camp est un joyeux touche-à-tout qui ne manque pas de moyens, cependant que Flaubert, étudiant malchanceux, est l'esclave d'une seule idée : rester dans l'ombre pour mieux écrire. Leurs relations sont empreintes de tendresse et de fougue. Ce qui ne les empêche pas d'avoir tous deux un vif attrait pour les femmes et de comparer leurs expériences sentimentales. Si Maxime Du camp a l'argent facile, Flaubert, malgré l'aide de ses parents, doit vivre chichement et ne peut éviter de faire des dettes. En juillet 1843, un mois avant son examen, il sollicite de son père un supplément de cinq cents francs et celui-ci le réprimande vertement : « Tu es deux fois sot, d'abord de te laisser flouer comme un vrai provincial, un niais qui se laisse attraper par les chevaliers d'industrie ou les femmes galantes qui ne doivent mordre que sur les pauvres d'esprit et les vieillards imbéciles; le deuxième tort est de n'avoir pas confiance en moi, de ne pas m'avoir dit de suite comment et où ton bât te blessait. J'espère à l'avenir plus de franchise, je croyais être assez ton ami pour mériter de connaître tout ce qui t'arrivait de bien et de mal. Je remets aujourd'hui cinq cents francs à l'administration du Chemin de fer, tu iras les chercher... Paye donc ton tailleur dont tu me parles toujours et pour lequel je te donne si souvent de l'argent... Adieu, mon Gustave, épargne un peu ma bourse et surtout porte-toi bien et travaille[1]. »

Cette même année, le Dr Flaubert renvoie de l'hôpital un étudiant en médecine qui y était entré l'année précédente : un ancien condisciple de son fils au collège de Rouen, Louis Bouilhet. Motif : le coupable a demandé du vin au repas au lieu de cidre et a exigé de pouvoir découcher. Ainsi, dans l'exercice de sa profession comme dans la vie de famille, le Dr Flaubert témoigne d'une paternelle rigueur. Il espère que Gustave, qui est si dispersé, si vulnérable, passera ses examens avec succès. Sinon, qu'en ferait-on? Or, le 24 août 1843, c'est l'échec. Recalé « par deux noires et deux rouges ». Flaubert est anéanti à l'idée d'avoir travaillé pour rien. Son père fait contre mauvaise fortune bon cœur et lui conseille de persévérer dans ses études de droit. Fils docile, Flaubert ne dit ni oui ni non, part pour Rouen, et de là pour Nogent-sur-Seine, où il flâne, rêvasse, prend des bains dans le fleuve, renoue avec les joies familiales. Puis c'est de nouveau Rouen, ville que, dit-il à Ernest Chevalier, il déteste : « Elle a de belles églises et des habitants stupides, je l'exècre, je la hais, j'attire sur elle toutes les imprécations du ciel parce qu'elle ma vu naître. Malheur aux murs qui m'ont abrité! aux bourgeois qui m'ont connu moutard et aux pavés où j'ai commencé à me durcir les talons! Ô Attila, quand reviendras-tu, aimable humanitaire, avec quatre cent mille cavaliers, pour incendier cette belle France, pays des dessous de pieds et des bretelles? Et

1. Lettre du 17 juillet 1843.

commence je te prie par Paris d'abord et par Rouen en même temps[1]. »

En décembre, le revoici à Paris. Son frère Achille, qui est à présent chirurgien-adjoint à l'Hôtel-Dieu de Rouen, vient le voir et lui apporte, à sa demande, « un gilet blanc à revers » et « deux taies d'oreiller ». Après son départ, Flaubert se retrouve seul et désemparé comme autrefois. Il passe le réveillon de Noël chez les Collier et celui de la Saint-Sylvestre chez les Schlésinger, à Vernon. Partout il affiche un dégoût arrogant de la société. Il critique même ouvertement la politique de « cet infâme Louis-Philippe ». Ce qui choque certains personnages influents parmi les invités. Il dit à Caroline : « Je suis ours et veux rester ours dans ma tanière, dans mon antre, dans ma peau, dans ma vieille peau d'ours, bien tranquille et loin des bourgeois et des bourgeoises[2]. »

Enfin, le 1er janvier 1844, il regagne Rouen où il compte passer quelques jours. Mais – c'est promis! – il rejoindra Paris dès le 15 janvier pour prendre une nouvelle inscription à la Faculté de Droit. Un échec universitaire n'est jamais insurmontable. Avec un brin de chance, il finira peut-être par décrocher sa licence et par devenir avocat : le rêve de ses parents et son cauchemar, à lui!

1. Lettre du 2 septembre 1843.
2. Lettre du 20 décembre 1843.

VI

LA CASSURE

En ce mois de janvier 1844, une grave préoccupation agite la famille : le Dr Flaubert a décidé de faire construire un chalet sur un terrain qu'il possède à Deauville. Son fils Achille doit se rendre sur les lieux pour examiner les possibilités d'implantation de la maison. Il utilisera pour cela un coupé, assez inconfortable, acheté l'an passé par son père. Gustave, revenu de Paris, l'accompagnera dans ce voyage pour donner son avis. Les deux frères quittent Pont-l'Évêque par une nuit noire. C'est Gustave qui tient les rênes. Soudain, il éprouve un éblouissement horrible et s'effondre, sans connaissance, sur son siège. Affolé, son frère le conduit vers la maison la plus proche et le fait saigner. Après plusieurs coups de lancette, Flaubert rouvre les yeux. On le transporte à Rouen. Son père est perplexe : s'agit-il d'une crise d'épilepsie ou d'une affection nerveuse[1] ? Il penche pour la crise d'épilepsie et soigne son fils en conséquence. Ses prescriptions sont si rigoureuses que Flaubert manque de succomber. On place un séton à mèche sur la nuque du malade pour évacuer le plus de sang possible, on lui interdit la viande, le vin, le tabac, on le purge à outrance. À bout de résistance, il écrit à Ernest

1. Les exégètes discutent encore sur la nature de ce mal. L'opinion la plus répandue est qu'il s'agit en l'occurrence d'une épilepsie du lobe temporo-occipital gauche.

Chevalier : « Mon vieil Ernest, tu as manqué, sans t'en douter, faire le deuil de l'honnête homme qui t'écrit ces lignes... Je suis encore au lit avec un séton dans le cou, ce qui est un hausse-col moins pliant encore que celui d'un officier de la garde nationale, avec force pilules, tisanes et surtout avec ce spectre mille fois pire que toutes les maladies du monde qu'on appelle *régime*. Sache donc, cher ami, que j'ai eu une congestion au cerveau, qui est à dire comme une attaque d'apoplexie en miniature, avec accompagnement de maux de nerfs que je garde encore parce que c'est bon genre. J'ai manqué péter dans les mains de ma famille... On m'a fait trois saignées en même temps et enfin j'ai rouvert l'œil. Mon père veut me garder ici longtemps et me soigner avec attention, quoique le moral soit bon, parce que je ne sais pas ce que c'est que d'être troublé. Je suis dans un foutu état; à la moindre sensation tous mes nerfs tressaillent comme des cordes à violon, mes genoux, mes épaules et mon ventre tremblent comme la feuille. Enfin, c'est la vie, *sic est vita, such is life*. Il est probable que je ne suis pas près de retourner à Paris, si ce n'est peut-être deux ou trois jours vers le mois d'avril pour donner congé à mon propriétaire et régler quelques petites affaires[1]. » Et, une semaine plus tard, au même : « Oui, mon vieux, j'ai un séton qui coule et me démange, qui me tient le cou raide et m'agace au point que j'en ai des suées. On me purge, on me saigne, on me met des sangsues, la bonne chère m'est interdite, le vin m'est défendu, je suis un homme mort... Ah! que je m'emmerde. La pipe! oui, la pipe, oui, tu as bien lu, cette vieille pipe, *la pipe m'est défendue!!!* moi qui l'aimais tant, moi qui n'aimais que ça! avec le grog froid en été et le café en hiver[2]. »

Quand un mieux semble se dessiner dans son état, il se rend à Paris pour prendre ses inscriptions à la Faculté de Droit. Mais aussitôt après, les crises reprennent. Elles se

1. Lettre du 1er février 1844.
2. Lettre du 9 février 1844.

renouvellent presque tous les jours. Le séton planté dans son cou le gêne. Il s'efforce de s'y accoutumer. « Je me suis, ce matin, fait la barbe avec ma main droite quoique le séton me tiraillant et la main ne pouvant se plier j'aie eu quelque mal, écrit-il à son frère. Cependant je me torche encore le cul avec la main gauche. Elle en a pris l'habitude[1]. » Et, à Ernest Chevalier : « Il ne se passe pas de jour sans que je ne voie de temps à autre passer devant mes yeux comme des paquets de cheveux ou des feux de Bengale[2]. » Lors d'une de ces attaques, le Dr Flaubert, qui vient de saigner son fils, est si inquiet de ne pas voir le sang couler de la veine qu'il lui fait verser de l'eau chaude sur la main. Dans l'affolement, on ne s'est pas aperçu que l'eau était bouillante. Brûlé au second degré, le malade manque de s'évanouir. Il gardera, sa vie durant, une cicatrice. Quand on l'interroge sur la sensation qu'il éprouve lors de ces crises, il dit : « J'ai une flamme dans l'œil droit, j'ai une flamme dans l'œil gauche, tout me semble couleur d'or. »

Comme les alertes se multiplient, le Dr Flaubert estime que son fils doit abandonner les études de droit et vivre au calme, en famille, sous une surveillance constante. Cette décision répond au plus secret désir de Flaubert. Il a conçu une telle horreur de la science juridique, du métier d'avocat, de l'existence à Paris que sa maladie lui paraît presque bienvenue. Grâce à elle, pense-t-il secrètement, il va échapper à toutes les obligations professionnelles et sociales pour se consacrer à son œuvre; il va se détacher de la vie de ses contemporains pour approfondir sa propre vie; il va devenir lui-même; et ses parents ne pourront rien lui reprocher. Conscient de ce passage d'un destin à l'autre, d'un Flaubert à l'autre, il écrira : « J'ai dit à la vie pratique un irrévocable adieu. Ma maladie de nerfs a été la

1. Lettre du 26 avril 1844.
2. Lettre du 7 juin 1844.

transition entre ces deux états[1]. » Et plus tard : « J'ai eu deux existences bien distinctes. Des événements extérieurs ont été le symbole de la fin de la première et de la naissance de la seconde. Tout cela est mathématique. Ma vie active, passionnée, émue, pleine de soubresauts opposés et de sensations multiples a fini à vingt-deux ans. À cette époque, j'ai fait de grands progrès tout d'un coup, et autre chose est venu[2]. »

Cependant, en chef de famille avisé, le Dr Flaubert songe à offrir un lieu de retraite à son fils malade et dont on ne peut plus attendre de réussite dans quelque domaine que ce soit. Il revend sa terre de Déville-lès-Rouen, où doit passer la ligne de chemin de fer en construction, et achète pour quatre-vingt-dix mille cinq cents francs une maison de campagne à Croisset, à quelques kilomètres en aval de Rouen. La famille s'y transporte gaiement pendant que les ouvriers sont encore dans les murs. C'est un charmant château du XVIIIe siècle, dont le jardin, en bordure du fleuve, est traversé par une allée de tilleuls[3]. Les pièces sont vastes et claires, avec vue sur le miroitement de la Seine à travers le feuillage. Le Dr Flaubert, qui aime son confort, meuble les lieux de façon cossue. Il y a là des lits d'acajou à crosse, des tables de jeu en noyer, des bergères, une pendule Boulle, des bibelots en abondance, une cave garnie de fines bouteilles et, dans un hangar, une voiture de maître et un canot pour Gustave.

Plongé dans l'épaisseur et le silence de la campagne, Flaubert mène une existence paisible. Il lit, il nage, il fait du bateau, mais sa mère craint toujours qu'une crise ne le surprenne quand il est loin de la maison. Elle surveille ses allées et venues. Elle n'est tranquille que lorsqu'il est enfermé dans son bureau. Libéré de ses cours de droit, il a

1. Lettre à Alfred Le Poittevin du 13 mai 1845.
2. Lettre à Louise Colet du 31 août 1846.
3. Après la mort de Flaubert, sa nièce vendra la propriété qui sera démolie et remplacée par une usine. Il ne reste qu'un pavillon qui abrite aujourd'hui un modeste « musée Flaubert ».

repris son travail sur *L'Éducation sentimentale*. La plume à la main, il a conscience d'avoir enfin découvert sa voie. Loin des clabauderies de salon et du clinquant des honneurs, il n'a aucune envie de publier les nombreux manuscrits qui dorment dans ses tiroirs. Lui qui, dans sa prime jeunesse, rêvait de se pousser au premier rang des écrivains pour être distingué et applaudi, ne souhaite plus aujourd'hui que le bonheur de construire une grande œuvre dans l'ombre et la solitude. « Je doute bien souvent si jamais je ferai imprimer une ligne, écrira-t-il à Maxime Du Camp. Sais-tu que ce serait une belle idée que celle du gaillard qui, jusqu'à cinquante ans, n'aurait rien publié et qui, d'un seul coup, ferait paraître, un beau jour, ses œuvres complètes et s'en tiendrait là?... Un artiste qui serait vraiment artiste et pour lui seul, sans préoccupation de rien, cela serait beau; il jouirait peut-être démesurément[1]. »

Ce qui le renforce dans cette idée, c'est que, par chance, il est déchargé de tout souci matériel. Il n'a pas à gagner sa subsistance. Grâce à la sage gestion de son père, les revenus de la famille seront suffisants pour lui permettre de vivre sans avoir à monnayer les productions de sa plume. Il plaint les hommes de lettres qui tirent à la ligne et font la cour aux critiques. Lorsque Ernest Chevalier passe sa thèse, il l'en félicite avec goguenardise : « Bravo, jeune homme, bravo, très bien, très bien, fort satisfait, extrêmement content, enchanté, recevez mes félicitations, agréez mes compliments, daignez recevoir mes hommages... Enfoncée l'École de Droit... As-tu au moins chié contre la borne de cet établissement pour lui marquer ton estime?... Il y a de quoi danser des cancans effrénés, des polkas sauvages, des cachuchas titaniques. Il faut se couronner de fleurs et de saucisses, empoigner sa pipe et boire 200 000 987 105 310 000 petits verres[2]. » De même, il

1. Lettre d'avril 1846.
2. Lettre de juillet 1844.

déplore que son autre ami, Maxime Du Camp, recherche un succès littéraire et mondain de mauvais aloi. Plus Maxime Du Camp lui conseille de sortir de son trou et de se faire connaître, plus il s'entête à rester ignoré de tous. Le premier veut jouir de tous les plaisirs de la vie, le second refuse de se disperser et met une sorte de rage à défendre son indépendance, son isolement et son travail obscur. La maladie aggrave cette disposition sauvage de son caractère. Pourtant, ses crises deviennent plus rares; ses nerfs se calment; par moments, il peut se croire guéri. Déçu par Maxime Du Camp qu'il juge par trop superficiel, il se rapproche d'Alfred Le Poittevin, dont le caractère s'harmonise mieux, lui semble-t-il, avec ses propres conceptions de l'art et de la vie. « Nous aurions vraiment tort de nous quitter, de dérayer de notre vocation et de notre sympathie, écrit-il à ce dernier. Toutes les fois que nous avons voulu le faire, nous nous en sommes mal trouvés. J'ai encore éprouvé à notre dernière séparation une impression pénible[1]. » Et, quelques mois plus tard, cette déclaration enflammée : « Non, je ne me trouve pas à plaindre quand je songe que je t'ai... Si tu venais à me manquer que me resterait-il? Qu'aurais-je dans ma vie intérieure, c'est-à-dire la vraie[2]? »

Cette soudaine affection de Flaubert pour Le Poittevin irrite Maxime Du Camp. Il est jaloux de n'être plus le meilleur confident de Gustave et craint que Le Poittevin, par sa fausseté et sa grossièreté, n'ait une mauvaise influence sur son ami. Incontestablement, les lettres orduriè res de Le Poittevin incitent Flaubert à user du même langage, mais, ce faisant, il obéit à un goût viril de la grivoiserie qui n'engage en rien ses sentiments profonds. Néanmoins, Du Camp insiste : « Toi qui as une intelligence d'élite, tu t'es fait le singe d'un être corrompu, un Grec du *bas empire*, comme il dit lui-même; et maintenant,

1. Lettre du 2 avril 1845.
2. Lettre du mois de juillet 1845.

je t'en donne ma parole sacrée, Gustave, il se moque de toi et ne croit pas un mot de tout ce qu'il t'a dit... Ne m'en veuille pas et écris-moi que tu m'aimes un peu[1]. » Et, dans la même lettre, ce cri du cœur : « Si tu savais combien je t'aime et combien je souffre de te voir ainsi trouver le bonheur où il n'est pas ! »

Tiré à hue et à dia entre ces deux hommes qui se disputent sa confiance, Flaubert peut se dire qu'il n'est pas nécessaire de rencontrer ses amis en chair et en os pour goûter la chaleur de leur attachement. Maintenant la famille vit tantôt à Rouen, tantôt à Croisset. Ayant quitté la France en mai 1844 pour effectuer un voyage en Orient, Du Camp est de retour au mois de mars 1845. À cette époque-là, Flaubert a déjà achevé sa première *Éducation sentimentale*. Cet ouvrage n'est plus un violent déballage de sentiments personnels, comme *Mémoires d'un fou* ou *Novembre*. Cette fois, l'auteur a pris la précaution d'incarner ses idées et ses souvenirs dans des personnages. Renonçant au lyrisme, il s'efforce de les montrer agissant de manière vraisemblable, au milieu d'un monde accessible à tous, dans une lumière quotidienne. Ses héros sont deux jeunes gens, deux amis que tout oppose. L'un, Henry, va étudier le droit à Paris, l'autre, Jules, reste en province. Ils correspondent comme Flaubert et Ernest Chevalier. Installé dans la pension de M. et Mme Renaud, Henry ne tarde pas à être captivé par le charme de cette femme, qui est, comme il se doit, une brune « à la peau fauve fortement ombrée sous la paupière inférieure », et « aux bandeaux noirs qui reluisaient ». Après quelques travaux d'approche, Émilie Renaud et Henry tombent dans les bras l'un de l'autre. Leur passion est si forte que l'épouse infidèle et son jeune amant partent pour l'Amérique. Mais le désenchantement succède vite à l'extase. Henry ne trouve pas de travail à New York et Émilie Renaud s'ennuie loin de la vie brillante de Paris. Ils rentrent en

1. Lettre de Maxime Du Camp du 31 octobre 1844.

France et se séparent. Le mari pardonne à sa femme. Henry renoue avec les plaisirs futiles de la capitale. Et Jules, après avoir connu une déception sentimentale aux côtés d'une actrice en tournée qui l'a dédaigné et escroqué, cherche un sens à la vie dans la solitude, le songe et l'écriture. D'abord tenté par le romantisme, il ne tarde pas à en découvrir la fausseté et la redondance. Il comprend que l'art ne doit pas exprimer le jugement de l'auteur sur les personnages, mais être avant tout impartial et impersonnel. La beauté et la vérité ne font qu'un. Refusant de céder aux ambitions terrestres, comprenant que l'artiste ne peut trouver de récompense qu'en lui-même, Jules se replie sur son travail et établit une distance entre lui et le monde. Ainsi chacun des deux amis a fait son « éducation sentimentale ». Henry, léger et arriviste, mais revenu de ses rêves, est promis à tous les succès dont le vulgaire se grise : situation, argent, mariage, notoriété. Il réussira mais perdra son âme en devenant un bourgeois parmi les autres. Jules, l'ermite désenchanté, découvre sa raison d'être dans la méditation devant une feuille de papier blanc. Les modèles d'Henry sont à la fois le Flaubert des débuts parisiens et Maxime Du Camp. Jules, lui, est nourri des angoisses et des espoirs de l'auteur. Il est son porte-parole et recueille toute sa sympathie. Quant à Émilie Renaud, elle représente un mélange d'Eulalie Foucaud et d'Élisa Schlésinger. Belle, commune et entreprenante, elle se donne à son soupirant alors que Flaubert n'a pas eu cette chance avec Élisa. Ainsi tout le roman apparaît comme une savante transposition des expériences personnelles de Flaubert. Évoquant les pensées intimes de Jules, il écrit : « Insoucieux de son nom, indifférent du blâme qu'il soulève ou de l'éloge qu'on lui adresse pourvu qu'il ait rendu sa pensée telle qu'il l'a conçue, qu'il ait fait son devoir et ciselé son bloc, il ne tient pas à autre chose et s'inquiète médiocrement du reste. Il est devenu un grave et grand artiste, dont la patience ne se lasse pas et dont la conviction à l'idéal n'a plus d'intermittence... C'est la concision de son style qui le rend si mordant, c'est sa variété qui en fait la souplesse. » N'est-ce pas de lui-même qu'il parle, avec entêtement et fierté?

Toutefois, ayant achevé la rédaction de *L'Éducation sentimentale*, il en reconnaît très vite les faiblesses. Certes, les personnages sont bien campés, quelques scènes, comme celles du bal ou de la visite d'Henry chez l'homme de lettres à la mode, éclatent d'humour et de vérité, l'analyse de l'amour d'Henry pour Émilie Renaud, puis de la lente décomposition de leurs sentiments sonne juste, l'épisode du chien galeux qui s'attache aux pas de Jules, dans la nuit, a une force hallucinante. Mais l'ensemble manque de cohésion. Les deux actions dont Jules et Henry sont les protagonistes se déroulent parallèlement sans influer l'une sur l'autre. Lorsque Émilie Renaud revient à son mari, l'histoire semble terminée. C'est artificiellement que l'auteur la prolonge par l'exposé des théories esthétiques de Jules.

Pas une seconde Flaubert ne songe à publier sa dernière œuvre. Mais il est heureux d'avoir mené son entreprise jusqu'au bout. Devant son manuscrit, il éprouve la satisfaction du créateur qui baisse les bras après un effort harassant. Une fois, malgré son dédain de l'opinion d'autrui, il sollicite l'avis de son père. Celui-ci n'apprécie guère que son fils, qui a renoncé aux études de droit pour raison de santé, noircisse du papier à longueur de journée. Néanmoins, il s'installe dans un fauteuil et écoute Gustave qui lui lit, de sa voix sonore, le début de *L'Éducation sentimentale*. Il fait très chaud. On vient de déjeuner abondamment. Le Dr Flaubert bat des paupières et finit par s'assoupir, le menton sur la poitrine. Vexé, Gustave dit : « Je crois que tu en as assez. » Son père se réveille en sursaut, se met à rire et laisse tomber quelques mots sur la futilité du métier d'écrivain. « N'importe qui, s'il a des loisirs, peut faire un roman comme Hugo ou comme Monsieur de Balzac, marmonne-t-il. La littérature, la poésie, à quoi sert-il? Nul ne l'a jamais su! » « Dites donc, docteur, réplique Gustave, peut-on m'expliquer à quoi sert la rate ? Tu n'en sais rien ni moi non plus, mais c'est indispensable au corps humain comme la poésie est indispensable à l'âme humaine[1]. » Le Dr Flaubert hausse les épaules et s'en va, mécontent. Entre son fils aîné, Achille, chirurgien comme lui, et Gustave, le dilettante, le fruit sec, il a fait son choix. Gustave le sait et en souffre. Alors même qu'il éprouve un besoin physique de vivre dans la chaleur de sa famille, il la sent étrangère à ses préoccupations essentielles. Même ceux qui l'aiment ne le comprennent pas. Mais l'important, c'est qu'on ne le dérange plus avec des exigences de carrière et d'honorabilité. « Ma maladie aura toujours eu l'avantage qu'on me laisse m'occuper comme je l'entends, ce qui est un grand point dans la vie, écrit-il. Je ne vois pas qu'il y ait au monde rien de préférable pour moi à une bonne chambre bien chauffée, avec les livres qu'on aime et tout le loisir désiré. Quant à ma santé, elle est en somme meilleure, mais la guérison est si lente à venir dans ces diables de maladies nerveuses qu'elle est presque imperceptible[2]. » À certains moments, il lui semble avoir enfin trouvé son équilibre au milieu des remous de l'existence et, à d'autres, il a l'impression d'être plus que jamais en porte à faux. Pourtant il ne troquerait pas ses angoisses contre l'allègre suffisance d'un Maxime Du Camp.

1. Rapporté par Maxime Du Camp, qui assista à la scène, dans *Souvenirs littéraires*.
2. Lettre à Emmanuel Vasse-de-Saint-Ouen de janvier 1845.

VII

DEUILS

Caroline va avoir vingt et un ans. Depuis quelques mois, elle est très sensible à la cour que lui fait un ancien camarade de Gustave au Collège royal de Rouen, Émile Hamard. C'est un garçon mélancolique et tourmenté, dont l'instabilité de caractère attendrit la jeune fille. Flaubert, en revanche, ne prévoit rien de bon d'une union entre deux êtres si fragiles. En outre, il aime trop sa sœur pour imaginer qu'elle puisse le quitter. Il lui semble qu'en s'intéressant à un autre elle rompt leur douce complicité, qu'elle trahit leur enfance. Mais les parents ont l'air ravis de ces perspectives matrimoniales. Un contrat est signé par-devant notaire, le 1er mars 1845. Deux jours après, c'est le mariage. Caroline rayonne. Gustave s'efforce à la gaieté malgré une sourde tristesse. Le jeune ménage ne manquera de rien. Émile Hamard, propriétaire, apporte des fermes, des maisons de rapport, des rentes et un capital de quatre-vingt-dix mille francs. Caroline est dotée de cinq cent mille francs et d'un riche trousseau.

Le voyage de noces est organisé de façon quelque peu singulière. Dans ce déplacement d'amoureux, le couple sera accompagné des parents de la mariée et de son frère Gustave. Ainsi l'escorte familiale veillera-t-elle sur les premiers pas des tourtereaux dans la vie conjugale. On commence par prendre le train à Rouen pour Paris. La ligne de chemin de fer a été récemment ouverte. Les voyageurs s'installent dans un wagon découvert. Il fait froid et humide. Souffleté par le vent de la course, le Dr Flaubert contracte un mal aux yeux qui aigrit son humeur.

À Paris, Gustave a l'impression de retrouver sa jeunesse d'étudiant après cent ans d'absence. « Partout j'ai marché dans mon passé, je l'ai remonté comme un torrent que l'on grimpe et dont l'onde vous murmure le long des genoux[1] », écrit-il à Le Poittevin. Il va voir la famille Collier qui a réintégré son appartement des Champs-Élysées. Comme trois ans plus tôt, Henriette, malade, est à demi allongée sur un canapé. Autour d'elle, les meubles sont les mêmes. Sous ses fenêtres, un orgue de Barbarie joue une rengaine, comme autrefois. Il semble que, dans cet univers immuable, lui seul, malgré ses vingt-quatre ans, ait changé du tout au tout. Il se précipite chez les Schlésinger : ils ont quitté Paris. Alors il rend visite à Mme Pradier, qui s'est séparée de son mari et que les esprits bien-pensants condamnent pour son adultère. En la voyant éplorée, il lui déclare tout net que, pour sa part, il l'approuve : « J'ai eu pitié de la bassesse de tous ces gens déchaînés contre cette pauvre femme, parce qu'elle a ouvert ses cuisses à un autre vit qu'à celui désigné par M. le maire[2]. »

Le 3 avril, on part en groupe pour Arles et Marseille. Cette dernière ville est pour Flaubert le lieu inoubliable de sa première expérience amoureuse. Va-t-il y retrouver la brune et ardente Eulalie Foucaud? Et de quel air se reverront-ils alors que la maladie, aujourd'hui, le condamne à la chasteté? « J'irai voir Mme Foucaud... Ce sera singulièrement amer et farce, surtout si je la trouve enlaidie comme je m'y attends[3] », ironise-t-il. Échappant à la surveillance de ses parents, il retourne rue Darse.

1. Lettre du 2 avril 1845.
2. *Ibid.*
3. *Ibid.*

L'hôtel Richelieu est abandonné, la porte condamnée, les volets clos. « N'est-ce pas un symbole ? écrit-il. Qu'il y a longtemps déjà que mon cœur a ses volets fermés, ses marches désertes, hôtellerie tumultueuse autrefois, mais maintenant vide et sonore comme un grand sépulcre sans cadavre[1]. » Certes, il pourrait essayer de savoir, en interrogeant les voisins, où loge maintenant Eulalie Foucaud, « cette excellente tétonnière qui m'a fait goûter de si doux quarts d'heure ». Mais il n'en a pas le courage. Il éprouve, dit-il, « un dégoût extrême à revenir sur son passé ». L'amour ne fait plus partie de ses appétits ni même de ses pensées. En revanche, il peste contre les conditions dans lesquelles s'accomplit ce grand voyage. Sans doute ne peut-il supporter les mines énamourées de sa sœur, qu'il juge godiche dans son rôle de jeune mariée, et les commentaires de ses parents devant les sites et les monuments qu'ils admirent de confiance. « Plus je vais, et plus je me sens incapable de vivre de la vie de tous, de participer aux joies de la famille, de m'échauffer pour ce qui enthousiasme et de me faire rougir à ce qui indigne, confie-t-il à Le Poittevin. Par tout ce que tu as de plus sacré, si tu as quelque chose de sacré, par le vrai et par le grand, ô cher et tendre Alfred, je t'en conjure au nom du Ciel, au nom de moi-même, ne voyage avec personne ! avec personne ! Je voulais voir Aigues-Mortes, et je n'ai pas vu Aigues-Mortes, la Sainte-Baume et la grotte où Madeleine a pleuré, le champ de bataille de Marius, etc. Je n'ai rien vu de tout cela parce que je n'étais pas seul, je n'étais pas libre. Voilà deux fois que je vois la Méditerranée en épicier. La troisième sera-t-elle meilleure[2] ? »

Après avoir longé la côte d'Azur, les voyageurs s'arrêtent à Gênes. Là, au palais Balbi, Flaubert a une illumination devant un tableau de Breughel : *La Tentation de saint Antoine*. Il note dans son carnet : « Ensemble fourmillant,

1. Lettre à Le Poittevin du 15 avril 1845.
2. *Ibid.*

grouillant et ricanant d'une façon grotesque et emportée, sous la bonhomie de chaque détail. Le tableau paraît d'abord confus, puis il devient étrange pour la plupart, drôle pour quelques-uns, quelque chose de plus pour d'autres. Il a effacé pour moi toute la galerie où il est. Je ne me souviens déjà plus du reste[1]. » Et il écrit à Le Poittevin : « J'ai vu un tableau de Breughel, *La Tentation de saint Antoine*, qui m'a fait penser à arranger pour le théâtre *La Tentation de saint Antoine*. Mais cela demanderait un autre gaillard que moi. Je donnerais bien toute la collection du *Moniteur* si je l'avais, et cent mille francs avec, pour acheter ce tableau-là, que la plupart des personnages qui l'examinent regardent assurément comme mauvais. » Au passage, il confirme que le commerce des femmes ne l'intéresse plus : « La baisade ne m'apprend plus rien. Mon désir est trop universel, trop permanent et trop intense pour que j'aie des désirs. Je ne me sers pas de femmes, je les use par le regard[2]. » Deux semaines plus tard, il revient sur le sujet auprès du même correspondant : « C'est une chose singulière comme je me suis écarté de la femme. J'en suis repu comme doivent l'être ceux qu'on a trop aimés. C'est peut-être moi qui ai trop aimé. C'est la masturbation qui en est cause, masturbation morale, j'entends... Je suis devenu impuissant pour ces effluves magnifiques que j'ai trop senti bouillonner pour les voir jamais se déverser. Voilà bientôt deux ans que je ne me suis livré au coït et un an, dans quelques jours, à toute espèce d'acte lascif. Je n'éprouve plus même vis-à-vis d'aucun jupon ce désir de curiosité qui vous pousse à dévoiler l'inconnu et à chercher du nouveau. Il faut que je sois tombé bien bas puisque le bordel lui-même ne m'inspire pas l'envie d'y entrer[3]. » Au vrai, le régime et les médicaments que le Dr Flaubert a prescrits à son fils ne sont pas étrangers à

1. *Notes de voyage*.
2. Lettre du 13 mai 1845.
3. Lettre du 26 mai 1845.

cette atonie sexuelle. D'ailleurs, tout le monde est plus ou moins souffrant dans ce long voyage : Caroline se plaint de sa tête et de ses reins, le Dr Flaubert de ses yeux, son épouse d'angoisses continuelles et Gustave de ses crises nerveuses (il en a subi deux coup sur coup). Quant à Achille qui, resté à Rouen, soigne les malades de son père en l'absence de celui-ci, il est tellement épuisé par le surcroît de travail qu'il supplie ses parents de rentrer au plus vite. Le clan Flaubert prend donc le chemin du retour, mais en passant par la Suisse. On emprunte le Simplon, et la patache roule entre deux murs de neige. « Les moyeux de notre voiture y entraient. » À Genève, Flaubert se promène dans l'île Rousseau, admire la statue de Jean-Jacques sculptée par Pradier et déclare : « Aux deux bouts du lac de Genève, il y a deux génies qui projettent leur ombre plus haute que celle des montagnes : Byron et Rousseau, deux gaillards, deux mâtins... qui auraient fait de bien bons avocats [1]. » Revenus en France, les voyageurs s'arrêtent à Nogent pour visiter quelques fermes appartenant à la famille. Le 15 juin 1845, ils sont de nouveau à Rouen : « Le port, l'éternel port, la cour pavée. Et enfin ma chambre, le même milieu, le passé derrière moi, et comme toujours la vague apparence d'une brise plus parfumée [2]. »

Caroline et son mari sont restés à Paris pour chercher un appartement à leur convenance et acheter des meubles. Tantôt à Rouen, tantôt à Croisset, Flaubert essaie de s'habituer à cette nouvelle vie loin de sa sœur. Il écrit à Caroline : « Je ne conçois pas que je ne sois pas triste de ce que tu n'es plus avec moi, j'en avais tant l'habitude! J'éprouve parfois un besoin à la bouche d'embrasser tes bonnes joues fraîches et fermes comme du coquillage [3]. » Et à Ernest Chevalier : « Ah! cher ami, la maison n'est plus gaie comme par le passé, ma sœur est mariée, mes

1. *Ibid.*
2. *Notes de voyage.*
3. Lettre du 10 juillet 1845.

parents se font vieux et moi aussi, tout cela use[1]! » Et à Le Poittevin : « Ma vie maintenant me semble arrangée d'une façon régulière. Elle a des horizons moins larges, hélas! moins variés surtout, mais peut-être plus profonds parce qu'ils sont plus restreints... Un coït normal, régulier, nourri et solide me sortirait trop hors de moi, me troublerait. Je rentrerais dans la vie active, dans la vérité physique, dans le sens commun enfin, et c'est ce qui m'a été nuisible toutes les fois que j'ai voulu le tenter[2]. »

Avec le temps, la santé de Flaubert s'améliore. Il étudie le grec, lit Shakespeare et Voltaire, nage, fait du bateau. *Le Rouge et le Noir* de Stendhal tombe entre ses mains. « Il me semble que c'est d'un esprit distingué et d'une grande délicatesse, écrit-il à Le Poittevin. Le style est français. Mais est-ce là le style, le vrai style, ce vieux style qu'on ne connaît plus maintenant[3]? » Maxime Du Camp vient le voir à Croisset, pour quelques jours. Propos enfiévrés sur l'art, plaisanteries, échange de projets, grands rires virils et voici le visiteur reparti. Ernest Chevalier, lui, a été récemment nommé substitut du procureur du roi en Corse. Encore un ami qui s'éloigne. À la maison, l'atmosphère s'appesantit. « J'observe que je ne ris plus guère et que je ne suis plus triste, écrit encore Flaubert à Le Poittevin. Je suis mûr... Malade, irrité, en proie mille fois par jour à des moments d'une angoisse atroce, sans femmes, sans vin, sans aucun des grelots d'ici-bas, je continue mon œuvre lente comme le bon ouvrier qui, les bras retroussés et les cheveux en sueur, tape sur son enclume sans s'inquiéter s'il pleut ou s'il vente, s'il grêle ou s'il tonne... Je crois avoir compris une chose, une grande chose... C'est que le bonheur, pour les gens de notre race, est dans *l'idée* et pas ailleurs[4]. »

1. Lettre du 13 août 1845.
2. Lettre du 17 juin 1845.
3. Lettre de juillet 1845.
4. Lettre du 16 septembre 1845.

À présent, il accumule des matériaux pour une entreprise ambitieuse, une énorme machine : *La Tentation de saint Antoine*. Son apparente sérénité dissimule mal l'inquiétude qui le ronge. Il doute de son talent. Et, comme si cette torture ne suffisait pas, la vie qu'il voudrait ignorer s'impose à lui, chaque jour, avec une violence qui le déconcerte. Après le mariage de sa sœur, c'est la maladie de son père qui occupe sa pensée et le distrait de son travail. Le Dr Flaubert souffre d'une tumeur profonde à la cuisse. Il exige que ce soit son fils Achille qui l'opère. Après l'intervention chirurgicale, la famille est quelque peu rassurée : « Plus de fièvre, écrit Flaubert à Le Poittevin. La suppuration s'arrête. Et il est presque certain qu'il ne se reforme pas de foyer dans la cuisse[1]. » Or, c'est le contraire qui se produit. Le Dr Flaubert meurt le 15 janvier 1846. La famille est frappée de consternation. Le pilier sur lequel s'appuyait la vie du petit groupe vient de disparaître. Tout s'écroule. Devant un si grand vide, Flaubert comprend soudain l'importance pour lui de ce père à la fois affectueux, digne et incompréhensif. « Tu as connu, tu as aimé l'homme bon et intelligent que nous avons perdu, l'âme douce et élevée qui est partie, écrit-il à Ernest Chevalier. Que te dire de ma mère? C'est la douleur incarnée! Le cœur se navre à la regarder. Si elle n'est pas morte, ou si elle n'en meurt pas, c'est qu'on ne peut pas mourir de chagrin[2]. » La ville entière prend le deuil. Tous les journaux de la région vantent les qualités d'« un des plus illustres chirurgiens de France », sa science, son énergie, son élévation morale, son dévouement à la cause des pauvres. Le jour de ses funérailles est chômé. Les ouvriers du port réclament l'honneur de porter le cercueil de la maison mortuaire à l'église de la Madeleine, copie de celle de Paris, toute tendue de noir par les soins des élèves du défunt. Ses deux fils et son gendre Hamard conduisent

1. Lettre de janvier 1846.
2. Lettre de la fin janvier 1846.

le deuil. À la suite de la cérémonie religieuse, de nombreux discours sont prononcés sur le parvis. Une souscription est ouverte pour élever une statue au grand homme. La réalisation, dit-on, en sera confiée à James Pradier.

Dès le lendemain de l'enterrement, Flaubert doit s'occuper de cent questions matérielles qui l'horripilent. Son père, qui avait le sens des affaires, laisse un héritage d'environ un demi-million de francs. L'avenir de la famille est donc assuré. Mais des difficultés surgissent quant à la carrière d'Achille. Une coalition de médecins de l'hôpital s'oppose à ce qu'il prenne la succession de son père comme chirurgien en chef. Gustave se démène, va à Paris, plaide pour son frère et obtient gain de cause. Achille devient chirurgien en chef de la première division de l'Hôtel-Dieu, alors que son rival, Émile Leudet, reçoit la même charge dans la deuxième. Cette promotion permet à Achille d'emménager dans le logement de fonction que ses parents occupaient jusque-là. Le couple Hamard vient s'installer chez lui.

Caroline est enceinte. Une semaine après la mort de son père, elle met au monde une fille, qu'on décide de prénommer Caroline. Tristesse et joie se succèdent dans la famille. Après quelques jours difficiles, la jeune accouchée semble prendre le dessus. Rassuré, Flaubert se rend à Paris pour s'occuper de l'héritage. Peu de temps après son arrivée, une lettre de sa mère le rappelle d'urgence à Rouen : Caroline est atteinte de fièvre puerpérale. Il reprend le train en hâte et tombe dans une maison en désarroi. Sa sœur délire d'une voix faible. Elle ne se souvient plus de son père et reconnaît à peine les visages qui se penchent sur son lit. « Hamard sort de ma chambre où il sanglotait debout, au coin de ma cheminée, écrit Flaubert à Maxime Du Camp. Ma mère est une statue qui pleure. Caroline parle, sourit, nous caresse, nous dit à tous des mots affectueux et doux. Elle perd la mémoire. Tout est confus dans sa tête, elle ne savait pas si c'était moi ou Achille qui était parti à Paris. Quelle grâce il y a dans les malades et quels singuliers gestes! Le petit enfant tête et crie. Achille ne dit rien et ne sait que dire. Quelle maison! Quel enfer!... Il semble que le malheur est sur nous et qu'il ne s'en ira que quand il se sera gorgé de nous. Encore une fois je vais revoir les draps noirs et j'entendrai l'ignoble bruit des souliers ferrés des croque-morts qui descendent l'escalier. J'aime mieux n'avoir pas d'espoir et entrer au contraire par la pensée dans mon chagrin qui va venir[1]. »

Pendant quelques jours encore, Caroline lutte contre la souffrance. Puis, le 22 mars 1846, à trois heures de l'après-midi, elle s'éteint. On la coiffe, on l'habille dans sa robe blanche de mariée, on l'entoure de bouquets de roses, d'immortelles et de violettes. Gustave passe la nuit à veiller le corps. « Elle paraissait, dit-il, bien plus grande et bien plus belle que vivante avec ce long voile blanc qui lui descendait jusqu'aux pieds. » Ivre de chagrin, il ressasse les souvenirs des jours heureux qu'ils ont passés ensemble. Puis, soudain, il va chercher les lettres d'amour que lui écrivit, cinq ans plus tôt, Eulalie Foucaud. Il les relit à côté du cadavre de sa sœur, à la lueur des cierges, dans le silence funèbre de la maison. Autour de lui, tout dort. Vanité des joies terrestres. À quoi bon vivre? Le cœur lourd, il remet en place ces pages inutiles et inscrit sur le paquet : « Pauvre femme, m'aurait-elle vraiment aimé? »

Le lendemain, il fait exécuter un moulage de la main et du visage de Caroline. Ensuite, c'est l'enterrement. « La fosse était trop étroite, raconte Flaubert, le cercueil n'a pu y entrer. On l'a secoué, tiré, tourné de toutes les façons, on a pris un louchet, des leviers, et enfin un fossoyeur a marché dessus (c'était la place de la tête) pour le faire entrer. J'étais debout à côté, mon chapeau dans les mains. Je l'ai jeté par terre en criant[2]. »

À la fin du mois de mars, Flaubert, sa mère et le bébé prennent le chemin de Croisset. « Ma mère va mieux

1. Lettre du 15 mars 1846.
2. Lettre à Maxime Du Camp du 25 mars 1846.

qu'elle ne pourrait aller, poursuit Flaubert. Elle s'occupe de l'enfant de sa fille, couche dans sa chambre, la berce, la soigne le plus qu'elle peut. Elle tâche de se refaire mère. Y arrivera-t-elle? La réaction n'est pas encore venue et je la crains fort[1]. » Autre sujet d'inquiétude : Émile Hamard donne des symptômes de dérangement mental. Il ne peut être question de lui laisser la garde de l'enfant. Mais il s'obstine. Il faudra la menace d'un procès pour que la petite Caroline reste sous la protection de sa grand-mère. « Je suis accablé, abruti, j'aurais besoin de reprendre une vie calme, car j'étouffe d'ennui et d'agacement, conclut Flaubert. Quand retrouverai-je ma pauvre vie d'art tranquille et de méditation longue[2]? »

Le 6 avril, c'est le baptême de la petite Caroline en l'église de Canteleu. Flaubert juge cette cérémonie absurde. « L'enfant, les assistants, moi, le curé lui-même, qui venait de dîner et était empourpré, ne comprenaient pas plus l'un que l'autre ce qu'ils faisaient, écrit-il. En contemplant tous ces symboles insignifiants pour nous, je me faisais l'effet d'assister à quelque cérémonie d'une religion lointaine exhumée de sa poussière[3]. »

Le voici engagé dans une nouvelle existence entre une nièce encore au berceau et une mère brisée par le chagrin mais fière de remplacer sa fille auprès de l'orpheline. Ce trio étrange réside tantôt à Croisset, tantôt à Rouen où les Flaubert ont loué un petit appartement pour l'hiver, au coin de la rue Crosne-hors-la-ville et de la rue Buffon. « J'ai au moins une consolation énorme, déclare Flaubert, une base sur laquelle je m'appuie, c'est celle-ci : " Je ne vois plus ce qui peut m'arriver de fâcheux[4] ". »

Or, un troisième choc le surprend dans cette année noire. Son grand ami, Alfred Le Poittevin, lui annonce

1. *Ibid.*
2. *Ibid.*
3. Lettre à Maxime Du Camp du 7 avril 1846.
4. *Ibid.*

qu'il va se marier avec Aglaé de Maupassant. (La sœur d'Alfred, Laure Le Poittevin, doit d'ailleurs, de son côté, épouser Gustave de Maupassant[1].) Cette brusque décision stupéfie Flaubert et le blesse comme une trahison imméritée. Non seulement Alfred le délaisse pour une femme, mais de plus il va quitter Rouen pour Paris. Encore des liens qui se brisent, encore le cercle du froid et de l'absence qui s'élargit. Les uns sont happés par la mort, les autres par la vie. Lui seul reste sur place, invariable, avec son désespoir et ses souvenirs. Sa déception est telle qu'il écrit à l'ami qui vient de se fiancer : « Ne m'ayant point demandé de conseils, il serait convenable de ma part de ne pas t'en donner. Ce n'est donc pas de cela que nous causerons. Ce sont beaucoup de prévisions que j'ai. Malheureusement, j'ai la vue longue... Es-tu sûr, ô grand homme, de ne pas finir par devenir bourgeois? Dans tous mes espoirs d'art, je t'unissais. C'est ce côté-là qui me fait souffrir. Il est trop tard! Qu'il en soit ce qu'il en sera! Toujours tu me retrouveras. Reste à savoir si moi je te retrouverai... Si personne plus que moi ne souhaite ton bonheur, personne plus que moi n'en doute. Par cela même qu'en le cherchant tu fais une chose anormale... Y aura-t-il encore entre nous de ces *arcana* d'idées et de sentiments inaccessibles au reste du monde? Qui répondra? Personne[2]. » Et, à Ernest Chevalier : « En voilà encore un de perdu pour moi et doublement puisqu'il se marie d'abord et ensuite puisqu'il va vivre ailleurs. Comme tout s'en va! Comme tout s'en va! Les feuilles repoussent aux arbres, mais, pour nous, où est le mois de mai qui nous rende les belles fleurs enlevées et les parfums mâles de notre jeunesse[3]. »

Contre l'assaut des chagrins, des soucis, des réminiscences douloureuses, un seul remède : le travail. Huit heures

1. Les parents futurs de Guy de Maupassant.
2. Lettre du 31 mai 1846.
3. Lettre du 4 juin 1846.

de plongée dans le grec, le latin, l'histoire : « Je me *culotte* un peu de ces braves anciens pour lesquels je finis par avoir un culte artistique. Je m'efforce de vivre dans le monde antique. J'y arriverai, Dieu aidant[1]. »

Mme Flaubert s'affaire dans la maison avec la servante Julie, le bébé pleure, ayant mouillé ses langes, et Gustave, penché sur ses livres, voyage dans un autre siècle et redoute le moment où il lui faudra s'en arracher pour affronter la réalité quotidienne.

---

1. Lettre à Emmanuel Vasse-de-Saint-Ouen, du 4 juin 1846.

VIII

LOUISE COLET

Vers la fin du mois de juillet 1846, Flaubert se rend à Paris pour commander à Pradier un buste de Caroline[1]. Dans l'atelier du sculpteur, c'est, comme d'habitude, une joyeuse réunion d'amis et de filles qui fument, boivent, jouent aux dominos et bavardent. Dès son entrée, Flaubert est frappé par la beauté plantureuse d'une femme. Lui qui fait profession de n'aimer que les brunes est fasciné par cette blondeur cendrée, ce regard direct, cette poitrine un peu lourde et comme maternelle. Devinant son trouble, Pradier le présente à l'inconnue en disant : « Voici un jeune homme à qui vous pourrez donner des conseils littéraires. »

Elle a trente-six ans, lui vingt-cinq. Elle se nomme Louise Colet et s'enorgueillit d'être une poétesse au talent reconnu, de mener une vie libre et de ne plus compter ses aventures amoureuses. Née le 15 septembre 1810, à Aix-en-Provence, où son père est directeur des Postes, Louise Revoil manifeste toute jeune des dons poétiques éclatants et la voici bientôt célébrée dans les salons de province comme « la muse du département ». En 1835, elle épouse le flûtiste Hippolyte Colet et le couple s'installe à Paris, où le musicien a été nommé professeur au Conservatoire. Là,

1. Aujourd'hui au musée Carnavalet, ainsi que le buste du père de Flaubert.

elle se dépense sans vergogne auprès des écrivains en renom, qu'il s'agisse de Chateaubriand, de Sainte-Beuve, de Béranger, pour obtenir des préfaces à ses poèmes, des recommandations chez les éditeurs, des subsides, des appuis aux prix littéraires. En 1838, elle rencontre Victor Cousin, le philosophe, dont elle devient la maîtresse. Nommé ministre de l'Instruction publique, il l'aidera à toucher des subventions gouvernementales. Elle lui donnera une fille. Le 30 mai 1839, l'Académie française décerne à la belle intrigante un prix pour son poème : *Le Musée de Versailles*. Aussitôt, Alphonse Karr l'attaque dans sa revue satirique *Les Guêpes* en se moquant de sa grossesse qu'il attribue à une « piqûre de cousin ». Aveuglée de colère, elle se rend chez lui pour le poignarder avec un couteau dont elle a fait l'emplette. Il la désarme et, l'ayant jetée à la porte, accroche le couteau au mur de son cabinet de travail avec cette pancarte : « Donné par Madame Colet, née Revoil, dans le dos. » Dans les salons, les uns se moquent d'elle, les autres la comparent à Charlotte Corday. En 1842, Victor Cousin la présente à Mme Dupin, qui l'introduit chez Mme Récamier. L'année suivante, elle reçoit des mains du roi une médaille d'or qui est « une récompense et un encouragement ». Pour Pradier, qu'elle fréquente assidûment, elle est « Sapho ». Il exécute d'elle une sculpture qui est un hommage à ses charmes. Elle se sait belle, irrésistible, et déclare fièrement devant un groupe d'amis : « Savez-vous qu'on a retrouvé les bras de la Vénus de Milo ? » « Où donc ? » demande un invité. « Dans ma robe. »

Quand Flaubert fait sa connaissance, elle est encore mariée à Hippolyte Colet et entretenue par Victor Cousin, dont elle élève la fille. Sa vie tumultueuse est connue de tous. Mais elle brave l'opinion. Et son courage femelle subjugue le solitaire de Croisset. Tiré de son trou de province, il considère avec l'émotion d'un néophyte cette créature superbe, qui écrit des vers comme on respire et tire de multiples plaisirs de son corps. Le lendemain de leur première rencontre, qui a eu lieu dans l'atelier du sculpteur le 29 juillet 1846, il rend visite à Louise Colet, chez elle, et l'emmène en calèche au bois de Boulogne. Deux jours plus tard, après une seconde promenade, elle consent à le suivre dans son hôtel. Là, elle se révèle d'une audace folle dans les jeux de l'amour. Il en est secoué jusqu'aux os. Sans doute lui fait-elle même un peu peur par ses débordements? En tout cas, il ne peut envisager de rester plus longtemps auprès d'elle. Il doit songer à sa mère qu'il a laissée seule à Croisset, avec la petite Caroline. Le devoir filial lui sert d'excuse pour prendre la fuite. Louise pleure en le voyant partir. Il jure de revenir bientôt.

Comme il le prévoyait, sa mère en larmes l'attend à la gare. Elle a tant souffert de son absence! Il la console et aussitôt retourne, par la pensée, à Louise. « Il y a douze heures nous étions encore ensemble, lui écrit-il. Hier, à cette heure-ci, je te tenais dans mes bras..., t'en souviens-tu? Comme c'est déjà loin! La nuit maintenant est chaude et douce; j'entends le grand tulipier qui est sous ma fenêtre frémir au vent et, quand je lève la tête, je vois la lune se mirer dans la rivière. Tes petites pantoufles sont là pendant que je t'écris, je les ai sous les yeux, je les regarde. Je viens de ranger, tout seul et bien enfermé, tout ce que tu m'as donné... Je n'ai pas voulu prendre pour t'écrire mon papier à lettres, il est bordé de noir, que rien de triste ne vienne de moi vers toi! Je voudrais ne te causer que de la joie et t'entourer d'une félicité calme et continue pour te payer un peu tout ce que tu m'as donné à pleines mains dans la générosité de ton amour... Ah! nos deux bonnes promenades en calèche, qu'elles étaient belles! La seconde surtout avec ses éclairs! Je me rappelle la couleur des arbres éclairés par les lanternes, et le balancement des ressorts; nous étions seuls, heureux, je contemplais ta tête dans la nuit, je la voyais malgré les ténèbres, tes yeux t'éclairaient toute la figure[1]. »

1. Lettre du 4 août 1846.

En dépit de cet enthousiasme amoureux, il n'envisage pas de retourner immédiatement à Paris : il ne peut se résoudre à contrarier une fois de plus sa mère, qui a un tel besoin de sa présence! Elle le tient jalousement sous sa coupe. Il retrouve auprès d'elle la chaude odeur de la tanière où il a grandi, où il travaille. Il ne faut pas que Louise morde sur ce territoire. Pourtant, il ne cesse de penser à elle avec désir, avec remords : « Je te vois couchée sur mon lit, les cheveux répandus sur mon oreiller, les yeux levés au ciel, blême, les mains jointes, m'envoyant des paroles folles. » Au comble de l'excitation, une inquiétude le traverse. N'a-t-elle pas mal interprété les causes de sa dernière défaillance physique auprès d'elle? « Quel pauvre amant je fais, n'est-ce pas! Sais-tu que ce qui m'est arrivé avec toi ne m'est jamais arrivé? (J'étais si brisé depuis trois jours et tendu comme la corde d'un violoncelle.) Si j'avais été homme à estimer beaucoup ma personne, j'aurais été amèrement vexé. Je l'étais pour toi. Je craignais de ta part des suppositions odieuses pour toi, d'autres peut-être auraient cru que je les outrageais. Elles m'auraient jugé froid, dégoûté, usé. Je t'ai su gré de ton intelligence spontanée qui ne s'étonnait de rien, quand moi je m'étonnais de cela comme d'une monstruosité inouïe[1]. » Mais elle exige qu'il revienne vite à Paris et il tergiverse : « Je suis brisé, étourdi comme après une longue orgie, je m'ennuie à mourir, j'ai un vide inouï dans le cœur... Je ne puis ni lire, ni penser, ni écrire. Ton amour m'a rendu triste. Je vois que tu souffres, je prévois que je te ferai souffrir. Je voudrais ne jamais t'avoir connue, pour toi, pour moi ensuite, et cependant ta pensée m'attire sans relâche[2]. » Elle ne comprend pas ses réticences et s'offense de la froideur de son amant comparée à sa propre flamme. Pour lui prouver l'importance du sacrifice qu'elle a consenti en se livrant à lui, elle lui envoie des lettres de son protecteur

1. Lettre du 6 août 1846.
2. Lettre du 7 août 1846.

en titre, Victor Cousin. Il n'en est pas autrement choqué. « Depuis que nous nous sommes dit que nous nous aimions tu te demandes d'où vient ma réserve à ajouter " pour toujours ", écrit-il. C'est que je devine l'avenir, moi. J'ai le pressentiment d'un malheur immense pour toi... Tu crois que tu m'aimeras toujours, enfant. Toujours, quelle présomption dans une bouche humaine. » Et, généreux, il promet : « Ce mois-ci, je t'irai voir. Je resterai un grand jour entier. Avant quinze jours, douze même, je serai à toi. » Mais qu'elle ne lui demande pas de changer de caractère ou de mode de vie : « Tu me dis par exemple de t'écrire tous les jours, et si je ne le fais pas tu vas m'accuser. Eh bien, l'idée que tu veux une lettre chaque matin m'empêchera de la faire [1]. Laisse-moi t'aimer à ma guise, à la mode de mon être, avec ce que tu appelles mon originalité. Ne me force à rien, je ferai tout [2]. »

Malgré ses explications, elle ne parvient pas à comprendre qu'à vingt-cinq ans il lui faille un prétexte pour quitter la maison. « Ma mère a besoin de moi, lui affirme-t-il. La moindre absence lui fait mal. Sa douleur m'impose mille tyrannies inimaginables. Ce qui serait nul pour d'autres est pour moi beaucoup. Je ne sais pas envoyer promener les gens qui me prient avec un visage triste et les larmes dans les yeux. Je suis faible comme un enfant et je cède parce que je n'aime pas les reproches, les prières, les soupirs [3]. » Comme Louise émet la prétention de venir le voir à Croisset, il s'affole et la dissuade : « À quoi bon songer à de pareilles folies ? C'est impossible. Tout le pays le saurait le lendemain ; ce serait d'odieuses histoires à n'en plus finir [4]. » Piquée au vif, elle ironise : « Tu es donc surveillé comme une jeune fille ! » Sans se démonter, il continue de

1. Il lui enverra plus de cent vingt lettres dont la plupart ont été conservées. Les réponses de Louise Colet, en revanche, ont été détruites, peut-être par la nièce de Flaubert, Caroline.
2. Lettre du 6 ou 7 août 1846.
3. Lettre du 30 septembre 1846.
4. Lettre du 2 septembre 1846.

la tenir à distance. À sa demande, les nombreuses lettres qu'elle lui écrit doivent être adressées à Maxime Du Camp qui les fait suivre sous une autre enveloppe. Quand il va la voir, à Paris, c'est en coup de vent. À peine ont-ils fait l'amour ensemble qu'il repart pour ne pas alarmer sa mère. Louise lui reproche sa hâte à la quitter. Il se justifie pour la centième fois : « Puis-je rester? Que ferais-tu à ma place? Tu me parles toujours de tes douleurs, j'y crois, j'en ai vu la preuve, je la sens en moi, ce qui est mieux. Mais j'en vois une autre douleur, une douleur qui est là, à mon côté[1], et qui ne se plaint jamais, qui sourit même et auprès de laquelle la tienne, si exagérée qu'elle puisse être, ne sera jamais qu'une piqûre auprès d'une brûlure, une convulsion à côté d'une agonie. Voilà l'étau où je suis. Les deux femmes que j'aime le mieux ont passé dans mon cœur un mors à double guide, par lequel elles me tiennent; elles me tirent alternativement par l'amour et par la douleur... Je ne sais plus que te dire, j'hésite maintenant. Quand je te parle, j'ai peur de te faire pleurer et, quand je te touche, de te blesser. Tu te rappelles mes caresses violentes et comme mes mains étaient fortes, tu tremblais presque! Je t'ai fait crier deux ou trois fois. Mais sois donc plus sage, pauvre enfant que j'aime, ne te chagrine pas pour des chimères!... J'aime à ma manière; plus ou moins que toi? Dieu le sait. Mais je t'aime, va, et quand tu me dis que j'ai peut-être fait pour des femmes vulgaires ce que je fais pour toi, je ne l'ai fait *pour personne*, personne je te le jure. Tu es bien la seule et la première pour laquelle seulement j'aie fait un voyage et que j'aie assez aimée pour cela, puisque tu es la première qui m'aime comme tu m'aimes[2]. »

Loin de Louise, il rêve d'elle avec délices en contemplant ses petites pantoufles ou le portrait – une gravure encadrée de bois noir – que Maxime Du Camp lui a apporté de sa part. Peut-être même l'aime-t-il mieux absente que pré-

1. Il s'agit de sa mère.
2. Lettre du 23 août 1846.

sente? Quand elle n'est pas là pour le heurter par quelque propos désobligeant, il s'attendrit, il laisse courir son imagination, il flotte entre ciel et terre. Puis soudain, c'est le réveil. De plus en plus exigeante, Louise souhaite maintenant avoir un enfant de lui. Cette seule idée le hérisse d'épouvante et presque de dégoût. Durement, il la rabroue pour son idée fixe : « Tu te complais dans le sublime égoïsme de ton amour à l'hypothèse d'un enfant qui peut naître. Tu le désires, avoue-le; tu le souhaites comme un lien de plus qui nous unirait, comme un contrat fatal qui riverait l'une à l'autre nos deux destinées. Oh! il faut que ce soit toi, chère et trop tendre amie, pour que je ne t'en veuille pas d'un souhait si épouvantable pour mon bonheur. Moi qui m'étais juré de ne plus attacher d'existence à la mienne je donnerais donc naissance à une autre... Cette idée seule me fait froid dans le dos, et, si pour l'empêcher de venir au monde il fallait que j'en sortisse, la Seine est là, je m'y jetterais, à l'heure même avec un boulet de 36 aux pieds[1]. »

Tant d'égoïsme la révolte chez un homme qui prétend l'aimer. Elle se rebiffe et l'insulte par lettre. Il lui répond du tac au tac : « De la colère, grand Dieu! De l'aigreur, et de la verte, de la salée! Qu'est-ce que ça veut dire? Est-ce que tu aimes les disputes, les récriminations et tous ces amers tiraillements quotidiens qui finissent par faire de la vie un enfer réel?... Comment peux-tu m'aimer si tu me regardes comme un si pauvre personnage[2]? » Comme elle insiste, avec rage, avec tendresse, pour le voir plus souvent, il finit par céder et lui propose de la rencontrer à Mantes, à mi-chemin entre Paris et Rouen, à l'hôtel du Grand Cerf. Mais il tient à être rentré le soir même pour ne pas alarmer sa mère : « Nous aurons tout un grand après-midi à nous... Es-tu contente de moi? Est-ce cela? Tu vois bien que lorsque je peux te voir je me jette sur la plus petite

1. Lettre du 24 août 1846.
2. Lettre du 30 août 1846.

occasion comme un voleur à jeun[1]. » Or, loin de se réjouir, elle s'indigne qu'il lui accorde si peu de temps et le couvre d'injures. « Moi qui m'attendais que tu allais m'embrasser pour l'idée que j'ai eue de notre voyage à Mantes!... Ah bien oui! Tu me reproches déjà d'avance de n'y pas rester plus longtemps[2]... » Finalement, elle accepte le projet et il fixe un horaire : « Prends le convoi qui part de Paris à neuf heures du matin. Je partirai à la même heure de Rouen[3]. »

Leurs retrouvailles sont si heureuses, si ardentes qu'au lieu de se séparer le soir, comme convenu, ils passent la nuit ensemble à l'hôtel. N'ayant pas prévenu sa mère, Flaubert éprouve, en la revoyant le lendemain, un remords d'enfant pris en faute. Pas question de lui avouer qu'il a une maîtresse! Vite, il invente une excuse quelconque à son retard. « J'ai arrangé une petite histoire que ma mère a crue, écrit-il à Louise, mais la pauvre femme a été hier bien inquiète. Elle est venue à onze heures au chemin de fer; elle a passé la nuit sans dormir et à se tourmenter. Ce matin, je l'ai trouvée au débarcadère dans un état d'anxiété extrême. Elle ne m'a fait aucun reproche, mais son visage était le plus grand des reproches qu'on puisse faire. » Et il affirme, en amant conscient de ses exploits : « Sais-tu que ça a été notre plus belle journée? Nous nous sommes aimés mieux encore; nous avons ressenti des plaisirs exquis... J'ai été fier de ce que tu m'as dit, que jamais tu n'avais goûté de bonheur pareil. Ta joie m'enflammait. Et moi, t'ai-je plu? Dis-le-moi; cela m'est doux... Avant de me coucher, j'ai voulu, selon ma promesse, t'envoyer encore un baiser, écho affaibli de ceux qui hier, à cette heure-ci, résonnaient si fort sur ton épaule quand tu me criais : " Mords-moi, mords-moi! " t'en souviens-tu?[4] » De son côté, elle célèbre leur union dans des poèmes délirants et les lui expédie :

1. Lettre du 4-5 septembre 1846.
2. Lettre du 5 septembre 1846.
3. Lettre du 6 septembre 1846.
4. Lettre du 10 septembre 1846.

Comme un buffle indompté des déserts d'Amérique,
Vigoureux et superbe en ta force athlétique,
Bondissant sur mon sein, tes noirs cheveux épars,
Sans jamais t'épuiser tu m'infusais la vie.

Ahuri, il éclate de rire en se voyant comparé à un buffle : « Je fais un triste buffle, va! et la rime *athlétique* qui vient après n'est pas faite pour moi. Je suis d'un tempérament fort peu gaillard... Au reste, il m'a semblé qu'il y avait de vraies belles choses[1]. »

Il est plus indulgent pour l'envoi suivant :

Ton bras enlaçait ma ceinture,
Ton cou vers mon cou se tendait
Et ta lèvre embaumée et pure
À ma lèvre se suspendait.
Deux langues dans la même bouche
Mêlaient d'onctueux lèchements,
Nos corps unis broyaient la couche
Sous leurs fougueux élancements.

Du coup perdant tout sens critique, il se dit enchanté par ce lyrisme de mirliton : « Ce sont là des vers émouvants qui remueraient des pierres, à plus forte raison moi. Bientôt nous recommencerons, n'est-ce pas, à nous jeter le défi de nous assouvir... Adieu. Mille morsures sur ta bouche rose[2]. »

Au début de leur liaison, une alerte le refroidit : Louise a des malaises, un retard de menstruation : n'est-elle pas enceinte? Ce serait une telle catastrophe qu'à cette seule perspective il rentre dans sa coquille. Mais bientôt le voici rassuré. Il jubile : « Puisque l'événement a tourné comme je le voulais, tant mieux! tant mieux, c'est un malheureux

1. Lettre du 30 septembre 1846.
2. Lettre du 4 octobre 1846.

de moins sur la terre. Une victime de moins à l'ennui, au vice ou au crime, à l'infortune à coup sûr. Mon nom obscur s'éteindra avec moi et le monde en continuera sa route comme si j'en laissais un illustre... Oh! que je t'embrasse! Je suis ému, je pleure[1]. » Une autre fois, il interroge Louise avec anxiété pour savoir si « les Anglais ont débarqué[2] ». Et, à l'annonce qu'il en est bien ainsi, il respire. La menace s'éloigne pour un mois. En dépit de cette attitude farouchement négative, Louise rêve toujours d'une possible maternité. L'union de deux personnages exceptionnels comme elle et Flaubert doit obligatoirement, pense-t-elle, donner naissance à un génie. Elle est persuadée que, mis devant le fait accompli, il s'attendrira. Or, plus le temps passe, plus il se fatigue de ces manifestations d'une passion orageuse. Tout sépare ces deux êtres qui ne se trouvent d'accord que dans un lit. Elle est sentimentale, lui amer et sceptique; elle souhaite les tempêtes du grand large, lui le calme du port; elle met l'amour au-dessus de tout, lui le considère comme une agréable diversion au travail de l'artiste; elle voudrait le voir tous les jours, lui défend avec âpreté sa solitude, son indépendance. À supposer que sa mère ne fût pas à ses côtés, il inventerait quelque prétexte pour ne pas rencontrer trop souvent sa maîtresse. Même la conception que Louise a de la carrière d'un écrivain s'oppose diamétralement à celle de Flaubert. Pour elle, écrire n'est qu'un moyen d'accéder à la gloire. Attirée par le clinquant du succès, elle exige qu'il fasse un effort afin d'« arriver ». Lui s'insurge avec véhémence contre cette vision salonnière et commerciale de la vocation littéraire. « La gloire! la gloire! mais qu'est-ce que c'est que la gloire! lui écrit-il. Ce n'est rien. C'est le bruit extérieur du plaisir que l'art nous donne... Je t'ai toujours vue d'ailleurs mêler à l'art un tas d'autres choses, le

1. Lettre du 15-16 septembre 1846.
2. Flaubert employait volontiers cette expression triviale pour parler de l'arrivée des règles.

patriotisme, l'amour, que sais-je? un tas de choses qui lui sont étrangères pour moi, et qui, loin de l'agrandir, à mes yeux le rétrécissent. Voilà un des abîmes qu'il y a entre nous. C'est toi qui l'as découvert et qui me l'as montré[1]. »

Lors d'une de leurs rencontres, il cède à sa prière et lui lit quelques pages du manuscrit de *Novembre*. Elle le complimente. Mais il n'est pas dupe : « Je ne sais comment j'ai été entraîné à te lire quelque chose. Passe-moi cette faiblesse. Je n'ai pu résister à la tentation de me faire estimer de toi. N'étais-je pas sûr du succès? Quelle puérilité de ma part! » Il se demande si ce n'est pas par simple vanité féminine qu'elle veut croire au talent de l'homme qu'elle a choisi pour amant. En le couronnant, elle se couronne elle-même. De toute façon, il le jure, il n'écrit pas et il n'écrira jamais pour le public : « Quand j'étais enfant, j'ai rêvé la gloire comme tout le monde, ni plus ni moins. Le bon sens m'a poussé tard, mais solidement planté. Aussi est-il fort problématique que jamais le public jouisse d'une seule ligne de moi; et, si cela arrive, ce ne sera pas avant dix ans au moins[2]. » Et, comme elle lui suggère d'écrire un livre en collaboration avec elle, il se dérobe : « Ton idée était tendre de vouloir nous unir dans un livre. Elle m'a ému; mais je ne veux rien publier. C'est un parti pris, un serment que je me suis fait à une époque solennelle de ma vie. Je travaille avec un désintéressement absolu et sans arrière-pensée, sans préoccupation ultérieure. Je ne suis pas le rossignol, mais la fauvette au cri aigre qui se cache au fond des bois pour n'être entendue que d'elle-même. Si un jour je parais, ce sera armé de toutes pièces, mais je n'en aurai jamais l'aplomb[3]. »

Possessive, susceptible et envahissante, Louise est aussi jalouse du passé de Flaubert. Il lui a parlé imprudemment

1. Lettre du 7 novembre 1847.
2. Lettre du 8-9 août 1846.
3. *Ibid.*

d'Eulalie Foucaud. Elle lui en veut d'avoir aimé cette femme avant elle. De lettre en lettre, elle se plaint de ne plus recevoir de son amant les marques d'estime et de tendresse qu'elle mérite. Tantôt elle lui reproche de ne l'avoir pas embrassée en partant, tantôt elle lui fait grief d'avoir oublié son anniversaire, tantôt elle l'accuse d'avoir couché avec Mme Pradier. Étouffé sous cette exigence amoureuse, il se défend avec exaspération. « Si malgré l'amour qui te retient à mon triste individu ma personnalité blesse trop la tienne, quitte-moi, lui répond-il. Si tu sens que c'est impossible, accepte-moi dès lors tel que je suis. C'est un sot cadeau que je t'ai fait que de te procurer ma connaissance. J'ai passé l'âge où l'on aime comme tu voudrais. Je ne sais pas pourquoi j'ai cédé cette fois-là; tu m'as attiré, moi qui me méfie tant des choses qui attirent... Tout ce qui est de la vie me répugne, tout ce qui m'entraîne et m'y replonge m'épouvante... J'ai en moi, au fond de moi, un *embêtement* radical, intime, âcre et incessant qui m'empêche de rien goûter et qui me remplit l'âme à la faire crever... Adieu, tâche de m'oublier; moi, je ne t'oublierai jamais[1]. »

Bien entendu, invitée à rompre des liens si douloureux, Louise refuse. Lui non plus d'ailleurs ne songe pas vraiment à une séparation. Chez l'un comme chez l'autre, il y a une part de comédie dans ces déchirements et ces réconciliations épistolaires. Ils grattent leurs plaies à distance, ils se donnent le spectacle d'un grand amour digne de figurer dans les annales du siècle. Cependant, alors que Louise se déchaîne de plus en plus, lui de plus en plus se rétracte. S'il a été fier, au début, d'inspirer une telle passion, il se déclare aujourd'hui excédé de vivre dans un état de tension continuelle. Cette femme l'aime trop. Et elle aime trop le drame. Leurs rencontres à Paris ou à Mantes sont de plus en plus rares et de plus en plus brèves. On fait l'amour et on s'insulte entre deux trains. Après quoi on s'écrit à

1. Lettre du 20 décembre 1846.

longueur de semaine pour tenter de s'expliquer, de se justifier. Flaubert se dit qu'il risque de perdre son identité sous ces récriminations, ces coups d'épingle, ces allusions fielleuses. « Pourquoi as-tu voulu empiéter sur une vie qui ne m'appartenait pas à moi-même et changer toute cette existence au gré de ton amour? lui écrit-il. J'en ai souffert, voyant les efforts inutiles que tu faisais pour ébranler ce rocher qui ensanglante les mains quand on y touche[1]. » Et soudain, c'est l'explosion : « Il m'est impossible de continuer plus longtemps une correspondance qui devient épileptique. Changez-en, de grâce! Qu'est-ce que je vous ai fait (puisque c'est *vous* maintenant) pour que vous m'étaliez, avec l'orgueil de la douleur, le spectacle d'un désespoir auquel je ne sais pas de remèdes? Si je vous avais livrée, affichée, si j'avais vendu vos lettres, etc., vous ne m'écririez pas des choses plus atroces ni plus désolantes... Vous savez bien que je ne peux pas venir à Paris. C'est vouloir me forcer à vous répondre par des brutalités. Je suis trop bien élevé pour le faire, mais il me semble que je l'ai répété assez de fois pour que vous en ayez gardé le souvenir. Je m'étais formé de l'amour une tout autre idée. Je croyais que c'était quelque chose d'indépendant de tout, et même de la personne qui l'inspirait. L'absence, l'outrage, l'infamie, tout cela n'y fait rien. Quand on s'aime, on peut passer dix ans sans se voir et sans en souffrir. » En marge de ce passage, Louise notera furieusement : « Que penser de cette phrase? » Il conclut : « Moi, je suis las des grandes passions, des sentiments exaltés, des amours furieux et des désespoirs hurlants. J'aime beaucoup le bon sens avant tout, peut-être parce que je n'en ai pas[2]. »

En vérité, avec son caractère replié, il aurait besoin d'une maîtresse maternelle, indulgente, disponible, effacée, et il a choisi une tigresse. À présent, il ne peut ni s'en passer ni s'en débarrasser. Pour préparer une issue hono-

1. Lettre du 16 décembre 1846.
2. Lettre de la fin décembre 1846.

rable à leur liaison, il espace ses lettres. Mais elle continue à le harceler. Alors il s'emporte : « Tu me demandes que je t'envoie au moins un dernier mot d'adieu. Eh bien, du plus profond de mon cœur je te donne la plus intime et la plus douce bénédiction qu'on puisse répandre sur la tête de quelqu'un. Je sais que tu aurais tout fait pour moi, que tu le ferais encore, que ton amour aurait mérité un ange et je me désole de n'y avoir pu répondre. Mais est-ce ma faute ? est-ce ma faute ?... Aimant avant tout la paix et le repos, je n'ai jamais trouvé en toi que trouble, orages, larmes ou colère. » Il lui reproche de l'avoir boudé tel jour pour une vétille, de l'avoir insulté tel autre jour en public, à la gare, d'avoir « fait la tête » lors d'un dîner avec Maxime Du Camp. « Tout le mal est venu d'une erreur primitive. Tu t'es trompée en m'acceptant, ou alors il eût fallu changer. Mais peut-on changer ? Tes idées de moralité, de patrie, de dévouement, tes goûts en littérature, tout cela était antipathique à mes idées, à mes goûts... Tu as voulu, toi, tirer du sang d'une pierre. Tu as ébréché la pierre et tu t'es fait saigner les doigts. Tu as voulu faire marcher un paralytique, tout son poids est retombé sur toi et il est devenu plus paralytique encore... Adieu, figure-toi que je suis parti pour un long voyage. Adieu encore, rencontres-en un plus digne ; pour te le donner j'irais le chercher au bout du monde[1]. »

Un souci familial s'ajoute maintenant à ceux que lui cause l'irascible Louise : le père de Caroline, Émile Hamard, devient fou. « Hamard est parti en Angleterre où il doit, je crois, rester un an, écrit Flaubert à Ernest Chevalier. Il y a du dérangement dans le cerveau de ce pauvre garçon qui a eu plus de vent dans sa voile qu'il n'en pouvait porter[2]. » Au fait, qui est sain d'esprit ici-bas ? Flaubert n'est pas sûr d'être bien équilibré dans sa tête. Quant à Louise, elle ne connaît d'autre état que la vaine

1. Lettre du 7 mars 1847.
2. Lettre du 28 avril 1847.

agitation, la suspicion maladive, l'invective furibonde, la jalousie absurde et le désir romantique.

Au mois d'avril 1847, une occasion est offerte à Flaubert d'échapper aux griffes de ce bas-bleu effervescent. Maxime Du Camp lui propose de faire un voyage à pied à travers la Bretagne, « avec de gros souliers, le sac au dos ». Mme Flaubert s'inquiète d'une telle randonnée. Mais la santé de Gustave n'est plus aussi alarmante. Les médecins consultés affirment même que l'exercice et le changement d'air lui seront d'un grand profit. Un peu rassérénée, sa mère l'aide, en soupirant, à préparer l'expédition. Elle a confiance en Maxime Du Camp. Il veillera sur son fils. Avant de partir gaiement, avec son ami, pour cette escapade de jeunes gens, Flaubert écrit à Louise : « Peu à peu le temps passera, tu t'habitueras à penser que je ne suis plus. Les âcretés de mon souvenir s'effaceront, s'adouciront à force d'être touchées, et il ne restera plus peut-être dans ton cœur que quelque chose de vague et de doux, comme pour un rêve d'autrefois qu'on aime encore quoiqu'on ne l'ait plus. Alors, quand tu en seras là, je reviendrai, je serai meilleur peut-être et toi plus sage... Adieu, adieu. Si le ciel était juste, il te donnerait le bonheur que tu n'as pas trouvé en moi. Y a-t-il à boire dans un verre vide[1] ? »

Pour se rendre en Bretagne, l'itinéraire le plus commode passe par Paris. Flaubert, à cette occasion, pourrait faire une dernière visite à Louise. Il s'en garde bien et se contente de lui envoyer une lettre « ultime » : « Tu veux savoir si je t'aime pour trancher tout d'un coup et en finir franchement... C'est une question trop large pour qu'on y réponde par un oui ou par un non. Pour moi, l'amour n'est pas et ne doit pas être au premier plan de la vie. Il doit rester dans l'arrière-boutique. Il y a d'autres choses avant lui dans l'âme qui sont, il me semble, plus près de la lumière, plus rapprochées du soleil. Si donc tu prends

1. Lettre du 13 avril 1847.

l'amour comme un mets principal de l'existence : non. Comme assaisonnement : oui... Si cette lettre te blesse, si c'est là le coup que tu attendais, il me semble qu'il n'est pas si rude... N'en accuse au reste que toi seule. Tu m'as demandé à genoux que je t'outrage. Eh bien non, je t'envoie un bon souvenir[1]. »

Ainsi, le 1er mai 1847, sans répudier tout à fait cette femme en colère, mais avec le sentiment d'avoir changé son fardeau d'épaule, il prend le train pour Blois, en compagnie de Maxime Du Camp, afin « d'aller respirer à l'aise au milieu des bruyères et des genêts, ou au bord des flots sur les grandes plages de sable[2]! ».

1. Lettre du 30 avril 1847.
2. *Par les champs et par les grèves.*

IX

VOYAGE ET PROJETS DE VOYAGE

Les deux compères ont décidé d'écrire ensemble, à leur retour, un livre qui retracera les péripéties de leur voyage. Maxime Du Camp rédigera les chapitres pairs et Flaubert les chapitres impairs. Chacun d'eux a dans sa poche un carnet pour noter ses impressions sur le vif. Leur équipement comprend « un chapeau de feutre gris; un bâton de maquignon venu exprès de Lisieux; une paire de souliers forts (cuir blanc, clous en dents de crocodile); *dito* vernis (costume de ville pour les visites diplomatiques s'il s'en trouve à faire...); une paire de guêtres en cuir appropriée aux souliers forts; *dito* en drap pour protéger de la poussière nos chaussettes les jours de souliers vernis; une veste de toile (chic garçon d'écurie), un pantalon de toile démesurément large pour être mis dans les guêtres; un gilet de toile dont la coupe élégante rachète la vulgarité de l'étoffe. Ajoutez à cela la répétition du même costume en drap. De plus, un couteau modèle, deux gourdes, une pipe en bois, trois chemises de foulard, ce qu'il faut à un Européen pour ses ablutions quotidiennes et vous aurez le cadre dans lequel nous nous sommes présentés en Bretagne, dans lequel nous avons vécu durant quelques semaines, à la pluie et au soleil. Jamais habit de bal ne fut médité avec plus de tendresse, et, ce qu'il y a de certain, porté avec aussi peu de gêne[1]. »

Flaubert se sent bien et ne regrette pas d'être parti. Son entente virile avec Maxime Du Camp le réjouit après les scènes folles de Louise. Ensemble, ils visitent les châteaux de la Loire : Blois, Chambord, Amboise, Chenonceaux... Cependant, à Tours, Flaubert subit une crise nerveuse. Un médecin appelé d'urgence ordonne « du sulfate de quinine en grande proportion ». Le malade se rétablit et le voyage reprend. On aborde la Bretagne. Tout en maudissant Louise, Flaubert attend, à chaque étape, une lettre d'elle. Le 17 mai, à Nantes, il lui écrit : « Puisque vous vous obstinez à ne plus vouloir me donner de vos nouvelles et à vivre pour moi comme si vous étiez morte, je suis forcé de vous en demander moi-même. Qu'est-ce que vous faites et comment portez-vous la vie?... Voyons, Louise, soyez bonne encore, ne me méprisez pas. Car je ne le mérite pas. Et ne m'oubliez pas complètement car moi je pense à vous souvent, tous les jours... Si je vous revois (si vous pensez que cela soit sans danger pour vous), ce ne sera pas un autre homme, mais le même avec ce qu'il avait de bon et de mauvais. Si, au contraire, cette lettre reste encore sans réponse, ce sera donc un adieu, un long adieu, comme si l'un était parti pour les Indes et l'autre pour l'Amérique. » Elle lui répond, mais trop froidement à son gré. Alors, à Quimper, le 11 juin, il insiste : « Mon *vous* n'exprime pas aussi bien ce que je suis pour toi, que *tu*. Je te tutoie donc, car j'ai pour toi un sentiment spécial et particulier, auquel en vain je cherche un nom juste sans le pouvoir trouver... Je marche au bord de la mer, j'admire les bouquets d'arbres, les coins de ciel floconnés, les couchers de soleil sur les flots et les goémons verts qui s'agitent sous l'eau comme la chevelure des Naïades, et le soir je me couche harassé dans des lits à baldaquins où j'attrape des puces.

1. *Par les champs et par les grèves.*

Voilà! Au reste, j'avais besoin d'air. J'étouffais depuis quelque temps. »

À Brest, où les deux amis arrivent à pied, « la poitrine nue, la chemise bouffant à l'air, la cravate autour des reins et le sac sur l'épaule », Mme Flaubert et Caroline les rejoignent. Mère inquiète, Mme Flaubert n'a pu attendre plus longtemps pour revoir son fils. « La pauvre femme ne pouvant se passer de moi est venue (comme il en était convenu du reste) me rejoindre à Brest, écrit Flaubert à Ernest Chevalier; et nous avons fait tous ensemble les bouts de route qu'il fallait faire en voiture, nous retrouvant ainsi et nous séparant quand il nous plaisait[1]. » À Saint-Malo, Flaubert a une pensée émue pour Chateaubriand qui, à soixante-dix-neuf ans, demeure pour lui un modèle de réussite littéraire et humaine. Il va voir le tombeau que l'illustre écrivain s'est fait ériger de son vivant, dans l'îlot du Grand-Bé, face à la mer. « Je t'envoie, ma chère amie, une fleur que j'ai cueillie hier, au soleil couchant, sur le tombeau de Chateaubriand, écrit-il à Louise. La mer était belle, le ciel était rose, l'air était doux... La tombe du grand homme est sur un rocher, en face des flots. Il dormira à leur bruit, tout seul, en vue de la maison où il est né. Je n'ai guère pensé qu'à lui tout le temps que j'ai passé à Saint-Malo[2]. »

Le 29 juillet est le jour anniversaire de sa première rencontre avec Louise. Pris par le kaléidoscope du voyage, il oublie cette date sacrée. Louise lui écrit en lui reprochant de ne lui avoir pas envoyé de fleurs, ce que n'importe quel galant homme eût fait à sa place. « Encore des larmes, des récriminations et, ce qui est plus drôle, des injures, lui répond-il. Vous déclarez que *je devais* au moins vous envoyer des fleurs le 29 juillet. Vous savez bien que je n'admets pas davantage les devoirs, vous frappez mal en voulant frapper trop fort... Vous me demandez un oubli

1. Lettre du 13 juillet 1847.
2. Lettre du 14 juillet 1847.

absolu. Je pourrais vous en donner les marques, mais que cela soit au fond, non. Vous n'avez pu vous résigner à m'accepter avec les infirmités de ma position, avec les exigences de ma vie. Je vous avais donné le fond, vous vouliez encore le dessus, l'apparence, les soins, l'attention, les déplacements, tout ce que je me suis tué à vous faire comprendre que je ne pouvais vous donner. Qu'il en soit comme vous voudrez! Si vous me maudissez, moi je vous bénis et toujours mon cœur remuera à votre nom[1]. »

Dans les lettres suivantes, le ton, de part et d'autre, se radoucit. La randonnée se poursuit, tantôt à pied par des chemins impraticables, tantôt en voiture. Elle durera trois mois. Trois mois de soleil, de poussière, de pluie, de boue, de saines fatigues et d'émerveillements. Mme Flaubert et Caroline sont, dans l'intervalle, rentrées à Croisset. Mais le pays étant « accablé d'une maladie d'enfant », elles courent se réfugier à La Bouille, à dix-huit kilomètres de Rouen. Flaubert les y rejoint au début du mois d'août. Comme Louise s'est mis en tête de lui rendre visite au village, il s'affole et l'en dissuade selon son habitude : « Quant à venir ici, il n'y faut pas songer. Le pays consiste en une douzaine de maisons sur le quai. Il n'y a pas d'endroit où se voir. Patience donc, mon pauvre cœur; cet hiver, j'espère aller passer une quinzaine à Paris[2]. »

De retour à Croisset, en septembre, avec sa mère et sa nièce, il rêve d'en repartir, mais cette fois pour l'Orient : « Oh! si vous saviez l'envie, le besoin que je me sens de faire mon paquet et de partir bien loin, dans un pays dont je n'entende pas la langue, loin de tout ce qui m'entoure, de tout ce qui m'oppresse! Penser que jamais sans doute je ne verrai la Chine, que jamais je ne m'endormirai au pas cadencé des chameaux, que jamais peut-être je ne verrai

1. Lettre du 6 août 1847.
2. Lettre du 16 août 1847.

dans les forêts luire les yeux d'un tigre accroupi dans les bambous[1] ! »

En attendant, il travaille péniblement à la relation de son voyage en Bretagne et en Normandie. Sa santé le préoccupe : « Mes nerfs ne vont pas mieux, confie-t-il à Louise. Je m'attends d'un jour à l'autre à avoir quelque attaque assez grave... Au reste je m'en f..., comme dirait Phidias. » Et, un peu plus tard : « J'ai eu une attaque, il y a une huitaine, et j'en suis resté passablement malade et irrité... Nous (Maxime Du Camp et moi) sommes occupés maintenant à écrire notre voyage et, quoique ce travail ne demande ni grands raffinements d'effets ni dispositions préalables de masses, j'ai si peu l'habitude d'écrire et je deviens si hargneux là-dessus, surtout vis-à-vis de moi-même, qu'il ne laisse pas que de me donner assez de souci. C'est comme un homme qui a l'oreille juste et qui joue faux du violon; ses doigts se refusent à reproduire juste le son dont il a conscience. Alors les larmes coulent des yeux du pauvre racleur et l'archet lui tombe des doigts[2]. » Et encore, à la même : « Tu me demandes des renseignements sur notre travail à nous deux, Maxime et moi. Sache donc que je suis harassé d'écrire. Le style, qui est une chose que je prends à cœur, m'agite les nerfs horriblement, je me dépite, je me ronge. Il y a des jours où j'en suis malade et où, la nuit, j'en ai la fièvre... Quelle drôle de manie que celle de passer sa vie à s'user sur des mots et à suer tout le jour pour arrondir des périodes[3] ! »

Jamais encore Flaubert n'avait apporté un tel soin à la construction et à la musique de sa phrase. Pour la première fois, il se montre ici l'artisan rigoureux du verbe. Il y a un contraste saisissant entre les chapitres rédigés par Maxime Du Camp, qui sont d'une facture correcte et impersonnelle, et ceux rédigés par Flaubert qui regorgent d'émo-

1. Lettre à Louise Colet de septembre 1847.
2. Lettre à Louise Colet du 23 septembre 1847.
3. Lettre d'octobre 1847.

tion, de couleur de vie. Les pages sur Combourg, sur le tombeau de Chateaubriand, sur les abattoirs de Quimper-Corentin entre autres sont superbes. Mais ni l'un ni l'autre des deux auteurs ne songe à divulguer ces textes. « Quant à les publier ce serait impossible, note Flaubert. Nous n'aurions, je crois, pour lecteur que le procureur du roi à cause de certaines réflexions qui pourraient bien ne lui pas convenir[1]. »

Dans sa solitude retrouvée, il connaît une grande joie : l'amitié nouvelle d'un camarade de collège, Louis Bouilhet, qui a été jadis interne à l'hôpital de Rouen, mais a abandonné la médecine et a créé une petite école pour élèves retardés. Louis Bouilhet vit misérablement, se passionne pour la littérature et se déclare partisan de l'« art pour l'art ». Lui-même compose des vers que Flaubert juge excellents. Mais il est un homme effacé, chaleureux et modeste qui n'a guère confiance en ses dons d'écrivain. Il travaille huit heures par jour, au milieu des cancres, pour gagner sa vie, et passe ses fins de semaine à Croisset. Bientôt Flaubert et lui sont inséparables. Grâce à Louis Bouilhet, la vieille maison, au bord de la Seine, retentit de discussions violentes et de rires. Ainsi revigoré, Gustave éprouve de moins en moins le besoin de se rendre à Paris. Cela d'autant que Louise, après quelques jours d'accalmie, le couvre à nouveau d'opprobre, lui reprochant d'être du clan des « viveurs », des « jureurs » et des « fumeurs ». Il réplique gaillardement : « *Fumeurs*, passe : je fume, refume et surfume de plus en plus de bouche et de cerveau. *Jureurs*, il y a encore du vrai. Mais je jure tellement en dedans qu'on doit me passer le peu qu'on en entend... Il est joli, votre *viveur*! il consomme plus de quinine que de rhum et ses orgies sont si bruyantes qu'on ne sait pas s'il

1. *Ibid.* Le texte de Flaubert, intitulé *Par les champs et par les grèves*, ne paraîtra qu'après sa mort.

100

existe encore dans sa propre ville, dans celle où il est né et où il habite[1]. »

Tout en se disant écœuré par la politique, il ne peut se désintéresser totalement des remous qui agitent le pays, dans les dernières semaines de l'année 1847. Les hommes de l'opposition mènent la vie dure au gouvernement de Louis-Philippe et se réunissent dans toute la France pour des banquets de protestation. Entraîné par Louis Bouilhet et Maxime Du Camp, Flaubert assiste, le 25 décembre, à une de ces manifestations dans une grande salle des faubourgs de Rouen, pavoisée de drapeaux tricolores. Malgré son hostilité au roi, il est frappé par la médiocrité des harangues qui se déversent sur sa tête. « Je suis encore dominé par l'impression grotesque et lamentable à la fois que ce spectacle m'a laissée, écrit-il à Louise. Je restais froid, et avec des nausées de dégoût au milieu de l'enthousiasme patriotique qu'excitait le timon de l'État, l'abîme où nous courons, l'honneur de notre pavillon, l'ombre de nos étendards, la fraternité des peuples et autres galettes de cette farine[2]. » Cependant, il semble bien que ces parlotes exaltées préparent une véritable révolution. Le 23 février 1848, Flaubert et Louis Bouilhet arrivent à Paris pour suivre de près les manifestations annoncées par les journaux. Là, ils retrouvent leurs amis, Maxime Du Camp et Louis de Cormenin. Le lendemain, ils assistent ensemble aux désordres violents de la capitale. Ils s'amusent d'abord de cet immense tumulte, puis, pris au jeu, ils s'engagent dans la garde nationale et Gustave, armé d'un fusil de chasse, se donne l'illusion, pendant quelques heures, de participer à l'action républicaine. Mais très vite, il déchante. Bousculé par la foule, il aperçoit un drapeau rouge flottant sur une barricade, un orateur abattu par une balle, des officiers de la garde nationale s'efforçant de s'interposer entre la troupe et le peuple, les lueurs d'incen-

1. Lettre du 14 novembre 1847.
2. Lettre de la fin décembre 1847.

die couronnant la ville. Des gens crient : « À bas Guizot ! »
À leur suite, Flaubert et ses amis pénètrent dans les
Tuileries et voient avec consternation le saccage du palais.
Puis ils se rendent à l'Hôtel de Ville. Mêlés à la multitude
qui piétine sur la place, ils entendent proclamer la République. Ces images de folie collective se fixent avec une
netteté photographique dans la mémoire de Flaubert. Au
milieu de la tourmente, il songe confusément à la description qu'il en fera peut-être un jour. Tout ce qu'il vit, tout
ce qu'il ressent lui paraît à présent matière à écriture.
D'ailleurs, les événements se succèdent à un rythme tel
qu'il est impossible de les suivre par la raison. Abdication
du roi, instauration d'un gouvernement provisoire, crise
bancaire, prolifération des clubs révolutionnaires, manifestations et contre-manifestations dans les grandes villes,
tentative de coup d'État des « rouges »...

Revenu à Croisset, Flaubert envisage ce chaos avec une
sérénité méprisante, une hautaine moquerie. « Eh bien !
tout cela est fort drôle, écrit-il à Louise. Il y a des mines de
déconfits bien réjouissantes à voir. Je me délecte profondément dans la contemplation de toutes les ambitions apla-
ties. Je ne sais si la forme nouvelle du gouvernement et
l'état social qui en résultera sera favorable à l'Art. C'est
une question. On ne pourra pas être plus bourgeois ni plus
nul. Quant à plus bête, est-ce possible[1] ? » Pour lui, les
événements les plus graves doivent être considérés du point
de vue de l'artiste. Peu importe que le monde s'écroule si le
talent de l'écrivain y trouve son compte. Les lignes citées
plus haut répondent à une lettre de Louise où elle annonce
incidemment qu'elle est enceinte. De qui ? Certainement
pas de son mari, « l'officiel » selon son expression, ni de
Victor Cousin, ni de Flaubert qu'elle n'a guère rencontré
ces derniers mois. En vérité, tout en accablant Gustave de

1. Lettre de mars 1848.

reproches, elle ne s'est pas privée d'avoir d'autres amants[1]. C'est l'un d'eux, à coup sûr, qui est le père. « À quoi bon aussi tous vos préambules pour m'annoncer *la nouvelle*? écrit Flaubert à Louise. Vous auriez pu me la dire tout d'abord sans circonlocutions. Je vous épargne les réflexions qu'elle m'a fait faire et l'exposé des sentiments qu'elle m'a causés. Il y en aurait trop à dire. Je vous plains, je vous plains beaucoup... Quoi qu'il advienne, comptez toujours sur moi. Quand même nous ne nous écririons plus, quand même nous ne nous reverrions plus, il y aura toujours entre nous un lien qui ne s'effacera pas, un passé dont les conséquences subsisteront. Ma *monstrueuse personnalité*, comme vous le dites si aimablement, n'est pas telle qu'elle efface en moi tout sentiment honnête, humain si vous aimez mieux[2]. »

Un souci autrement douloureux le ronge : Alfred Le Poittevin est gravement malade. On pense que sa vie dissolue l'a conduit à cet extrême degré de délabrement physique. Les médecins disent que son cas est désespéré. Il n'a que trente-deux ans. Flaubert, qui en a vingt-sept, se considère comme « aussi vieux » que lui. Aussitôt il se rend auprès de son ami, à Neuville-Champ-d'Oisel. Le 3 avril 1848, c'est la fin. « Alfred est mort lundi soir, à minuit, écrit Flaubert à Maxime Du Camp. Je l'ai enterré hier et je suis revenu. Je l'ai gardé pendant deux nuits (la dernière nuit, entière), je l'ai enseveli dans son drap, je lui ai donné le baiser d'adieu et j'ai vu souder son cercueil. J'ai passé là deux jours... larges. En le gardant, je lisais *Les Religions de l'antiquité* de Creuzer. La fenêtre était ouverte, la nuit était superbe, on entendait les chants du coq et un papillon de nuit voltigeait autour des flambeaux. Jamais je n'oublierai tout cela, ni l'air de sa figure, ni le premier soir, à minuit, le son éloigné d'un cor de chasse qui m'est arrivé à travers

---

1. Le dernier en date est un Polonais, jeune, beau, vigoureux, qui s'appelle Franc.
2. Lettre de mars 1848.

les bois... Quand le jour a paru, à quatre heures, moi et la garde nous nous sommes mis à la besogne. Je l'ai soulevé, retourné et enveloppé. L'impression de ses membres froids et raides m'est restée toute la journée au bout des doigts. Il était horriblement putréfié, les draps étaient traversés. Nous lui avons mis deux linceuls. Quand il a été ainsi arrangé, il ressemblait à une momie égyptienne serrée dans ses linges et j'ai éprouvé je ne puis dire quel sentiment énorme de joie et de liberté pour lui... Voilà, mon pauvre vieux, ce que j'ai vécu depuis mardi soir. J'ai eu des aperceptions inouïes et des éblouissements d'idées intraduisibles[1]. » Flaubert informe également Ernest Chevalier : « Il a horriblement souffert et s'est vu finir. Tu sais, toi qui nous as connus dans notre jeunesse, si je l'aimais et quelle peine cette perte m'a dû faire. Encore un de moins, encore un de plus qui s'en va, tout tombe autour de moi, il me semble parfois que je suis bien vieux. À chaque malheur qui vous arrive on semble défier le sort de vous en donner plus et, à peine on a le temps de croire que c'était impossible, qu'il en arrive de nouveaux auxquels on ne s'attendait pas, et toujours et toujours. Quelle plate boutique que l'existence! Je ne sais si la République y portera remède, j'en doute fort. »

Cette lettre est datée du 10 avril 1848. Le lendemain, Flaubert prend sa première faction comme garde national. Deux jours plus tôt, il a participé à une revue pour la plantation d'un arbre de la Liberté. Il juge cette cérémonie parfaitement ridicule, avec ses chants patriotiques, ses discours politiques ronflants et son allocution du curé célébrant la « république chrétienne[2] ». Il voudrait oublier cette agitation verbeuse. Le centre de sa vie n'est pas à Paris, mais à Croisset. Cependant, dans Rouen aussi, c'est le « chahut ». Gagnés par la contagion parisienne, qua-

1. Lettre du 7 avril 1848.
2. Flaubert se souviendra de la scène quand il écrira le chapitre VI de *Bouvard et Pécuchet*.

rante mille ouvriers se sont mis en grève, réclamant la réduction des heures de travail et une augmentation des salaires. Peine perdue : la province est plus sage que la capitale. Aux élections générales, ce sont les modérés qui ont le dessus. Chef de la liste victorieuse, à Rouen, le procureur Sénard fait appel à l'armée pour démanteler les barricades. Il y aura une trentaine de morts parmi les émeutiers. À Paris, les journées insurrectionnelles de juin sont suivies d'arrestations massives. Cavaignac devient président du Conseil en remplacement de la Commission exécutive démissionnaire. L'ordre est rétabli. Flaubert est aussi indigné par la violence de la répression que par les fureurs de la révolte. Il n'est ni républicain ni conservateur. Les agités de gauche comme les trembleurs de droite le dégoûtent. Ses crises nerveuses réapparaissent. Il s'inquiète pour l'avenir de sa nièce Caroline. En effet, Émile Hamard, revenu d'Angleterre, donne des signes de plus en plus évidents de dérangement mental. Devenu dangereux, il annonce son intention de se faire comédien, mange trente mille francs en un mois et exige de reprendre sa fille. Épouvantée, Mme Flaubert va se cacher avec l'enfant chez des amis, à Forges-les-Faux. Les démarches pour faire interner Hamard traînent en longueur. Finalement, une décision de justice arrête que Caroline restera provisoirement chez sa grand-mère. « Moi, j'en deviens fou aussi, écrit Flaubert à Ernest Chevalier, fou de chagrin. Si d'ici quelques jours il (Émile Hamard) ne part en voyage comme il en a l'intention et que nous soyons encore exposés à recevoir ses visites, de jour et de nuit, nous émigrons à Nogent[1]. »

Pendant ce temps, Maxime Du Camp, qui a été blessé d'une balle au mollet lors des émeutes de juin à Paris, est décoré de la Légion d'honneur par Cavaignac. En voilà un, songe Flaubert, qui sait naviguer entre les écueils vers les plus hautes distinctions officielles. Tant mieux s'il en

1. Lettre du 4 juillet 1848.

tire de la joie! Quant à lui, de nouveau cloîtré à Croisset, il a commencé d'écrire sa *Tentation de saint Antoine*. Cette fois, il se sent porté par une inspiration fougueuse, juvénile. Pris jusqu'au vertige par son travail, il ne pense plus guère à Louise. Il sait qu'une fille lui est née en juin 1848[1]. Comme elle lui envoie une lettre avec, à l'intérieur, une mèche de cheveux de Chateaubriand, mort le mois précédent, il répond sèchement : « Merci du cadeau. Merci de vos très beaux vers. Merci du souvenir. À vous. G.[2]. » Le couperet est tombé. Louise est éliminée. Du moins pour le moment, décide Flaubert. Rien ne doit le déranger dans sa formidable entreprise. Pourtant, au mois de novembre, Maxime Du Camp, le tentateur, rentre d'un voyage en Algérie et Gustave sent se réveiller en lui l'envie de fuir vers les pays chauds. Il en parle à son ami lorsque celui-ci vient le voir à Rouen, en février 1849. Achille, le frère aîné, est mis dans la confidence et approuve le projet. Reste à convaincre Mme Flaubert. « Ce ne sera pas facile, dit Achille, mais j'essaierai. » Dès les premiers mots, elle s'insurge : une si longue expédition, et dans des contrées barbares, risque de nuire à la santé de son fils! Du reste, elle ne supportera pas moralement de le savoir loin de la maison pendant des mois. Pour dissiper ses craintes, on fait appel au brave Dr Cloquet qui certifie par lettre qu'un tel voyage serait salutaire. Brisée, Mme Flaubert se résigne. « Puisque cela est nécessaire à ta santé, va-t'en avec ton ami Maxime, dit-elle. J'y consens. » Son visage est, note Du Camp, « plus glacial encore que de coutume ». Gustave rougit jusqu'à la racine des cheveux et remercie. Mais, ayant obtenu gain de cause, il n'est pas pressé de partir. Il veut d'abord achever cette sacrée *Tentation* qui pompe toute son énergie. « Au mois d'octobre prochain (n'aie pas peur de ce qui suit, ce n'est point mon mariage, mais mieux), au mois d'octobre prochain ou à la fin de

1. L'enfant ne vivra que peu de temps.
2. Lettre du 25 août 1848.

septembre, je fous le camp pour l'Égypte, écrit-il à Ernest Chevalier. Je vais faire un voyage dans tout l'Orient. Je serai parti de quinze à dix-huit mois... J'ai besoin de prendre l'air, dans toute l'extension du mot. Ma mère, voyant que cela m'était indispensable, a consenti à ce voyage, et voilà. Je ne pense qu'avec angoisse aux inquiétudes que je vais lui faire subir, mais je crois que c'est un mal pour en éviter un plus grand. Je ne suis pas encore parti. D'ici là, il se passera peut-être bien des choses[1]. » Et, à son oncle Parain : « En attendant mon départ, nous sommes convenus, ma mère et moi, de ne pas ouvrir la bouche de ce voyage pour deux raisons : la première, c'est qu'il est inutile de se tracasser d'avance et d'exciter sa tristesse par anticipation ; la seconde, c'est que, n'ayant pas fini mon maudit *Saint Antoine* (car il dure toujours, le polisson ! quoique je maigrisse dessus), ça me troublerait et m'empêcherait de travailler. Vous savez, vieux compagnon, que l'idée que je dois être dérangé me dérange, et j'ai bien assez de besogne sans avoir en outre l'Orient qui danse au bout de ma table, et les grelots des dromadaires qui me bourdonnent dans les oreilles par-dessus le bruit de mes phrases. Donc, quoique ce voyage soit conclu, on n'en dit mot ici ; comprenez-vous[2] ? »

Tout en travaillant « comme dix nègres » à sa *Tentation de saint Antoine*, Gustave cherche un domestique pour les accompagner, Maxime et lui, dans leur expédition. L'oncle Parain se charge de dénicher l'oiseau rare. Selon Flaubert, l'homme devra monter et démonter la tente, avoir soin des armes, des chevaux et des bagages, brosser les habits et les bottes, faire la cuisine, porter « le costume que nous jugerons convenable de lui donner », se passer de femmes, renoncer au vin et à l'alcool. Il suivra ses maîtres à cheval et recevra mille cinq cents francs de gages. Une obligation supplémentaire : « Il devra, dans l'intérêt de notre sécurité,

1. Lettre du 6 mai 1849.
2. Lettre du 5 mai 1849.

garder vis-à-vis de nous (en présence des étrangers surtout) le plus grand respect. Il ira, bien entendu, aux secondes places et en campagne couchera à la porte de notre tente[1]. » Ainsi, curieusement, cet anti-bourgeois a une conception très bourgeoise des rapports entre maîtres et serviteurs. D'ailleurs, il a toujours jugé que l'égalité était un principe absurde. Chacun doit rester à sa place dans la société, l'intellectuel, le créateur au haut de l'échelle, l'ouvrier, l'employé, le domestique au bas. Cela n'exclut pas la considération réciproque ni même la sympathie. Finalement, c'est Du Camp qui met la main sur le domestique idéal. Un certain Sassetti, « un garçon superbe, un Corse, un ancien troupier, qui a déjà été en Égypte et paraît un drôle roué[2] ». Entre-temps, Maxime Du Camp s'abouche avec un photographe pour apprendre auprès de lui les rudiments d'un métier encore tout nouveau à l'époque. Il entend rapporter des photographies de son voyage afin d'illustrer le texte de ses souvenirs. Soudain, le 12 septembre, il reçoit une lettre comminatoire de Gustave : « Je viens de terminer *Saint Antoine*. Arrive! »

Le lendemain, Maxime Du Camp est à Croisset où il retrouve Louis Bouilhet, prévenu, lui aussi, de l'événement. Flaubert a besoin de leur avis sincère pour savoir s'il doit ou non publier cette œuvre dont il est, pour sa part, fort satisfait. La lecture durera quatre jours, à raison de huit heures par jour. Les séances se répartiront ainsi : de midi à quatre heures, de huit heures à minuit. Maxime Du Camp et Louis Bouilhet promettent de se taire pendant tout le temps de la lecture et de ne donner leur avis qu'à la fin. Avant de commencer, Flaubert, très excité, s'écrie, en tapotant son épais manuscrit (cinq cents feuillets) : « Si vous ne poussez pas des hurlements d'enthousiasme, c'est que rien n'est capable de vous émouvoir! » Or, dès les premières pages, Maxime Du Camp et Louis Bouilhet

1. Lettre à l'oncle Parain du 12 mai 1849.
2. Lettre à l'oncle Parain du 18 ou du 25 mai 1849.

échangent des regards navrés. Ce texte monotone, où de larges envolées lyriques remplacent l'action, leur paraît dénué de tout intérêt. Les phrases sont belles, l'intention ambitieuse et le résultat accablant. Saint Antoine n'en finit pas d'avoir des visions. Dire que Flaubert a travaillé pendant près de trois ans sur cette grosse machine boursouflée! Après chaque réunion, Mme Flaubert demande aux deux amis ce qu'ils pensent de l'œuvre de son fils. Gênés, ils évitent de lui répondre. Enfin, s'étant concertés, ils décident de prononcer un verdict sévère. Lorsque Flaubert, la dernière lecture achevée, les interroge : « À nous trois, maintenant, dites franchement ce que vous pensez », la réponse lui arrive en plein cœur, impitoyable : « Nous pensons qu'il faut jeter cela au feu et ne jamais en reparler. » Flaubert tressaille sous le choc et pousse un cri horrible. On vient de lui arracher une livre de chair. Lamentablement, il essaie de discuter, de défendre son œuvre. Mais les deux juges sont inébranlables. Rares sont les pages qui résistent à leurs critiques. En fin de compte, ils conseillent à leur ami désemparé de tourner le dos au romantisme et de s'attaquer à un sujet terre à terre, comme *La Cousine Bette*, ou *Le Cousin Pons* de Balzac, en rejetant les digressions et les divagations. « Ce ne sera pas facile, mais j'essaierai », marmonne Flaubert. Leur conversation se prolonge jusqu'à huit heures du matin. À ce moment, la porte s'ouvre et Mme Flaubert paraît, vêtue de son éternelle robe noire. Elle vient aux nouvelles. Son fils lui apprend la catastrophe. Elle accuse le coup et jette à Maxime Du Camp et à Louis Bouilhet un regard vindicatif. Ils devinent qu'elle ne leur pardonnera jamais d'avoir blessé Gustave. Puis les trois amis descendent dans le jardin. Assis sur un banc, ils continuent à parler de l'infortuné *Saint Antoine*. Maxime Du Camp et Louis Bouilhet tentent de remonter le moral de Flaubert. Ils ont l'impression d'être deux infirmiers au chevet d'un malade. Soudain Louis Bouilhet dit : « Pourquoi n'écrirais-tu pas l'histoire de Delaunay? » Flaubert redresse la tête, une lueur de joie passe dans ses yeux et il s'écrie : « Quelle bonne idée[1] ! »

Maxime Du Camp se trompe en donnant le nom de Delaunay dans ses *Souvenirs littéraires*. En fait, il s'agit d'Eugène Delamare, un officier de santé qui a été l'élève du Dr Flaubert. Marié en premières noces avec une femme plus âgée que lui, il se remarie, après la mort de celle-ci, avec Delphine Couturier, jeune personne atteinte de nymphomanie et de prodigalité maniaque. Elle le trompe, contracte des dettes à son insu et se suicide, laissant derrière elle une petite fille. Quelques mois plus tard, il meurt, lui aussi. Le ménage Delamare habitait le village de Ry, dans la région de Rouen. Son histoire pitoyable était connue de tout le voisinage. En l'évoquant après la lecture de *La Tentation de saint Antoine*, Louis Bouilhet réveille l'intérêt de Gustave pour un fait divers banal. Mais ce n'est qu'une étincelle. Le feu ne prend pas. Flaubert n'a nullement l'intention de se jeter aussitôt dans un roman de mœurs comme on le lui conseille. L'échec qu'il vient de subir remet en cause, lui semble-t-il, son avenir d'écrivain. À quoi bon s'acharner à noircir des pages, s'il est incapable de construire une œuvre de haute qualité ? Il a trop le culte de l'excellence en littérature pour accepter un à-peu-près. À présent, il ne compte plus que sur les péripéties de l'expédition en Orient pour le guérir de sa déconvenue. Peut-être, grâce au dépaysement, retrouvera-t-il le goût d'écrire ? Il le souhaite, mais il est las, désorienté, et, en outre, il souffre d'avoir à quitter sa mère. Mauvais écrivain et mauvais fils, il se condamne sur toute la ligne. C'est dans cet état d'esprit qu'il prépare ses valises. Sa mère pleure. Il a le cœur gros. Et cependant, pour rien au monde il ne renoncerait à partir. Ce voyage représente maintenant, à ses yeux, une chance inespérée de se fuir lui-même.

1. Maxime Du Camp, *Souvenirs littéraires*.

X

ORIENT

Si Flaubert est un incorrigible rêveur, Maxime Du Camp a de l'esprit pratique pour deux. Afin de bénéficier d'une protection officielle au cours de leur voyage, il obtient que le gouvernement les charge l'un et l'autre d'une mission. Lui effectuera pour le ministère de l'Intérieur des recherches scientifiques et des travaux photographiques en Orient, tandis que Falubert sera mandaté par le ministère de l'Agriculture et du Commerce pour recueillir des renseignements dans les ports et les gîtes d'étape de caravanes. Bien entendu, leurs activités, même approuvées en haut lieu, ne seront pas rémunérées. Alors que Maxime Du Camp est résolu à tenir parole et à rapporter une documentation complète sur les pays traversés, Flaubert n'a pas l'intention d'envoyer le moindre compte rendu aux autorités de tutelle.

Flaubert part de Croisset le 22 octobre 1849, conduit sa mère à Nogent où elle séjournera chez des amis et, l'ayant installée, la quitte pour retourner à Paris. Leurs adieux sont déchirants. Ils ne peuvent s'arracher l'un à l'autre. Une fois de plus, Flaubert se sent coupable devant cette statue de la douleur. « Ma mère était assise dans un fauteuil, en face de la cheminée, écrira-t-il. Comme je la caressais et lui parlais, je l'ai baisée sur le front, me suis élancé sur la porte, ai saisi mon chapeau dans la salle à

111

manger et suis sorti. Quel cri elle a poussé quand j'ai fermé la porte du salon! il m'a rappelé celui que je lui ai entendu pousser à la mort de mon père, quand elle lui a pris la main[1]. »

À la gare de Nogent, la vue d'un prêtre et de quatre nonnes lui paraît un mauvais présage. Dans le train qui le ramène à Paris, comme il est seul dans son compartiment, il relâche ses nerfs et éclate en sanglots, un mouchoir pressé contre ses lèvres. À chaque arrêt du convoi, il se demande s'il ne devrait pas sauter sur le quai et retourner auprès de sa mère. Elle est si bonne, si douce, si compréhensive! Elle n'a pas hésité à débourser vingt-sept mille cinq cents francs pour qu'il puisse satisfaire sa lubie orientale. Depuis son enfance, elle est au centre de sa vie, le protégeant, le nourrissant, le réchauffant. Et pour tout remerciement il la fuit comme s'il en avait assez de sa compagnie. Accablé de remords, il boit quatre petits verres de rhum à la gare de Montereau pour s'étourdir. À Paris, il se traîne jusqu'à l'appartement de Maxime Du Camp et se désole un peu plus encore parce que son ami n'est pas là. En rentrant plus tard dans la soirée, Maxime Du Camp trouve Flaubert couché par terre, près de la cheminée. Il le croit endormi, s'approche, se penche et entend des sanglots étouffés. « Je ne reverrai plus jamais ma mère! balbutie Flaubert. Je ne reverrai plus jamais mon pays; ce voyage est trop long, trop lointain; c'est tenter le sort; quelle folie; pourquoi partir[2]? » Affolé de le voir flancher à la dernière minute, Maxime Du Camp le secoue d'importance et finit par le convaincre. Les jours suivants, ils prennent congé de leurs amis et, le dernier soir, dînent avec Théophile Gautier, Louis Bouilhet et Louis de Cormenin dans le salon vert des « Trois Frères provençaux », au Palais-Royal. On parle littérature, art et archéologie, et Flaubert, dans cette

1. *Notes de voyage.*
2. Maxime Du Camp, *Souvenirs littéraires.*

atmosphère bruyante et cordiale, oublie un peu ses appréhensions.

Le lendemain, 29 octobre 1849, il annonce à sa mère : « Tout est prêt, nous partons. Il fait beau temps; je suis plutôt gai que triste, plutôt serein que sérieux. Le soleil brille, j'ai le cœur plein d'espoir. » Ce même jour, les deux amis montent dans la diligence – il n'y a pas encore de train pour le Midi – et se préparent à une aventure hors du commun. De Lyon, Flaubert adresse encore une lettre à sa « pauvre vieille chérie » ainsi qu'il l'appelle avec tendresse : « Il me semble qu'il y a dix ans que nous ne nous sommes vus[1]. » Désormais il s'astreindra à lui écrire presque chaque jour – comme naguère à Louise Colet. Jamais, lui semble-t-il confusément, il ne pourra s'acquitter de la dette de gratitude qu'il a contractée à son égard. À Marseille, il est repris par le souvenir d'Eulalie Foucaud et va rôder devant l'hôtel où il connut jadis ses premières heures de bonheur dans les bras d'une femme. L'hôtel est toujours fermé. Dans la rue, défilent des visages indifférents. Il en viendrait à douter de sa mémoire.

L'embarquement sur le paquebot *Le Nil* a lieu le dimanche 4 novembre, à huit heures. Dès le départ, Flaubert constate qu'il a le pied marin. Alors que Maxime Du Camp et le domestique Sassetti sont malades, il supporte allégrement les effets de la houle. « Je ne sais pas ce que j'ai, mais je suis adoré à bord, écrit-il à sa mère. Ces messieurs m'appellent papa Flaubert tant, à ce qu'il paraît, ma boule est avantageuse sur l'élément humide. Tu vois, pauvre vieille, que le début est bon[2]. » Le 15 novembre, les voyageurs arrivent à Alexandrie. « Pour débarquer, ç'a été le tintamarre le pus étourdissant du monde, écrit encore Flaubert; des nègres, des négresses, des chameaux, des turbans, des coups de bâton administrés de droite et de gauche avec des intonations gutturales à déchirer les

1. Lettre du 30 octobre 1849.
2. Lettre du 7-8 novembre 1849.

oreilles. Je me foutais une ventrée de couleurs, comme un âne s'emplit d'avoine... Hormis la femme de la plus basse classe, toutes sont voilées avec des ornements sur le nez qui pendent et ballottent comme au frontal des chevaux. En revanche, si l'on ne voit pas leur figure, on leur voit à toutes la poitrine[1]. »

Les deux amis font une visite protocolaire à Soliman Pacha, « l'homme le plus puissant d'Égypte », puis à Artin-Bey, ministre des Affaires étrangères, qui les traitent avec une amabilité tout orientale, les assurent de leur aide et leur offrent une voiture et des chevaux pour continuer leur voyage. Ils participent à des expéditions de chasse, baguenaudent dans les rues, font des emplettes dans les bazars, visitent les mosquées, se rendent dans des bains turcs, où, saisis par la vapeur étouffante, il leur semble qu'on va les embaumer.

Au Caire, Flaubert et Maxime Du Camp adoptent le costume local. « Ma seigneurie est revêtue d'une grande chemise de nubien, en coton blanc, ornée de houppes et d'une coupe dont la description serait longue, écrit Flaubert à Louis Bouilhet. Mon chef est complètement ras sauf une mèche à l'occiput (c'est par là qu'au jour du jugement Mahomet doit vous enlever) et couvert d'un tarbouch rouge qui casse-pète de couleur rouge et m'a fait les premiers jours casse-péter de chaleur. Nous avons des boules assez orientales. Maxime surtout est colossal, quand il fume le narguilé en roulant son chappelet[2]. »

Enfin, on aborde les pyramides : « C'est là que commence le désert, raconte Flaubert. Ça a été plus fort que moi, j'ai lancé mon cheval à fond de train, Maxime m'a imité, et je suis arrivé au pied du Sphinx. En voyant cela..., la tête m'a un moment tourné et mon compagnon était blanc comme le papier sur lequel j'écris. Au coucher du soleil, le Sphinx et les trois Pyramides toutes roses sem-

1. Lettre à sa mère du 17 novembre 1849.
2. Lettre du 1er décembre 1849.

114

blaient noyés dans la lumière; le vieux monstre nous regardait d'un air terrifiant et immobile[1]. » On dresse pour la première fois la tente et on dîne. Le lendemain matin, c'est l'ascension de la pyramide de Chéops, la visite de l'intérieur du fabuleux monument, hanté par les chauves-souris, de la chambre du Roi, de la chambre de la Reine... Flaubert est suffoqué par ce souffle du passé qui l'enveloppe. Comment songer à un roman moderne devant de si vénérables et mystérieux vestiges? En tout cas, il est enchanté d'avoir acquis l'allure d'un explorateur authentique : « Le soleil s'est enfin décidé à me culotter la peau, je passe au bronze antique (ce qui me satisfait), j'engraisse (ce qui me désole), ma barbe pousse comme une savane d'Amérique[2]. » Il observe avec une égale acuité les monuments et les indigènes. À son frère Achille, il confie son étonnement devant toutes ces femmes qui n'hésitent pas à découvrir leur poitrine pour se masquer la figure : « Dans la campagne, par exemple, quand elles vous voient venir, elles prennent leur vêtement, se le ramènent sur le visage et, pour se cacher la mine, se découvrent ce qu'on est convenu d'appeler la gorge, c'est-à-dire l'espace compris depuis le menton jusqu'au nombril. Ah! j'en ai t'y vu de ces tétons! j'en ai t'y vu! j'en ai t'y vu! Remarque : le téton d'Égypte est très pointu, en forme de mamelle et n'excite pas du tout. Mais, ce qui excite, par exemple, ce sont les chameaux traversant les bazars, ce sont les mosquées avec leurs fontaines, les rues pleines de costumes de tous pays, les cafés qui regorgent de fumée de tabac et les places publiques retentissantes de baladins et de farceurs. Il y a sur tout cela, ou plutôt c'est de tout cela que ressort une couleur d'enfer qui vous empoigne, un charme singulier qui vous tient bouche béante[3]. »

En toute occasion, il prend des notes : « Cela peut

1. Lettre à sa mère du 14 décembre 1849.
2. *Ibid.*
3. Lettre du 15 décembre 1849.

m'être fort utile quelque part. » La curiosité l'engage à solliciter une entrevue avec l'évêque des Coptes orthodoxes qui le reçoit « avec moult politesses ». « On a apporté le café et bientôt je me suis mis à lui pousser des questions touchant la Trinité, la Vierge, les Évangiles, l'Eucharistie. Toute ma vieille érudition de *Saint Antoine* est remontée à flots. C'était superbe, le ciel bleu sur nos têtes, les arbres, les bouquins étalés, le vieux bonhomme ruminant dans sa barbe pour me répondre, moi à côté de lui, les jambes croisées, gesticulant avec mon crayon et prenant des notes, tandis qu'Hassan[1] se tenait debout, immobile, à traduire de vive voix... Je jouissais profondément. C'était bien là ce vieil Orient, pays des religions et des vastes costumes[2]. » Dans la même lettre, il avoue à sa mère que, malgré les mille impressions fugaces du voyage, il se préoccupe de son avenir d'écrivain : « Que ferai-je au retour ? Qu'écrirai-je ? Que vaudrai-je alors ? Où faudra-t-il vivre ? Quelle ligne suivre ? etc., etc., je suis plein de doutes et d'irrésolution... Je crèverai à quatre-vingts ans avant d'avoir une opinion sur mon compte, ni peut-être fait une œuvre qui m'ait donné ma mesure. *Saint Antoine* est-il bon ou mauvais ? Voilà par exemple ce que je me demande souvent. Lequel de moi ou des autres s'est trompé ? »

Après deux mois passés au Caire, Flaubert et son compagnon décident de remonter le Nil en bateau : une cange légère à la coque peinte en bleu et aux deux voiles croisées. « Le Nil est tout plat, comme un fleuve d'huile, écrit Flaubert à sa mère. À notre gauche, nous avons toute la chaîne arabique qui, le soir, est violet et azur. À droite, des plaines, puis le désert[3]. » Mais ce paysage grandiose ne l'empêche pas de songer à la France. Par moments, gorgé de pittoresque, il regrette la paisible retraite de Croisset.

1. Un des deux « drogmans » (interprètes) engagés par Flaubert et Maxime Du Camp.
2. Lettre à sa mère du 5 janvier 1850.
3. Lettre du 14 février 1850.

« Là, sur un fleuve plus doux, moins antique, j'ai quelque part une maison blanche dont les volets sont fermés, maintenant que je n'y suis pas. Les peupliers sans feuilles frémissent dans le brouillard froid et les morceaux de glace que charrie la rivière viennent se heurter aux rives durcies. Les vaches sont à l'étable, les paillassons sur les espaliers, la fumée de la ferme monte lentement dans le ciel gris. J'ai laissé la longue terrasse Louis XIV, bordée de tilleuls, où, l'été, je me promène en peignoir blanc. Dans six semaines déjà, on verra leurs bourgeons. Chaque branche aura alors des boutons rouges, puis viendront les primevères, qui sont jaunes, vertes, roses, iris... Ô primevères, mes petites, ne perdez pas vos graines et que je vous revoie à l'autre printemps[1]. »

À Esnèh, les deux amis rendent visite à la fameuse courtisane Kuschiuk Hanem qui sort tout juste de son bain. Elle porte un tarbouch sur ses fines tresses noires, des pantalons roses bouffants et un voile de gaze transparente à hauteur des seins. « C'est une impériale bougresse, tétonneuse, viandée, avec des narines fendues, des yeux démesurés, des genoux magnifiques et qui avait, en dansant, de crânes plis de chair sur son ventre », note Flaubert. Il respire sur elle une odeur de térébenthine sucrée. Elle parfume les mains de ses invités avec de l'essence de rose et les entraîne dans ses appartements privés. Là, elle exécute pour eux « la danse de l'abeille », que Flaubert juge très érotique. On a bandé les yeux des musiciens afin de ne pas les troubler. Plus tard, Flaubert et Maxime Du Camp retournent chez la courtisane et passent la nuit auprès d'elle. La fête dure de six heures à dix heures et demie, « le tout entremêlé de baisers pendant les entractes ». Enfin, Flaubert fait l'amour avec Kuschiuk Hanem sur un lit de « cannes de palmiers ». « Je l'ai sucée avec rage, écrit-il. Son corps était en sueur, elle était fatiguée d'avoir dansé, elle avait froid. Je l'ai couverte de

1. *Notes de voyage.*

117

ma pelisse de fourrure et elle s'est endormie, les doigts passés dans les miens. Pour moi, je n'ai guère fermé l'œil. J'ai passé la nuit dans des intensités rêveuses infinies... En contemplant dormir cette belle créature qui ronflait la tête appuyée sur mon bras, je pensais à mes nuits de bordel à Paris, à un tas de vieux souvenirs... À trois heures, je me suis levé pour aller pisser dans la rue; les étoiles brillaient. Le ciel était clair et très haut[1]. »

Au petit jour, les deux amis prennent congé de la courtisane. Flaubert est tout fier d'avoir « tiré cinq coups et gamahuché trois fois ». Et il note avec mélancolie : « Quelle douceur ce serait pour l'orgueil si, en partant, on pouvait être sûr de laisser un souvenir et qu'elle pensera à vous mieux qu'aux autres, que vous resterez en son cœur[2]. »

Flaubert et Maxime Du Camp passent plusieurs mois à naviguer sur le Nil, s'amusant à tirer sur les pélicans, les grues et les crocodiles. « Couchés sur nos divans et fumant nos narguilés, nous vivions silencieusement en regardant couler les rives, et quand une ruine se montrait notre raïs arrêtait la cange », écrira Flaubert. Du Camp photographie avec application tout ce qu'il voit de remarquable. Flaubert, qui l'aide de son mieux, a les doigts noircis de nitrate d'argent à force de manipuler les plaques sensibles. Tous deux sont boucanés et barbus. Gustave a pris de l'embonpoint. Le 11 mars, ils atteignent la première cataracte, le 22, la deuxième. Au-delà, le fleuve n'est pas navigable. On rebrousse chemin. Flaubert écrit à sa mère : « Nous n'allons plus faire maintenant que nous rapprocher insensiblement... J'éprouve parfois des appétits de te voir qui me saisissent tout à coup comme des crampes de tendresse. Le soir, avant de m'endormir, je te donne une bonne pensée; et tous les matins, quand je me réveille, tu es le premier objet qui me vienne à l'esprit... Je te vois

1. Lettre à Louis Bouilhet du 13 mars 1850.
2. *Notes de voyage.*

toujours appuyée sur le coude, le menton dans la main, et rêvant avec ton bon air triste[1]. » Et aussi : « Tu pleures peut-être en ce moment, tournant tes pauvres yeux que j'aime sur cette carte, qui ne te représente qu'un espace vide où ton fils est perdu. Oh ! non, va, je reviendrai. Tu ne peux pas être malade, car un fort désir fait vivre. Voilà bientôt six mois que je suis parti, dans six mois je ne serai pas loin du retour, ce sera probablement vers janvier ou février prochain[2]. »

Revenus au Caire, le 27 juin, après la visite des grottes de Salomon, les voyageurs décident de traverser le désert à dos de chameau. Au cours du trajet, une querelle éclate. Les deux bouteilles d'eau potable qu'ils ont emportées se cassent accidentellement. Comme ils dépérissent de soif, Flaubert évoque ironiquement les glaces au citron de chez Tortoni, à Paris. Au comble de l'exaspération, Du Camp le rabroue. Ils ne se parlent plus pendant quarante-huit heures. Heureusement ils atteignent le Nil le lendemain. L'eau du fleuve leur paraît la plus délicieuse des boissons et, désaltérés, ils se réconcilient.

Au début de juillet, les deux hommes sont de nouveau à Alexandrie et, à la fin du mois, à Beyrouth. Puis ils gagnent Jérusalem, à cheval, par petites étapes. « Jérusalem est un charnier entouré de murailles, écrit Flaubert à Louis Bouilhet. Tout y pourrit, les chiens morts dans les rues, les religions dans les églises : (idée-force). Il y a quantité de merdes et de ruines. Le juif polonais avec son bonnet de peau de renard glisse en silence le long des murs délabrés, à l'ombre desquels le soldat turc engourdi roule, tout en fumant, son chapelet musulman. Les Arméniens maudissent les Grecs, lesquels détestent les Latins qui excommunient les Coptes. Tout cela est encore plus triste que grotesque[3]. » Néanmoins, il pense au Christ et l'ima-

1. Lettre du 24 mars 1850.
2. Lettre du 15 avril 1850.
3. Lettre du 20 août 1850.

gine, gravissant le mont des Oliviers, vêtu d'une robe bleue et des gouttes de sueur aux tempes. En visitant le Saint-Sépulcre, il a un sursaut de révolte contre l'exploitation commerciale de la religion. « On a fait tout ce qu'on a pu pour rendre les saints lieux ridicules. C'est putain en diable : l'hypocrisie, la cupidité, la falsification et l'impudence, oui, mais de sainteté, va te faire foutre[1]. » Il éclate de rire en voyant un grand portrait de Louis-Philippe accroché au mur du Saint-Sépulcre, mais s'attendrit lorsqu'un prêtre grec bénit une rose et la lui offre : « J'ai pensé aux âmes dévotes qu'un pareil cadeau et dans un tel lieu eût délectées et combien c'était perdu pour moi[2]. » On visite aussi Bethléem, Nazareth, Damas, Tripoli...

De retour à Beyrouth, Flaubert constate, d'après des symptômes sûrs, qu'il a contracté la syphilis : « Il faut que tu saches, mon cher monsieur, que j'ai gobé à Beyrouth sept chancres, lesquels ont fini par se réunir en deux, puis en un, écrit-il à Louis Bouilhet. Je me soigne à outrance. Je soupçonne une Maronite de m'avoir fait ce cadeau, mais c'est peut-être une petite Turque. Est-ce la Turque ou la chrétienne, qui des deux? Problème, pensée! Voilà un des côtés de la question d'Orient que ne soupçonne pas *La Revue des Deux Mondes*... Hier au soir, Maxime s'est découvert, quoiqu'il y ait six semaines qu'il n'a baisé, une excoriation double qui m'a tout l'air d'un chancre bicéphale. Si c'en est un, ça fait la troisième vérole qu'il attrape depuis que nous sommes en route[3]. »

Inquiet, il songe à écourter le voyage. Primitivement, il envisageait de traverser le désert de Syrie et de poursuivre jusqu'à la mer Caspienne en passant par Bagdad. Tout à coup ce projet lui paraît absurde. D'ailleurs, les routes sont impraticables, infestées de brigands, et l'argent commence à manquer. Brochant sur le tout, Mme Flaubert supplie

1. *Ibid.*
2. *Ibid.*
3. Lettre du 14 novembre 1850.

son fils de revenir au plus vite. Elle se languit, elle n'en peut plus d'attendre. Et lui-même, face à tant de splendeur et de pouillerie, éprouve une recrudescence de nostalgie et de remords : « Si tu savais comme je me figure bien tes attentes de mes lettres. Je vois le jardin..., la maison..., toi penchée à la fenêtre... J'entends le bruit du loquet de la grille quand le facteur arrive, et quand il n'y a rien quelles tristes journées tu passes[1] ! »

À Beyrouth, les deux amis embarquent pour Rhodes. Dès leur arrivée, ils sont mis en quarantaine, une épidémie de choléra s'étant déclarée dans l'île. Une fois libérés du lazaret, ils partent pour Smyrne, puis pour Constantinople. Le 12 novembre, ils atteignent cette dernière ville que Flaubert juge « énorme comme humanité ». Là, il apprend la mort de Balzac. « Quand meurt un homme que l'on admire on est toujours triste, écrit-il à Louis Bouilhet. On espérait le connaître plus tard et s'en faire aimer. Oui, c'était un homme fort et qui avait crânement compris son temps. Lui qui avait si bien étudié les femmes, il est mort dès qu'il a été marié[2]. »

Un dîner est organisé en l'honneur des voyageurs par la mère de Baudelaire et son beau-père, le général Aupick, ambassadeur de France à la cour du sultan. Au cours de la conversation, Du Camp fait allusion à la notoriété croissante à Paris de Charles Baudelaire. Cette remarque jette un froid. Mais, à la fin du repas, Mme Aupick prend Du Camp à part et lui dit entre haut et bas : « Vous pensez bien qu'il a du talent, le jeune poète dont vous parliez? »

Dans l'intervalle, Mme Flaubert a pris une grande décision : rongée d'impatience, elle ira au-devant de son fils en Italie. Elle l'annonce à Gustave en même temps que le mariage de son ami Ernest Chevalier. Elle souhaiterait que lui aussi se rangeât et prît femme. Il vient d'avoir vingt-neuf ans. N'est-ce pas un âge raisonnable pour

1. Lettre du 7 novembre 1850.
2. Lettre du 14 novembre 1850.

fonder une famille? Flaubert lui répond par un ricanement amer : « À quand la noce? me demandes-tu à propos du mariage d'Ernest Chevalier? À quand? À jamais, je l'espère. Autant qu'un homme peut répondre de ce qu'il fera, je réponds ici de la négative. Le contact du monde auquel je me suis énormément frotté depuis quatorze mois me fait de plus en plus rentrer dans ma coquille... S'il fallait dire là-dessus le fond de ma pensée et que le mot n'eût pas l'air trop présomptueux, je dirais : " Je suis trop vieux pour changer. J'ai passé l'âge. " Quand on a vécu comme moi d'une vie tout interne, pleine d'analyses turbulentes et de fougues contenues, quand on s'est tant excité soi-même et calmé tour à tour, et qu'on a employé toute sa jeunesse à se faire manœuvrer l'âme comme un cavalier fait de son cheval... eh bien, veux-je dire, si on ne s'est pas cassé le cou, dès le début, il y a de grandes chances pour qu'on ne se le casse pas plus tard. Moi aussi, je suis *établi*, en ce sens que j'ai trouvé mon assiette, mon centre de gravité... Le mariage pour moi serait une apostasie qui m'épouvante... Ce brave Ernest! Le voilà donc marié, établi et toujours magistrat par-dessus le marché! Quelle balle de bourgeois et de monsieur! Comme il va bien plus que jamais défendre l'ordre, la famille et la propriété! Il a du reste suivi la marche normale. Lui aussi, il a été artiste... Maintenant je suis sûr qu'il tonne là-bas contre les doctrines socialistes... Magistrat, il est réactionnaire; marié, il sera cocu; et passant ainsi sa vie entre sa femelle, ses enfants et les turpitudes de son métier, voilà un gaillard qui aura accompli en lui toutes les conditions de l'humanité. Ouf! Parlons d'autre chose[1]. »

En arrivant à Athènes, il revient sur ce sujet qui lui tient à cœur et écrit, cette fois à Louis Bouilhet : « Espérons, malgré tes prédictions, que le voyage d'Italie ne me poussera pas à l'hyménée. Vois-tu la famille où s'élève, dans une tiède atmosphère, la jeune personne qui doit être

1. Lettre du 15 décembre 1850.

mon épouse? Mme Gustave Flaubert? Est-ce que c'est possible? Non, je ne suis pas encore assez canaille[1]. » Selon son habitude, il visite les lupanars et fait l'amour avec des prostituées. Toutefois, il renonce à coucher avec une fort jolie créature de seize ans, qui lui demande d'examiner son sexe auparavant pour voir s'il n'est pas malade. « Or, comme je possède encore à la base du gland une induration et que j'avais peur qu'elle ne s'en aperçût, j'ai fait le monsieur et j'ai sauté à bas du lit en m'écriant qu'elle me faisait injure[2]. » Par ailleurs, il se dit « dans un état olympien » : « Quels hommes que ces Grecs! Quels artistes! La vue du Parthénon est une des choses qui m'ont le plus pénétré de ma vie. On a beau dire, l'Art n'est pas un mensonge. Que les bourgeois soient heureux, je ne leur envie pas leur lourde félicité[3]. »

Au début de 1851, partant pour le Péloponèse, il écrit à sa mère que leurs retrouvailles sont pour bientôt et l'avertit qu'elle le découvrira considérablement changé. Sa maladie lui a fait perdre beaucoup de cheveux; il a engraissé; il porte la barbe. Mais il promet de se raser dès son arrivée à Naples : « D'ici deux ans, j'aurai la calotte complète... Tu me trouveras sinon grandi, du moins *forci*. Quand je me regarde dans la glace, il me semble que je devrais avoir du mal à me retourner[4]. »

Enfin, les deux amis quittent la Grèce pour le sud de l'Italie. À Naples, Flaubert tient parole et sacrifie sa barbe : « Ma pauvre barbe! que j'ai baignée dans le Nil, dans laquelle a soufflé le désert et qu'avait parfumée si longtemps la fumée du tombac. J'ai découvert dessous une figure *énormément* engraissée, je suis ignoble, j'ai deux mentons et des bajoues[5]. » À peine débarqué, il visite les musées et s'extasie devant les toiles de maîtres. L'émerveil-

1. Lettre du 19 décembre 1850.
2. *Ibid.*
3. Lettre à sa mère du 26 décembre 1851.
4. Lettre du 9 février 1851.
5. Lettre à sa mère du 27 février 1851.

lement se poursuit à Rome. Touristes infatigables, Gustave et Maxime trépignent d'enthousiasme parmi les ruines, les tableaux, les statues. Au palais Corsini, devant une Vierge de Murillo, Flaubert a l'impression que c'est Élisa Schlésinger qui a servi de modèle au peintre. « J'ai vu une *Vierge* de Murillo qui me poursuit comme une hallucination perpétuelle[1] », écrit-il à Louis Bouilhet. Et, quelques semaines plus tard, au même correspondant : « Je suis amoureux de la *Vierge* de Murillo de la Galerie Corsini. Sa tête me poursuit et ses yeux passent et repassent devant moi comme deux lanternes dansantes[2]. »

Toujours obsédé par le souvenir d'Élisa Schlésinger, il éprouve une émotion violente en sortant de l'église Saint-Paul-hors-les-murs. Soudain, il voit venir une femme au corsage rouge, donnant le bras à une vieille servante. L'inconnue est très belle, très pâle, avec des sourcils noirs : « Une rage subite m'est descendue comme la foudre dans le ventre. J'ai eu envie de me ruer dessus comme un tigre, j'étais ébloui. » Il note encore : « Le blanc de ses yeux était particulier. On eût dit qu'elle s'éveillait, qu'elle venait d'un autre monde, et pourtant c'était calme, calme! Sa prunelle d'un noir brillant, et presque en relief tant elle était nette, vous regardait avec sérénité... Un menton en pomme, les deux coins de la bouche un peu affaissés, un peu de moustache bleuâtre aux commissures, l'ensemble du visage rond... Je ne la reverrai plus[3]! »

Devant cette passante anonyme il a la révélation de son idéal féminin. Une brune ardente au regard noir, avec une ombre légère au-dessus de la lèvre. Un mélange d'Élisa Schlésinger et d'Eulalie Foucaud! Et voici l'amateur de putains bouleversé par une vision céleste. Toujours cet antagonisme entre les élans grossiers de la chair et les aspirations séraphiques de l'âme. Toujours cette navette

1. Lettre du 9 avril 1851.
2. Lettre du 4 mai 1851.
3. *Notes de voyage.*

entre le bas et le haut, entre la boue et l'illumination, entre la réalité et le rêve. Dommage que cette femme ne lui soit pas destinée! Il ne saura même pas son nom. Déjà leurs routes, qui se sont croisées un instant, s'écartent à jamais. Et Flaubert soupire : « J'ai eu envie tout de suite de la demander en mariage à son père. »

Une compensation : à quelques jours de là, il retrouve sa mère qui, comme convenu, est venue à sa rencontre à Rome. Elle a vieilli, maigri et souffre de furonculose. Sans doute est-ce la conséquence du « mauvais sang » qu'elle s'est fait pendant l'absence de son fils. Mais maintenant elle est soulagée. Il est là, devant elle, hâlé, rieur, vigoureux. Certes, il a grossi, il a perdu beaucoup de cheveux, ses yeux paraissent plus petits dans sa face bouffie. Peu importe. Elle l'a récupéré. Elle ne le lâchera plus. Ensemble, ils visitent Florence et Venise. C'est le voyage de l'amour filial succédant au voyage de l'amitié. Maxime Du Camp les laisse en tête-à-tête avant de retourner à Paris. D'ailleurs, les relations entre les deux hommes se sont refroidies pendant les dernières semaines de leur expédition en Orient. À vivre côte à côte ils ont appris à mieux se connaître. Du Camp ne voit plus en Flaubert qu'un amateur fougueux et brouillon, et Flaubert découvre en Du Camp un arriviste pour qui la littérature n'est qu'un moyen de se pousser dans le monde. Une fraternelle complicité est sur le point de se rompre. Par chance, Mme Flaubert est là, auprès de Gustave, pour remplacer l'ami défaillant.

En juin 1851, le couple mère et fils est de retour à Croisset. Après vingt et un mois d'absence, Gustave retrouve avec bonheur la campagne verdoyante, le fleuve calme sous ses fenêtres, son cabinet de travail, ses livres. Parti avec l'idée de se plonger dans un Orient romantique, à la Byron ou à la Hugo, il en revient fasciné par une réalité haillonneuse et sauvage. Il ne peut oublier ce mélange de crasse et d'éclat, de misère et de luxe insolent. Au fond, ce qui l'a intéressé dans sa folle randonnée, ce sont moins les paysages que les visages, moins les monuments que les foules. Il est de plus en plus attiré par les êtres, une compassion désespérée lui gonfle le cœur devant la tristesse de la condition humaine. Il s'en ouvre par lettre à Louise Colet. Il n'a guère pensé à elle pendant son voyage. Mais, revenu en France, il renoue tout naturellement avec ses habitudes épistolaires. Après l'avoir boudé, Louise lui répond. Elle ose même venir à Croisset pour le rencontrer. Quelle outrecuidance! Il refuse de la recevoir et lui fait demander, par une servante, son adresse à Rouen. Puis il paraît lui-même devant la grille du jardin. Louise le reconnaît à peine : « Quant à sa personne, elle m'a paru bien étrange sous son accoutrement chinois, écrit-elle. Ample pantalon, blouse en étoffe de l'Inde, cravate de soie jaune rayée de fils d'or et d'argent, moustache longue et pendante. Ses cheveux sont devenus rares et son front légèrement plissé, quoiqu'il n'ait que trente ans. Ses yeux n'ont plus ce mouvement nerveux d'autrefois. »

D'emblée il s'adresse d'un ton rogue à la jeune femme qui défaille : « Que me voulez-vous, Madame? – J'ai à vous parler, répond-elle. – Ici, c'est vraiment impossible. – Eh quoi, vous me chassez, vous croyez donc que ma visite déshonorerait Madame votre mère? – Ce n'est point cela, mais ici c'est impossible. » Elle finit par lui dire qu'elle est descendue à l'hôtel d'Angleterre, à Rouen, et il promet de l'y rejoindre. Il tient parole. Une fois dans la chambre, elle lui reproche amèrement son manque de cœur et il réplique avec désinvolture qu'il ne faut pas « toucher aux cendres, à la poudre des reliques ». Puis, comme elle lui avoue qu'en désespoir de cause elle songe à épouser Victor Cousin, il éclate de rire et dit : « Épousez le Philosophe (Victor Cousin) et nous nous reverrons! » Voyant qu'il s'apprête à partir, elle éclate en sanglots et s'écrie : « Ainsi donc, jamais, jamais plus je ne serai dans tes bras! – Pourquoi donc? répond-il. Je vous ai dit que j'irai vous voir, c'est certain. » « Je l'ai embrassé avec passion, raconte Louise Colet; il m'a embrassée aussi, mais il était toujours maître de lui [1]. » Elle l'accompagne dans la rue. Ils échangent des baisers furtifs. À chaque arrêt, il murmure : « Il faut nous séparer. » Et elle implore : « Jusqu'à l'autre réverbère. » Enfin, ils s'étreignent plus longuement en promettant de se revoir.

Ayant quitté Louise, Flaubert lui écrit : « Vous m'avez dû l'autre jour, à Rouen, trouver bien froid. Je l'ai été le moins possible pourtant. J'ai fait tous mes efforts pour être bon. Tendre, non. C'eût été une hypocrisie infâme et comme un outrage à la vérité de votre cœur... J'aime votre société quand elle n'est pas *orageuse*. Les tempêtes qui plaisent fort dans la jeunesse ennuient dans l'âge mûr... Je vous reverrai bientôt à Paris si vous y êtes [2]. »

Ainsi, Louise est fixée. Si elle veut garder Gustave, il faut qu'elle accepte de reprendre le modus vivendi d'autrefois. Interdiction de venir à Croisset. Brèves rencontres à Paris. Et larges échanges de lettres. Une fois de plus, Mme Flaubert triomphe. Son fils la préfère à sa maîtresse. Il a retrouvé ses pantoufles. Il ne permettra jamais à une intruse de venir troubler la quiétude de Croisset. En vérité, il a besoin de deux femmes dans sa vie. Une pour le dorloter, le choyer, l'adorer, l'autre pour le divertir, de loin en loin, avec les bagatelles de l'amour.

Il lui semble, aujourd'hui, avoir franchi un cap important dans sa carrière. La trentaine est proche. Malgré cette malencontreuse syphilis et le traitement au mercure qui fait tomber ses cheveux, il est en pleine possession de ses moyens. Certes, il n'a rien publié encore, à l'exception de deux petits textes insérés dans *Le Colibri* alors qu'il avait quinze ans. Et cependant – orgueil démesuré ou mystérieuse prescience – il se sent plus digne du titre d'écrivain que la majorité de ceux qui s'appuient à une pile de livres, avec leur nom imprimé en caractères gras sur la couverture.

1. *Mémento* de Louise Colet.
2. Lettre du 26 juillet 1851.

XI

LA BOVARY

Dès le mois de septembre, Flaubert a fait son choix : ce sera l'histoire de la femme adultère. Il écrit à Louise Colet : « J'ai commencé hier au soir mon roman. J'entrevois maintenant des difficultés de style qui m'épouvantent. Ce n'est pas une petite affaire que d'être simple. J'ai peur de tomber dans le Paul de Kock ou de faire du Balzac chateaubrianisé[1]. » Et il note sur son manuscrit qu'il a entrepris son travail le jour de sa fête, la Saint-Gustave, le 19 septembre 1851. À peine a-t-il tracé quelques lignes qu'il doit s'arrêter pour aller à Londres avec sa mère et sa nièce : il s'agit d'engager une gouvernante anglaise pour Caroline qui a maintenant cinq ans et demi. On en profite pour admirer la première exposition internationale et pour faire une visite à Henriette Collier.

Revenu à Croisset, Flaubert se remet à la tâche avec le sentiment de peiner sur un pensum. Aux prises avec un sujet moderne, réaliste, banal, il regrette les somptueuses folies de son *Saint Antoine*. Cela d'autant plus que Maxime Du Camp souhaite publier des extraits de cette dernière œuvre dans *La Revue de Paris* qu'il a créée avec Louis de Cormenin, Arsène Houssaye et Théophile Gautier. Avant de prendre une décision, Flaubert consulte son cher Louis Bouilhet. Ensemble, ils relisent les pages les

1. Lettre du 20 septembre 1851.

plus significatives du *Saint Antoine*. Louis Bouilhet reste sceptique, déclarant que l'auteur a mis là tous ses défauts et quelques-unes de ses qualités seulement. « Quant à moi, écrit Flaubert à Maxime Du Camp, je ne sais que penser, je suis dans un complet milieu... Si je publie, ce sera le plus bêtement du monde. Parce qu'on me dit de le faire, par imitation, par obéissance et sans aucune initiative de ma part. Je n'en sens ni le besoin ni l'envie... Le couillon qui va sur le terrain poussé par ses amis qui lui disent : " Il le faut! " et qui n'en a pas envie du tout, qui trouve que c'est très bête, etc., est, au fond, beaucoup plus misérable que le franc couillon qui avale l'insulte sans s'en apercevoir et qui reste chez lui très tranquillement. » Et il analyse ainsi son dégoût du monde : « Ma jeunesse, dont tu n'as vu que la fin, m'a trempé dans je ne sais quel opium d'embêtement pour le reste de mes jours. J'ai la vie en haine, le mot est parti, qu'il reste! oui, la vie, et tout ce qui me rappelle qu'il faut la subir. Je suis emmerdé de manger, de m'habiller, d'être debout, etc. Crois-tu que j'aie vécu jusqu'à trente ans de cette vie que tu blâmes en vertu d'un parti pris et sans qu'il y ait eu une longue consultation préalable? Pourquoi n'ai-je pas eu de maîtresse? Pourquoi prêchais-je la chasteté? Pourquoi suis-je resté dans ce marais de la province? Est-ce que tu crois que je ne bande pas comme un autre? et que je ne serais pas bien aise de faire le beau monsieur là-bas?... Le ciel ne m'a pas plus destiné à tout cela qu'à être beau valseur. Peu d'hommes ont eu moins de femmes que moi... et si je reste inédit, ce sera le châtiment de toutes les couronnes que je me suis tressées dans ma primevère. Ne faut-il pas suivre sa voie? Si je répugne au mouvement, c'est que j'ai raison peut-être. Il y a des moments où je crois même que j'ai tort de vouloir faire un livre raisonnable et de ne pas m'abandonner à tous les lyrismes, gueulades et excentricités philosophico-fantastiques qui me viendraient[1]. »

1. Lettre du 21 octobre 1851.

Malgré sa répugnance à composer ce « livre raisonnable », il s'astreint à un emploi du temps rigoureux où l'écriture a une large part. Son cabinet de travail devient pour lui à la fois un lieu de refuge contre les assauts de la vie et une chambre de torture dont il ne souhaite pas s'évader. Il y passe des heures d'exaltation, de souffrance et d'acharnement maniaque. Il aime cette vaste pièce, éclairée par cinq fenêtres, dont trois donnent sur le jardin et deux sur le fleuve. Une bibliothèque aux colonnettes de bois torsadées et aux rayons bourrés de livres. Çà et là, des portraits d'amis. Un fauteuil à dossier haut, un divan pour la sieste ou la rêverie et une table en chêne avec ses feuillets épars, son encrier-crapaud, et son assortiment de plumes d'oie, car le maître de céans méprise les plumes d'acier et le buvard, tout juste bons pour les employés de banque. Comme objets d'art, le buste en marbre de sa sœur Caroline, exécuté jadis par Pradier d'après le masque mortuaire et un bouddha. Par terre, une peau d'ours. Et, derrière les murs, le silence. La vie, à Croisset, s'organise autour du grand enfant gâté que Mme Flaubert se refuse à voir vieillir. Tout doit se taire dans la maison jusqu'à dix heures du matin, car Flaubert, qui écrit tard dans la nuit, ne se lève jamais plus tôt. On parle bas, on marche sur la pointe des pieds, la petite Caroline est priée de renoncer aux jeux bruyants et aux fous rires pour respecter le sommeil de son oncle. Enfin, il sonne énergiquement son domestique, qui lui apporte le courrier, les journaux, pose sur sa table un verre d'eau fraîche, lui présente une pipe bourrée de tabac, ouvre les volets. Après avoir fumé sa première pipe et lu quelques lettres, il tape contre la cloison pour appeler sa mère. Depuis longtemps elle guettait le signal. Elle accourt, tout énamourée, et s'assied à son chevet pour le tendre bavardage du matin. Ayant perdu son mari, sa fille et marié son fils aîné, elle ne vit plus que pour son cher Gustave. À onze heures, il se lève, fait sa toilette et avale un déjeuner copieux. Autour de la table, ont pris place à ses côtés sa mère, l'oncle Parain,

Caroline et son institutrice, Juliette Herbert. Les plats sont lourds. Flaubert mange abondamment. Après le repas, il fait les cent pas sur la terrasse, sous les tilleuls, pour digérer. Pendant cette déambulation, il réfléchit à son roman et regarde passer les bateaux sur la Seine. Puis il donne une leçon à sa nièce. La gouvernante a ordre de n'enseigner à l'enfant que l'anglais. Lui se réserve l'histoire et la géographie. Il prend son rôle très au sérieux. Après s'être acquitté de cette tâche, il lit jusqu'à sept heures du soir. Le deuxième repas, qui réunit la famille, est aussi riche que le premier. La table desservie, la mère et le fils s'isolent de nouveau dans une conversation à bâtons rompus. À neuf ou dix heures, Mme Flaubert va enfin se coucher. C'est alors qu'il peut s'adonner à la douloureuse passion d'écrire. Tout dort autour de lui. La nuit le protège. Le temps est aboli. Il est seul au monde avec les personnages de *Madame Bovary*. Rivé à sa table, il lui arrive de travailler sept heures d'affilée. Les mariniers qui descendent la Seine prennent comme point de repère cette lumière qui brille à une fenêtre, sur la rive noire. Dans le silence énorme de la campagne, Flaubert lutte contre les mots. « Je me tourmente, je me gratte, écrit-il à Louise Colet. Mon roman a du mal à se mettre en train. J'ai des abcès de style et la phrase me démange sans aboutir. Quel lourd aviron qu'une plume[1]... » Ou bien : « Je gâche un papier considérable. Que de ratures ! La phrase est bien lente à venir. Quel diable de style ai-je pris ! Honnis soient les sujets simples ! Si vous saviez combien je m'y torture, vous auriez pitié de moi[2]. »

Convaincu qu'il en a pour de longs mois de travail, il ne se réjouit même pas en recevant les exemplaires de *La Revue de Paris*, où Maxime Du Camp a publié le poème de Louis Bouilhet, *Melaenis*. « L'arrivée des exemplaires de *Melaenis* m'a fait un effet de tristesse, avoue-t-il encore à

1. Lettre du 23 octobre 1851.
2. Lettre du 3 novembre 1851.

Louise Colet. Nous (Louis Bouilhet et moi) avons passé hier tout l'après-midi, sombres comme la plaque de la cheminée. Ça nous causait une impression de prostitution, d'abandon, d'adieu... Je me demande à quoi bon aller grossir le nombre des médiocres (ou des gens de talent, c'est synonyme) et me tourmenter dans un tas de petites affaires qui d'avance me font hausser les épaules de pitié. Il est beau d'être un grand écrivain, de tenir les hommes dans la poêle à frire de sa phrase et de les y faire sauter comme des marrons... Mais il faut pour cela avoir quelque chose à dire. Or je vous avouerai qu'il me semble que je n'ai rien que n'aient les autres, ou qui n'ait été aussi bien dit, ou qui ne puisse l'être mieux [1]. »

Mais *Melaenis* est bien accueilli par les lecteurs et la critique. Et Flaubert, tout en condamnant le principe de la publication immédiate, se félicite du succès de son ami. Il n'y a de l'un à l'autre nulle jalousie, mais une chaleureuse franchise, une virile complicité. « Le poème du sieur Bouilhet a bien mordu, constate Flaubert sans ironie. Le voilà maintenant posé d'aplomb dans la gent de lettres [2]. » Et il regrette que Bouilhet ait résolu de quitter définitivement Rouen pour Paris : « Il me plantera là, ce dont je l'approuve, mais ce qui ne m'égaye pas quand j'y pense [3]. » Lui-même se rend de temps à autre dans la capitale pour s'aérer la tête, renouer avec quelques amis et rencontrer l'impétueuse Louise. Elle lui soumet ses manuscrits et il s'astreint à les lire et à les corriger. Il se trouve à Paris lors du coup d'État du 2 décembre 1851 et de la répression contre les républicains : « J'ai manqué être assommé plusieurs fois, sans préjudice des autres où j'ai manqué d'être sabré, fusillé ou canonné, car il y en avait pour tous les goûts et de toutes les manières. Mais aussi j'ai parfaitement vu... La Providence, qui me sait amateur de

1. *Ibid.*
2. Lettre à son oncle Parain du 15 janvier 1852.
3. *Ibid.* Louis Bouilhet s'installera à Paris à l'automne 1853.

pittoresque, a toujours soin de m'envoyer aux premières représentations quand elles en valent la peine. Cette fois je n'ai pas été volé; c'était coquet[1]. »

Les convulsions de la politique renforcent en lui le désir hautain de se tenir à l'écart du monde. Peu lui importe que la France soit désormais gouvernée par un prince-président qui se transformera bientôt en empereur. Il a trop à faire avec sa *Bovary* pour s'occuper de Louis-Napoléon. En janvier 1852, quand Maxime Du Camp est promu officier de la Légion d'honneur, il pouffe de rire et confie à Louise : « Nouvelle! Le jeune Du Camp est officier de la Légion d'honneur! Comme cela doit lui faire plaisir! Quand il se compare à moi et considère le chemin qu'il a fait depuis qu'il m'a quitté, il est certain qu'il doit me trouver bien loin de lui en arrière et qu'il a fait de la route (extérieure). Tu le verras, à quelque jour, attraper une place et laisser là cette bonne littérature. Tout se confond dans sa tête, femme, croix, art, bottes, tout cela tourbillonne au même niveau et pourvu que *ça le pousse*, c'est important. » Attelé à sa *Bovary* comme un forçat à une meule, il se demande parfois s'il n'a pas tort d'attacher tant d'importance à la construction d'un chapitre, à la musique d'une phrase. « L'art, au bout du compte, n'est peut-être pas plus sérieux que le jeu de quilles? se dit-il. Tout n'est peut-être qu'une immense blague[2]. » Mais il se ressaisit aussitôt et s'exclame : « J'ai fait des progrès en esthétique, ou du moins je me suis affermi dans l'assiette que j'ai prise de bonne heure. *Je sais comment il faut faire.* Oh! mon Dieu! si j'écrivais le style dont j'ai l'idée, quel écrivain je serais!... Il y a en moi, littérairement parlant, deux bonshommes distincts; un qui est épris de *gueulades*, de lyrisme, de grands vols d'aigles, de toutes les sonorités de la phrase et des sommets de l'idée; un autre qui fouille et creuse le vrai tant qu'il peut, qui aime à accuser le petit

1. *Ibid.*
2. Lettre à Louise Colet du 3 novembre 1851.

fait aussi puissamment que le grand, qui voudrait vous faire sentir presque *matériellement* les choses qu'il reproduit... Ce qui me semble beau, ce que je voudrais faire, c'est un livre sur rien, un livre sans attache extérieure, qui se tiendrait de lui-même par la force interne du style... Les œuvres les plus belles sont celles où il y a le moins de matière; plus l'expression se rapproche de la pensée, plus le mot colle dessus et disparaît, plus c'est beau... C'est pour cela qu'il n'y a ni beaux ni vilains sujets[1]. » Sa quête de la perfection formelle lui met les nerfs à vif. Il se plaint à Louise, d'une lettre à l'autre : « Mauvaise semaine. Le travail n'a pas marché; j'en étais arrivé à un point où je ne savais trop que dire... J'ai esquissé, gâché, pataugé, tâtonné... Oh! quelle polissonnerie de chose que le style! Tu n'as point, je crois, l'idée du genre de ce bouquin. Autant je suis débraillé dans mes autres livres, autant dans celui-ci je tâche d'être boutonné et de suivre une ligne droite géométrique. Nul lyrisme, pas de réflexions, personnalité de l'auteur absente. Ce sera triste à lire. Il y aura des choses atroces de misères et de fétidité[2]. » Comme elle se dit enchantée de son *Saint Antoine* qu'elle vient de lire en manuscrit, il lui répond : « Je suis dans un tout autre monde maintenant, celui de l'observation attentive des détails les plus plats. J'ai le regard penché sur les mousses de la moisissure de l'âme[3]. » Ou bien : « J'ai les nerfs agacés comme des fils de laiton... C'est mon roman peut-être qui en est cause. Ça ne va pas. Ça ne marche pas. Je suis plus lassé que si je roulais des montagnes. J'ai dans des moments envie de pleurer. Il faut une volonté surhumaine pour écrire. Je ne suis qu'un homme... Ah! de quel œil désespéré je les regarde, les sommets de ces montagnes où mon désir voudrait monter! Sais-tu combien j'aurai fait de pages depuis mon retour? Vingt. Vingt pages en un

1. Lettre à Louise Colet du 16 janvier 1852.
2. Lettre du 31 janvier 1852.
3. Lettre du 8 février 1852.

mois, et en travaillant chaque jour au moins sept heures! Et la fin de tout cela? Le résultat? Des amertumes, des humiliations internes[1]. » Et encore : « Je ne sais pas comment quelquefois les bras ne me tombent pas du corps de fatigue, et comment ma tête ne s'en va pas en bouillie. Je mène une vie âpre, déserte de toute joie extérieure, et où je n'ai rien pour me soutenir qu'une espèce de rage permanente, qui pleure quelquefois d'impuissance, mais qui est continuelle. J'aime mon travail d'un amour frénétique et perverti comme un ascète le cilice qui lui gratte le ventre... Quelquefois, quand je me trouve vide, quand l'expression se refuse, quand après avoir griffonné de longues pages, je découvre n'avoir pas fait une phrase, je tombe sur mon divan et j'y reste hébété dans un marais intérieur d'ennui. Je me hais et je m'accuse de cette démence d'orgueil qui me fait haleter après la chimère. Un quart d'heure après, tout est changé, le cœur me bat de joie. » Il vit si intensément avec ses personnages que, lorsqu'il parvient à exprimer leurs sentiments avec justesse, les larmes lui montent aux yeux : « Mercredi dernier, j'ai été obligé de me lever pour aller chercher mon mouchoir de poche. Les larmes me coulaient sur la figure. Je m'étais attendri moi-même en écrivant, je jouissais délicieusement et de l'émotion de mon idée et de la phrase qui la rendait, et de la satisfaction de l'avoir trouvée. » Cette phrase, il se la récite à haute voix après l'avoir écrite. Il la fait passer par le « gueuloir » pour apprécier sa musique et être sûr qu'elle ne recèle pas quelque consonance maladroite. À la moindre anicroche, il se remet au travail, il rature, il surcharge, il polit jusqu'au moment où les mots s'enchaînent avec naturel et harmonie. Alors, il éprouve l'ivresse rare d'une coïncidence entre la pensée et la parole. Mais ce plaisir ne dure pour lui que quelques instants. Aussitôt après, il est repris par la certitude de son infirmité. Il le dit en conclusion à Louise : « J'ai parfois de grands ennuis, de

1. Lettre du 3 avril 1852.

grands vides, des doutes qui me ricanent à la figure au milieu de mes satisfactions les plus naïves. Eh bien! je n'échangerais tout cela pour rien, parce qu'il me semble en ma conscience que j'accomplis mon devoir, que j'obéis à une fatalité supérieure, que je fais le Bien, que je suis dans le Juste[1]. »

Heureusement, Louis Bouilhet, qui n'a pas encore abandonné Rouen pour Paris, vient le voir le dimanche à Croisset et l'encourage dans son labeur de forçat illuminé. Flaubert lui lit ce qu'il a écrit dans la semaine. Ensemble, ils décortiquent le texte, ligne par ligne. L'impression de Louis Bouilhet est plutôt favorable. Lorsqu'il repart, Flaubert est quelque peu requinqué. Il trouve aussi un vrai réconfort auprès de Louise. Elle paraît s'être assagie avec le temps. Lui, n'a pas varié dans sa conception de l'amour qu'il lui porte. « À vous qui m'aimez comme un arbre aime le vent, lui écrit-il, à vous pour qui j'ai dans le cœur quelque chose de long et de doux, quelque chose d'ému et de reconnaissant, qui ne périra pas, à toi pauvre femme que je fais tant pleurer et que je voudrais tant faire sourire[2]. » Et aussi : « Oui, je t'aime, ma pauvre Louise, je voudrais que ta vie fût douce de toute façon, et sablée, bordée de fleurs et de joies. J'aime ton beau et bon visage franc, la pression de ta main, le contact de ta peau sous mes lèvres. Si je suis dur pour toi, pense que c'est le contrecoup des tristesses, des nervosités âcres et des langueurs mortuaires qui me harcèlent ou me submergent[3]. »

Quand il en a assez de vivre en ermite, il va la voir à Paris, descend à l'hôtel, fait l'amour et repart assagi. Veuve depuis l'année précédente, elle est encore plus libre de ses élans. Elle a d'ailleurs d'autres amants que Flaubert et ne s'en cache pas. Il n'en est nullement jaloux. Cette

1. Lettre du 24 avril 1852.
2. Lettre du 31 décembre 1851.
3. Lettre du 16 janvier 1852.

solution le garantit, lui semble-t-il, contre le danger d'accaparement. Il trouve sa commodité dans l'éloignement et le partage. Il lui arrive même, lui qui est contre les usages bourgeois, d'envoyer de menus cadeaux à sa maîtresse : un presse-papiers, un petit flacon d'huile de santal, une bague égyptienne... Revenu dans son trou, il repasse en mémoire les bons moments qu'il a vécus avec elle, mais il n'est jamais pressé de renouveler son exploit. Le souvenir qu'il en garde suffit à le nourrir pendant quelques semaines : « Il y a aujourd'hui huit jours, à cette heure, je m'en allais de toi, *gluant* d'amour. Comme le temps passe! Oui, nous avons été heureux, pauvre chère femme, et je t'aime de toutes les façons[1]. »

Tout en l'assurant de son attachement, il ne cesse de lui répéter que jamais une femme ne le détournera de son travail. « Chaque fois que ta pensée me vient à l'esprit, elle est accompagnée de douceur, lui écrit-il encore. Mes voyages à Paris, qui n'ont plus que toi pour attrait, sont, dans ma vie, comme des oasis où je vais boire et secouer sur tes genoux la poussière de mon travail... Si je ne les renouvelle pas plus souvent, c'est par sagesse, et qu'ils me dérangent trop. Mais prends patience, tu m'auras plus tard plus longuement. Dans un an ou dix-huit mois, je prendrai un logement à Paris. J'irai plus souvent, et, dans l'année, y passerai plusieurs mois de suite[2]. »

De temps à autre, comme par le passé, il craint qu'elle ne soit enceinte. Ces maudits « Anglais » vont-il se décider à débarquer? À la seule idée d'une indésirable progéniture, ses fureurs le reprennent : « Je suis inquiet de tes Anglais, quoique je n'aie rien à me reprocher pourtant (ce que tu me reproches toujours). Moi un fils! Oh non, non, plutôt crever dans un ruisseau écrasé par un omnibus. L'hypothèse de transmettre la vie à quelqu'un me fait rugir, au

1. Lettre du 20 mars 1852.
2. Lettre du 24 avril 1852.

fond du cœur, avec des colères infernales[1]. » Mais, par chance, ce ne sont chaque fois que de fausses alertes. Et chaque fois, en apprenant « la bonne nouvelle », il explose de joie : « Fasse le dieu des coïts que jamais je ne repasse par de pareilles angoisses... *Je me mangeais le sang* en souhaitant le tien[2]. » Rassuré, il redouble de tendresse envers Louise. Il va même jusqu'à la congratuler, lui l'ennemi de toute distinction littéraire, parce qu'elle a reçu de nouveau un prix de l'Académie française. Comme il se trouve à Paris à ce moment-là, il pousse la gentillesse jusqu'à assister à la séance solennelle de la remise des récompenses. Roulement de tambours, habits verts, compliments mondains. Ces simagrées officielles le réjouissent pour sa maîtresse qui en paraît férue, mais le persuadent plus encore qu'il doit les fuir s'il veut préserver sa grandeur.

Maxime Du Camp a le tort d'insister auprès de lui pour qu'il descende enfin dans l'arène des gens de lettres. Flaubert lui répond par une mise au point hautaine et rageuse : « Tu me parais avoir à mon endroit *un tic* ou vice rédhibitoire... Mon parti là-dessus est pris depuis longtemps. Je te dirai seulement que tous ces mots *se dépêcher, c'est le moment, il est temps, place prise, se poser* et *hors la loi* sont pour moi un vocabulaire vide de sens... Comprends pas. Arriver ? à quoi ? À la position de MM. Murger, Feuillet, Monselet, etc., etc., etc., Arsène Houssaye, Taxile Delord, Hippolyte Lucas et soixante-douze autres avec ? Merci. *Être connu* n'est pas ma principale affaire. Cela ne satisfait entièrement que les très médiocres vanités. D'ailleurs, sur ce chapitre même, sait-on jamais à quoi s'en tenir ? La célébrité la plus complète ne vous assouvit point et l'on meurt presque toujours dans l'incertitude de son propre nom, à moins d'être un sot. Donc l'illustration ne vous classe pas plus à vos propres yeux que l'obscurité. Je

1. Lettre du 3 avril 1852.
2. Lettre du 16 décembre 1852.

vise à mieux, à me plaire. Le succès me paraît être un résultat et non pas le but... Que je crève comme un chien plutôt que de hâter d'une seconde ma phrase qui n'est pas mûre. J'ai en tête une manière d'écrire et gentillesse de langage à quoi je veux atteindre. Quand je croirai avoir cueilli l'abricot, je ne refuse pas de le vendre, ni qu'on batte des mains s'il est bon. D'ici là, je ne veux pas flouer le public. Voilà tout... C'est là qu'est *le souffle de vie*, me dis-tu en parlant de Paris. Je trouve qu'il sent souvent l'odeur des dents gâtées, ton souffle de vie. Il s'exhale pour moi de ce Parnasse où tu me convies plus de miasmes que de vertiges. Les lauriers qu'on s'y arrache sont un peu couverts de merde, convenons-en... Certes, il y a une chose que l'on gagne à Paris, c'est le toupet, mais l'on y perd un peu de sa crinière... Je t'ai dit que j'irais habiter à Paris quand mon livre serait fait et que je le publierais si j'en suis content. Ma résolution n'a point changé. Voilà tout ce que je peux dire, mais rien de plus. Et crois-moi, vieux, laisse couler l'eau. Que les querelles littéraires renaissent ou ne renaissent pas, je m'en fous[1]. »

À la réception de cette lettre, Maxime Du Camp monte sur ses grands chevaux et réplique qu'il ne comprend pas ces remontrances *blessantes*. Flaubert devine que leurs rapports ne seront plus jamais aussi affectueux et sincères qu'autrefois. Néanmoins, il reste sur ses positions. « Je suis peiné de te voir si sensible, écrit-il à son ami. Mais pourquoi, aussi, recommences-tu ta rengaine et viens-tu toujours prêcher le régime à un homme qui a la prétention de se croire en bonne santé!... Est-ce que je te blâme, moi, de vivre à Paris et d'avoir publié, etc.?... T'ai-je jamais conseillé de mener ma vie?... Quant à *mon poste* d'homme de lettres, je te le cède de grand cœur... Je suis tout bonnement un bourgeois qui vit retiré à la campagne, m'occupant de littérature et sans rien demander aux autres, ni considération, ni honneur, ni estime même...

1. Lettre du 26 juin 1852.

Nous ne suivons plus la même route, nous ne naviguons plus dans la même nacelle. Que Dieu nous conduise donc où chacun demande! Moi, je ne cherche pas le port, mais la haute mer. Si j'y fais naufrage, je te dispense du deuil[1]. »

Ayant envoyé à son ami ces pages de colère, il se justifie auprès de Louise : « Je suis très bon enfant jusqu'à un certain degré, jusqu'à une frontière (celle de ma liberté) qu'on ne passe pas. Or comme il (Maxime Du Camp) a voulu empiéter sur mon territoire le plus personnel, je l'ai recalé dans son coin et à distance... Je suis un Barbare, j'en ai l'apathie musculaire, les langueurs nerveuses, les yeux verts, et la haute taille; mais j'en ai aussi l'élan, l'entêtement, l'irascibilité. Normands, tous que nous sommes, nous avons quelque peu de cidre dans nos veines; c'est une boisson aigre et fermentée et qui quelquefois fait sauter la bonde. » Et, lancé dans cette analyse de son caractère, il continue avec une évidente satisfaction : « Si je suis, sous le rapport vénérien, un homme si sage, c'est que j'ai passé de bonne heure par une débauche supérieure à mon âge et intentionnellement, afin de savoir. Il y a peu de femmes que, de tête au moins, je n'aie déshabillées jusqu'au talon. J'ai travaillé la chair en artiste et je la connais. Je me charge de faire des livres à en mettre en rut les plus froids. Quant à l'amour, ç'a été le grand sujet de réflexion de toute ma vie. Ce que je n'ai pas donné à l'art pur, au métier en soi, a été là; et le cœur que j'étudiais, c'était le mien. Que de fois j'ai senti, à mes meilleurs moments, le froid du scalpel qui m'entrait dans la chair! *Bovary* (dans une certaine mesure, dans la mesure bourgeoise, autant que je l'ai pu, afin que ce fût plus général et humain) sera sous ce rapport la somme de ma science psychologique et n'aura une valeur originale que par ce côté[2]. »

Tandis qu'il lui écrit cette lettre, Louise est en forte

1. Lettre du début juillet 1852.
2. Lettre du 3 juillet 1852.

coquetterie avec Alfred de Musset. Mais un soir, le poète, ivre à son habitude, tente d'abuser d'elle dans un fiacre. Elle le repousse, ouvre la portière, saute de la voiture en marche sur la chaussée et se blesse au genou. La scène se passe place de la Concorde. Révoltée, humiliée, Louise rentre chez elle clopin-clopant et écrit à Flaubert pour lui raconter sa mésaventure. Depuis quelque temps déjà, il la mettait en garde contre son engouement pour « le sieur de Musset ». Cette fois, malgré sa largeur d'esprit coutumière, il découvre qu'il est jaloux : « J'éprouve le besoin de l'assommer... Je le bâtonnerais avec délices... Oh! comme je voudrais qu'il revienne et que tu me le foutes à la porte devant trente personnes... S'il te récrit, réponds-lui par une lettre *monumentale* de cinq lignes : " Pourquoi je ne veux pas de vous? Parce que vous me dégoûtez et que vous êtes un lâche. " Adieu. Je t'embrasse, je te serre, je te baise partout. À toi, à toi, mon pauvre amour outragé[1]. »

L'affaire Musset est vite oubliée au milieu des tourments de l'écriture. La vraie maîtresse de Flaubert n'est pas Louise Colet, mais Emma Bovary. Pour les besoins de son roman, il se rend, le 18 juillet, aux comices agricoles de Grand-Couronne. Il en revient malade de fatigue, d'ennui et de dégoût devant cette « inepte cérémonie rustique ». Mais il a saisi au vol mille détails qui lui serviront dans la composition de son chapitre. La rédaction avance lentement. « Une bonne phrase de prose doit être comme un bon vers *inchangeable*, aussi rythmée, aussi sonore[2] », écrit-il à Louise. Ou bien : « Les livres que j'ambitionne le plus de faire sont justement ceux pour lesquels j'ai le moins de moyens. *Bovary* en ce sens aura été un tour de force inouï et dont moi seul jamais aurai conscience : sujet, personnage, effet, etc., tout est hors de moi... Je suis, en écrivant ce livre, comme un homme qui jouerait du piano

1. Lettre du 7 juillet 1852.
2. Lettre du 22 juillet 1852.

avec des balles de plomb sur chaque phalange[1]. » Ou encore : « Si mon livre est bon, il chatouillera doucement mainte plaie féminine. Plus d'une sourira en s'y reconnaissant. J'aurai connu vos douleurs, pauvres âmes obscures, humides de mélancolie renfermée, comme vos arrière-cours de province, dont les murs ont de la mousse[2]. » Et aussi : « Que ma *Bovary* m'embête! Je commence à m'y débrouiller pourtant un peu. Je n'ai jamais de ma vie rien écrit de plus difficile que ce que je fais maintenant, du dialogue trivial! Cette scène d'auberge va peut-être me demander trois mois, je n'en sais rien... Mais je crèverai plutôt dessus que de l'escamoter[3]. »

Le devinant écrasé par son travail, elle l'appelle à Paris ou à Mantes, mais il résiste avec une obstination agacée : « Ne me répète plus que tu me désires, ne me dis pas toutes ces choses qui me font de la peine. À quoi bon?... puisque je ne peux pas travailler autrement... Crois-tu donc que je n'aie pas envie de toi aussi, que je ne m'ennuie pas souvent d'une séparation si longue? Mais enfin je t'assure qu'un dérangement matériel de trois jours m'en fait perdre quinze, que j'ai toutes les peines du monde à me recueillir, et que, si j'ai pris ce parti qui t'irrite, c'est en vertu d'une expérience infaillible et réitérée[4]. » Cependant, au début de novembre 1852, il n'y tient plus et invite Louise à le rejoindre à Mantes. Les retrouvailles sont moins ardentes que prévu : « Ta pauvre *force de la nature* n'a pas été gaie hier... La vie se passe ainsi à nouer et à dénouer des ficelles, en séparations, en adieux, en suffocations et en désirs. Oui, ç'a été bon, bien bon et bien doux. C'est l'âge qui fait cela. En vieillissant, on devient plus grave dans ses joies ce qui les rend plus douces[5]. »

C'est avec le sentiment d'avoir perdu six longs jours que

1. Lettre du 26 juillet 1852.
2. Lettre du 1er septembre 1852.
3. Lettre du 19 septembre 1852.
4. Lettre du 25 septembre 1852.
5. Lettre à Louise Colet du 16 novembre 1852.

Flaubert regagne son antre, où l'attend Emma Bovary. Et le travail le reprend, comme une maladie qui le mine par le dedans mais lui procure aussi d'ineffables jouissances. Quand il compare son souci de perfection dans la psychologie et l'écriture à l'espèce de fausse aisance d'un Maxime Du Camp, il se dit qu'ils n'ont décidément pas la même conception de la littérature, qu'ils ne font pas le même métier. Le dernier roman de son ami, intitulé *Le Livre posthume*, le révolte par sa platitude : « Est-ce pitoyable, hein? écrit-il à Louise. Il me semble que notre ami se coule. On y sent un épuisement radical. Il joue de son reste et souffle sa dernière note[1]. » Lui-même a grand peur de n'avoir pas la force physique nécessaire à la construction d'une œuvre exceptionnelle telle qu'il l'entrevoit. Ses crises nerveuses le reprennent. Le 11 décembre 1852, il confie son angoisse à Louise : « À chaque mouvement que je faisais (ceci est textuel) la cervelle me sautait dans le crâne et j'ai été obligé de me coucher à onze heures. J'avais la fièvre et un accablement général. J'avais aussi une idée superstitieuse. C'est demain que j'ai trente et un ans. Je viens donc de passer cette fatale année de la trentaine qui classe un homme. C'est l'âge où l'on se dessine pour l'avenir, où l'on se range; on se marie, on prend un métier. » Malgré ses appréhensions, il est fier d'être resté libre : « Style et muscles, tout est souple encore, et si les cheveux me tombent du front, je crois que mes plumes n'ont encore rien perdu de leur crinière... Ma chair aime la tienne, et quand je me regarde nu il me semble même que chaque pore de ma peau bâille après la tienne. » Au cours de son travail, sa tension d'esprit est telle que sa mère entrant à l'improviste dans son bureau lui fait pousser un cri de terreur : « Le cœur m'en a longtemps battu et il m'a fallu un quart d'heure à me remettre. Voilà de mes absorptions, quand je travaille. J'ai senti là, à cette surprise, comme la sensation aiguë d'un coup de poignard qui m'aurait tra-

1. Lettre du 9 décembre 1852.

versé l'âme. Quelle pauvre machine que la nôtre[1]! »
Passant par des hauts et des bas, tantôt il compare son
roman à une « ratatouille », tantôt il note : « Je crois que
ma *Bovary* va aller. » Mais il ajoute aussitôt : « Je suis
dévoré de comparaisons, comme on l'est de poux, et je ne
passe mon temps qu'à les écraser. Les phrases en grouil-
lent[2]. » Plus il avance dans le récit, plus il éprouve de
difficulté à respecter à la fois la psychologie des personnages et l'harmonie de la langue. À chaque instant, il
découvre un abîme infranchissable entre ce qu'il ressent et
ce qu'il exprime, entre la pensée et le mot, entre la matière
fluctuante du rêve et le texte qui se fige au bout de la
plume, sur le papier. À la fin de janvier 1853, il constate
que son « bouquin », qui aura environ « quatre cent
cinquante pages », n'est encore qu'à mi-course. Pourtant, il
ne veut pas se hâter. Personne n'attend la publication du
livre. Pas même lui. Soudain, une surprise désagréable : en
lisant *Le Médecin de campagne* de Balzac, il découvre que
ce roman contient des scènes identiques à celles décrites
dans la *Bovary* : une visite chez la nourrice, une entrée au
collège au début du récit, « une phrase qui est la même ».
Il s'affole : « À croire que j'ai copié, si ma page n'était
infiniment mieux écrite, sans me vanter[3]. » Est-il encore
possible de dire en littérature quelque chose de neuf? se
demande-t-il.

En février, il note que sa *Bovary* « marche son petit train
et se dessine dans l'avenir ». Le 21 mars, il se dit « exténué
d'avoir *gueulé* toute la soirée en écrivant ». Six jours plus
tard, il déchante : « La *Bovary* ne va pas raide : en une
semaine deux pages! Il y a de quoi, quelquefois, se casser
la gueule de découragement... Ah! j'y arriverai, mais ce
sera dur. Ce que sera le livre, je n'en sais rien, mais je

1. Lettre à Louise Colet du 16 décembre 1852.
2. Lettre à Louise Colet du 27 décembre 1852.
3. *Ibid.*

réponds qu'il sera écrit... Dire à la fois proprement et simplement des choses vulgaires! c'est atroce[1]. »

Entre-temps, Louise l'a chargé d'acheminer clandestinement le courrier de Victor Hugo, en exil à Jersey. Craignant que le subterfuge ne soit découvert par la police, il suggère que Victor Hugo envoie ses lettres à Henriette Collier, à Londres, laquelle les réexpédiera en France sous une autre enveloppe. Il a gardé une tendresse particulière pour cette jeune personne qui lui rappelle ses émois innocents de Trouville. Ils échangent, de loin en loin, des missives de douce nostalgie. Mais Flaubert est également attiré par la gouvernante anglaise de sa nièce. Ce mouvement d'une jupe, près de sa mère, dans la maison, lui fouette le sang. Il ne tente rien, mais il rêve. D'ailleurs, il se sent affreusement délabré. Ses dents le font souffrir. « Je vieillis, écrit-il le 31 mars 1853, voilà les dents qui s'en vont et les cheveux qui bientôt seront en allés. Enfin! pourvu que la cervelle reste, c'est le principal. Comme le néant nous envahit! À peine nés, la pourriture commence sur vous, de sorte que toute la vie n'est qu'un long combat qu'elle nous livre, et toujours de plus en plus triomphant de sa part jusqu'à la conclusion, la mort... Il y a des matins où je me fais peur à moi-même, tant j'ai de rides et l'air usé. » Une molaire tombe, une autre est menacée par un abcès. Il se la fait arracher. Les glandes de son cou enflent. Il éprouve des douleurs atroces dans le cervelet. Son cœur lui bat dans la tête. En dépit de ses souffrances, il se contraint à écrire son roman avec la même rigueur. Quand il a sous le coude un paquet de pages suffisant, il lit, ou plutôt il *dégueule*, selon son expression, quelques chapitres, le dimanche, à Louis Bouilhet. Le 28 juin 1853, à une heure du matin, il soupire, s'adressant à Louise : « Je suis accablé. La cervelle me danse dans le crâne. Je viens, depuis hier dix heures du soir jusqu'à maintenant, de recopier soixante-dix-sept pages de suite qui n'en font plus

1. Lettre à Louise Colet.

que cinquante-trois. C'est abrutissant. J'ai mon rameau de vertèbres au cou brisé d'avoir eu la tête penchée long-temps. Que de répétitions de mots je viens de surprendre! Que de *tout*, de *mais*, de *car*, de *cependant* !... J'ai pourtant de bonnes pages et je crois que l'ensemble roule. » Bientôt, à tant raturer son manuscrit il craint d'en avoir affadi le style. « J'ai fini, cet après-midi, par laisser là les correc-tions, je n'y comprenais plus rien... À force de s'appesantir sur un travail, il vous éblouit... On en arrive à battre la breloque, et c'est là le moment où il est sain de s'arrêter. » Toutefois, il est content d'avoir enlevé le « ciment » qui « bavachait entre les pierres ». Maintenant, il peut rêver à la suite : « J'ai une baisade qui m'inquiète fort et qu'il ne faudra pas biaiser, quoique je veuille la faire chaste, c'est-à-dire littéraire, sans détails lestes, ni images licen-cieuses[1]. »

Pour le remercier d'acheminer sa correspondance, Victor Hugo lui envoie sa photographie. Flaubert lui répond avec effusion : « Puisque vous me tendez votre main par-dessus l'océan, je la saisis et la serre. Je la serre avec orgueil, cette main qui a écrit *Notre-Dame* et *Napoléon le Petit*, cette main qui a taillé des colosses et ciselé pour les traîtres des coupes amères[2]. » Et il écrit à Louise : « Quelle belle chose que *Notre-Dame*. J'en ai relu dernièrement trois chapitres, le sac des Truands entre autres. C'est cela qui est fort. Je crois que le plus grand caractère du génie est, avant tout, *la force*[3]. » Cette force, il voudrait qu'elle éclatât dans *Madame Bovary*, mais sans la moindre touche de lyrisme. Il lui semble que la sobriété poussée à l'extrême peut être aussi frappante, aussi hallucinante pour le lecteur que le déballage de sentiments et le déluge de couleurs chers aux auteurs romantiques. Convaincu qu'il a choisi la meilleure méthode pour évoquer le drame de son héroïne, il s'ac-

1. Lettre à Louise Colet du 2 juillet 1853.
2. Lettre du 15 juillet 1853.
3. Lettre du 15 juillet 1853.

corde enfin un peu de répit dans son travail. Après une visite prolongée à Louise, il va rejoindre sa mère à Trouville.

Il arrive au coucher du soleil, constate avec tristesse que le pays est envahi de chalets « dans le goût de ceux d'Enghien », que, dans le jardin de la maison qu'il habitait jadis avec ses parents, le nouveau propriétaire a planté des rochers factices, que tout a changé, sauf la mer glauque et l'odeur de sel et de varech. Il repense à sa jeunesse, à Élisa Schlésinger, à Henriette Collier, et écrit à Louise : « Les souvenirs que je rencontre ici à chaque pas sont comme des cailloux qui déboulent, par une pente douce, vers un grand gouffre d'amertume que je porte en moi. La vase est remuée; toutes sortes de mélancolies, comme des crapauds interrompus dans leur sommeil, passent la tête hors de l'eau et forment une étrange musique; j'écoute. Ah! comme je suis vieux, comme je suis vieux, pauvre chère Louise!... Quant à la *Bovary*, impossible même d'y songer. Il faut que je sois *chez moi* pour écrire. Ma liberté d'esprit tient à mille circonstances accessoires, fort misérables, mais fort importantes[1]. »

Pour se distraire, il va regarder les dames qui se trempent frileusement dans la mer, guidées par des maîtres nageurs aux bras velus. Elles sont séparées des hommes par des poteaux et des filets. Chaque sexe a son enclos pour prendre l'air et barboter dans l'eau froide. « Rien n'est plus pitoyable que ces sacs où les femmes se fourrent le corps, que ces serre-tête en toile cirée! écrit Flaubert. Quelles mines! Quelles démarches! Et les pieds! Rouges, maigres, avec des oignons, des durillons, déformés par la bottine, longs comme des navettes ou larges comme des battoirs. Et au milieu de tout cela des moutards à humeurs froides, pleurant, criant. Plus loin, des grand-mamans tricotant et des *môsieurs* à lunettes d'or, lisant le journal et, de temps à autre, entre deux lignes, savourant l'immensité

1. Lettre du 14 août 1853.

avec un air d'approbation. » La laideur et la platitude de la condition humaine l'accablent. Il retourne en pensée à son roman et conclut à l'intention de Louise : « Tout ce qu'on invente est vrai, sois-en sûre... Ma pauvre *Bovary*, sans doute, souffre et pleure dans vingt villages de France à la fois, à cette heure même[1]. » La pluie qui se met à tomber dru le rend encore plus mélancolique. La grisaille est partout, sur terre, sur mer et dans l'âme. Flaubert loge chez un pharmacien qui, tel le Homais de son roman, « pérore et fabrique de l'eau de Seltz ». « Dès huit heures du matin, je suis souvent réveillé par le bruit des bouchons qui foutent le camp, inopinément; paf, pif[2] », écrit-il à Louis Bouilhet. Ainsi, il a beau fuir sa *Bovary*, tout l'y ramène. Il se persuade que, pour lui, il n'y a pas de salut hors de l'écriture : « Ne demandons à la vie qu'un fauteuil et non des trônes, que de la satisfaction et non de l'ivresse. La Passion s'arrange mal de cette longue patience que demande le Métier. L'Art est assez vaste pour occuper tout un homme. En distraire quelque chose est presque un crime. C'est un vol fait à l'idée, un manque au Devoir[3]. » Déjà il pense avec joie à la remise en train de son œuvre : « Quelle *bosse* de travail je vais me donner une fois rentré! Cette vacance ne m'aura pas été inutile. Elle m'a rafraîchi... Je me suis ici beaucoup *résumé* et voilà la conclusion de ces quatre semaines fainéantes : adieu, c'est-à-dire adieu pour toujours au *personnel*, à l'intime, au relatif... Rien de ce qui est de ma personne ne me tente. Les attachements de la jeunesse ne me semblent plus beaux. Que tout cela soit mort et que rien n'en ressuscite... La *Bovary*, qui aura été pour moi un exercice excellent, me sera peut-être funeste ensuite comme *réaction*, car j'en aurai pris (ceci est faible et imbécile) un dégoût extrême des sujets à milieu

1. *Ibid.*
2. Lettre du 24 août 1853.
3. Lettre à Louise Colet du 21 août 1853.

commun. C'est pour cela que j'ai tant de mal à l'écrire, ce livre[1]. »

Le vendredi 2 septembre, il est de retour à Croisset. En réintégrant son cabinet de travail, il a le sentiment d'être accueilli par les objets comme par autant d'amis qui ont souffert de cette longue séparation. « Tout, pendant mon absence, avait été brossé, ciré, verni,... et j'avoue que j'ai retrouvé mon tapis, mon grand fauteuil et mon divan avec charme, écrit-il aussitôt à Louise. Ma lampe brûle. Mes plumes sont là. Ainsi recommence une autre série de jours, pareils aux autres jours. Ainsi vont recommencer les mêmes mélancolies et les mêmes enthousiasmes isolés[2]. »

À nouveau, le travail sur la *Bovary* le dévore. « Enfin me revoilà en train ! Ça marche. La machine retourne... Rien ne s'obtient qu'avec effort... La perle est une maladie de l'huître et le style, peut-être, l'écoulement d'une douleur plus profonde[3]. » Louis Bouilhet se montre un censeur redoutable. Harcelé par lui, Flaubert recommence par trois fois certains paragraphes dont l'écriture est jugée trop molle. Et les soucis s'accumulent. L'oncle Parain meurt : « En voilà encore un de parti. Je le vois maintenant dans son suaire comme si j'avais le cercueil, où il pourrit, sur ma table, devant mes yeux. L'idée des asticots qui lui mangent les joues ne me quitte pas[4]. » Autre nouvelle peu réjouissante : Henriette Collier vient d'épouser le baron Thomas Campbell : « Encore une sylphide de moins. Mon empyrée féminin se vide tout à fait. Les anges de ma jeunesse deviennent des ménagères. Toutes mes anciennes étoiles se tournent en chandelles et ces beaux seins où se berçait mon âme vont bientôt ressembler à des citrouilles. » Quant à Louise, l'inévitable confidente, elle revient obstinément à son idée de rencontrer la mère de Gustave.

1. Lettre à Louise Colet du 26 août 1853.
2. Lettre du 2 septembre 1853.
3. Lettre à Louise Colet du 16 septembre 1853.
4. Lettre à Louise Colet du 12 septembre 1853.

Pour la calmer et gagner du temps, il feint, assez lâchement, d'abonder dans son sens : « Je te réitère la promesse de mon engagement : *je ferai tout mon possible* pour que vous vous voyiez, pour que vous vous connaissiez. Après cela, vous vous arrangerez comme vous l'entendrez. Je me casse la tête à comprendre l'importance que tu y mets. Mais enfin *c'est convenu*, n'en parlons plus[1] ? » S'il ne lui « parle plus » de cette rencontre, qui est l'idée fixe de Louise, il l'entretient à longueur de lettres des progrès et des retards de la *Bovary* : « J'ai la tête en feu, comme il me souvient de l'avoir eue après de longs jours passés à cheval. C'est que j'ai aujourd'hui rudement chevauché ma plume. J'écris depuis midi et demi sans désemparer (sauf de temps à autre pendant cinq minutes pour fumer une pipe, et une heure tantôt pour dîner)... Ça dure trop. Il y a de quoi crever et puis je veux t'aller voir[2]. »

Cette besogne exténuante ne l'empêche pas de continuer à corriger ligne à ligne les élucubrations poétiques de Louise et même de rédiger en son nom des articles de mode pour un journal féminin qu'elle dirige. Le 17 octobre 1853, Louis Bouilhet quitte Rouen et s'installe à Paris. Pour Flaubert, le choc équivaut à un deuil : « Le voilà parti pour moi. Il reviendra samedi ; je le reverrai peut-être encore deux autres fois. Mais c'est fini, les vieux dimanches sont rompus. Je vais être seul maintenant, seul, seul. Je suis navré d'ennui et humilié d'impuissance... Tout me dégoûte. Je crois qu'aujourd'hui je me serais pendu avec délices, si l'orgueil ne m'en empêchait. Il est certain que je suis tenté parfois de foutre tout là, et la *Bovary* d'abord. Quelle sacrée maudite idée j'ai eue de prendre un sujet pareil ! Ah ! je les aurai connues, les affres de l'Art[3]. »

Tout en jurant qu'il est prêt à abandonner son roman, il y travaille avec plus d'ardeur que jamais. Comme Louise

1. Lettre du 7 octobre 1853.
2. Lettre du 12 octobre 1853.
3. Lettre à Louise Colet du 17 octobre 1853.

insiste pour qu'il prenne un logement à Paris, il se dérobe :
« Quant à cette question de mon installation immédiate à
Paris, il faut la remettre ou plutôt la résoudre tout de suite.
Cela m'est *impossible maintenant...* Je me connais bien, ce
serait un hiver de perdu, et peut-être tout le livre... Je suis
comme les jattes de lait : pour que la crème se forme, il
faut les laisser immobiles... J'ai causé de tout cela avec ma
mère. Ne l'accuse pas (même en ton cœur), car elle est
plutôt *de ton bord.* J'ai pris avec elle mes arrangements
d'argent, et elle va faire cette année ses dispositions pour
mes meubles, mon linge, etc. J'ai déjà avisé un domestique
que j'emmènerai à Paris. Tu vois donc que c'est *une
résolution inébranlable...* Je ne déménagerai rien de mon
cabinet parce que ce sera toujours là que j'écrirai le mieux,
et qu'en définitive je passerai le plus de temps, à cause de
ma mère qui se fait vieille[1]. »

Ainsi, il a enfin osé révéler à sa mère qu'il avait une
maîtresse. Elle s'en doutait, bien sûr, et n'a pas fait de
commentaires. Le voici soulagé comme un enfant qui vient
d'avouer une faute. Pardonné, il peut retourner à ses
jouets. Le 10 novembre, il part pour Paris avec l'intention
d'y passer quelques jours. Il descend à l'hôtel du Helder.
En le revoyant, Louise constate qu'il s'est refroidi à son
égard. Elle est agacée par Louis Bouilhet qui ne les quitte
pas d'une semelle. Leurs rares tête-à-tête sont orageux.
Lorsqu'elle répète à Gustave qu'elle tient absolument à
rencontrer sa mère, il la rabroue durement. Et, quand elle
lui parle de ses soucis financiers, il affirme qu'il n'a pas
d'argent. Il lui a d'ailleurs déjà prêté cinq cents francs en
1852, puis cent francs cette année. Leur dernière entrevue
est empreinte de lassitude et de rancœur. Il regrette d'être
venu. Douze jours loin de sa mère et loin de la *Bovary*,
c'est trop! En quittant Louise, il lui promet, à tout hasard,
de la revoir bientôt. De retour à Croisset, il lui écrit :
« Quel mauvais adieu nous avons eu hier! Pourquoi?

1. Lettre du 28 octobre 1853.

152

pourquoi? Le retour sera meilleur! Allons, courage! espoir! J'embrasse tes beaux yeux que j'ai tant fait pleurer[1]. » Et, trois jours plus tard : « Oui, tu as raison, nous n'avons point été assez seuls à ce voyage. Nos malentendus viennent de là, peut-être, car si nos corps se sont touchés, nos cœurs n'ont guère eu le temps de s'étreindre... L'année prochaine, la *Bovary* ne fût-elle pas faite, je viendrai. Je prendrai un logement. Je resterai au moins quatre mois de suite par an[2]. » Le croit-il vraiment? Il confie à son cher Louis Bouilhet : « Elle m'attriste beaucoup, cette pauvre Muse (Louise). Je ne sais qu'en faire... Comment penses-tu que ça finisse? Je la flaire très lassée de moi. Et pour sa tranquillité intime, il est à souhaiter qu'elle me lâche là. Elle a vingt ans sous le rapport des sentiments et j'en ai soixante[3]. »

En vérité, il est fatigué de cette vieille liaison, exaspéré des larmes et des récriminations de Louise, mais il trouve commode d'avoir une femme à portée de la main quand il vient à Paris. Il suffit qu'il l'ait vue vingt-quatre heures pour avoir envie de la fuir, et cependant, loin d'elle, il goûte un secret plaisir à lui raconter ses journées. Excessifs l'un et l'autre, ils font l'amour, ils se disputent, ils se réconcilient par lettres. N'est-ce pas plus savoureux, pense Flaubert, que face à face, dans une chambre? Il lui écrit : « Je me couche fort tard, me lève de même, le jour tombe de bonne heure, j'existe à la lueur des flambeaux, ou plutôt de ma lampe. Je n'entends ni un pas, ni une voix humaine. Je ne sais ce que font les domestiques, ils me servent comme des ombres. Je dîne avec mon chien. Je fume beaucoup, me chauffe raide et travaille fort. C'est superbe[4]! » Et aussi : « J'ai un casque de fer sur le crâne... J'écris la *Bovary*. Je suis à leur baisade, en plein au milieu.

1. Lettre du 22 novembre 1853.
2. Lettre du 25 novembre 1853.
3. Lettre du 8 décembre 1853.
4. Lettre du 14 décembre 1853.

On sue et on a la gorge serrée... Tantôt, à six heures, au moment où j'écrivais le mot *attaque de nerfs*, j'étais si emporté, je gueulais si fort, et sentais si profondément ce que ma petite femme éprouvait, que j'ai eu peur moi-même d'en avoir une. Je me suis levé de ma table et j'ai ouvert la fenêtre pour me calmer. La tête me tournait. J'ai à présent de grandes douleurs dans les genoux, dans le dos et à la tête. Je suis comme un homme qui a trop foutu (pardon de l'expression), c'est-à-dire en une sorte de lassitude pleine d'enivrement... C'est une délicieuse chose que d'écrire, que de ne plus être *soi*, mais de circuler dans toute la création dont on parle. Aujourd'hui par exemple, homme et femme tout ensemble, amant et maîtresse à la fois, je me suis promené à cheval dans une forêt, par un après-midi d'automne, sous des feuilles jaunes, et j'étais les chevaux, les feuilles, le vent, les paroles qu'ils se disaient et le soleil rouge qui faisait s'entrefermer leurs paupières noyées d'amour[1]. »

Mais Louise refuse décidément de comprendre cette attitude d'un écrivain avide de solitude et plus proche de ses personnages que des créatures vivantes qui l'entourent. Bien que dix fois renvoyée dans sa niche, elle est encore convaincue que, si Mme Flaubert la voyait, elle ne résisterait pas à son charme. Elle le redit à Flaubert et de nouveau il proteste : « C'est parce que j'ai la *persuasion* que, si elle te voyait, elle serait très froide avec toi, peu convenable, comme tu dis, que je ne veux pas que vous vous voyiez. D'ailleurs, je n'aime pas cette confusion, cette alliance de deux affections d'une source différente... Je t'en supplie encore une fois ne te mêle pas de cela. Quand *le temps et l'opportunité* se présenteront je saurai ce que j'aurai à faire[2]. » Lorsqu'il essaie de définir son véritable sentiment dans cette conjoncture, il lui semble qu'il insulterait à la dignité de sa mère en lui présentant une femme

1. Lettre du 23 décembre 1853.
2. Lettre du 13 janvier 1854.

avec qui il a couché. Elles appartiennent à deux univers différents : la mère à celui de la tendresse, des soins et des souvenirs familiaux, la maîtresse à celui du stupre et de la fantaisie. Pour qu'il puisse continuer à respecter sa mère et à désirer sa maîtresse, elles doivent s'ignorer l'une l'autre.

Malgré les tracasseries de Louise, il se rend à Paris en février 1854, passe quelques jours près d'elle, au coin du feu, préside à ses soupers, bavarde avec Leconte de Lisle qui est devenu un familier de la maison et repart sans que rien n'ait été changé dans ses rapports avec son encombrante « Muse ». Les mois suivants, il espace ses lettres, par lassitude certes, mais aussi parce que la maladie le ronge. « Salivation mercurielle des plus corsées, mon cher monsieur, écrit-il à Louis Bouilhet. Il m'était impossible de parler et de manger. Fièvre atroce, etc. Enfin, à *force de purgations*, de sangsues, de lavements et grâce aussi à ma *forte constitution* m'en voilà quitte. Je ne serais même pas étonné quand mon tubercule foutrait le camp par suite de cette inflammation, car il a déjà diminué de moitié[1]. » Louis Bouilhet, qui, à Paris voit souvent Louise, le renseigne sur les frasques de cette femme indomptable. Après s'être entichée d'Alfred de Musset, elle s'est brouillée avec lui et a écrit un poème vengeur, *La Servante*, où elle le présente, sous le nom de Lionel, comme un ivrogne et un poète déchu. Flaubert, à qui elle communique le manuscrit, lui déconseille de le publier : « Pourquoi insulter Musset ?... Qu'est-ce que ça te regarde ? Ce pauvre garçon n'a jamais cherché à te nuire. Pourquoi veux-tu lui rendre un mal plus grand que celui qu'il t'a fait[2] ? » Or, un nouveau rival se présente : Alfred de Vigny, cinquante-sept ans et académicien. Ne peut-il pas aider « la Muse » à obtenir un autre prix à l'Académie française ? Elle couche avec lui. Mais elle ne perd pas de vue, pour autant, son

1. Lettre du 7 août 1854.
2. Lettre du 9-10 janvier 1854.

objectif principal : s'attacher définitivement Flaubert qui renâcle. Louis Bouilhet écrit à son ami pour l'éclairer : « Veux-tu que je te dise mon sentiment? Veux-tu que je te déclare où elle veut en venir avec ses visites à ta mère, avec la comédie en vers, avec ses cris, ses larmes, ses invitations et ses dîners? Elle veut, elle croit devenir ton épouse... Je le pensais sans oser me le formuler à moi-même, mais le mot m'a été bravement dit, non par elle, mais comme venant d'elle, positivement. Voilà pourquoi elle a refusé le philosophe (Victor Cousin). » Et il ajoute : « Personne ici ne la prend au sérieux, elle se ridiculise à plaisir, moi, je suis navré de tout cela parce que je l'aime au fond. »

Ainsi averti, Flaubert se raidit encore plus dans la méfiance. Louise renouvelant ses plaintes lettre après lettre, il lui répond : « Je crois que nous vieillissons, rancissons, nous aigrissons et confondons mutuellement nos vinaigres! Moi, quand je me sonde, voici ce que j'éprouve pour toi : un grand attrait physique d'abord, puis un attachement d'esprit, une affection virile et rassise, une estime émue... Tu me demandes de l'amour, tu te plains de ce que je ne t'envoie pas de fleurs? Ah! j'y pense bien, aux fleurs. Prends donc quelque brave garçon tout frais éclos, un homme à belles manières et à idées reçues. Moi, je suis comme les tigres qui ont au bout du gland des poils agglutinés avec quoi ils déchirent les femelles... Je sens que je t'aimerais d'une façon plus ardente si personne ne savait que je t'aimasse... Voilà comme je suis fait, j'ai assez de besogne sur le chantier sans prendre celle de ma réformation sentimentale[1]. »

Bien que la correspondance entre eux continue encore pendant quelques mois, leurs liens affectifs sont désormais si lâches que, le 16 octobre 1854, Flaubert peut écrire à Louis Bouilhet : « Quant à elle, la Muse, c'est fini. Nous pouvons dormir là-dessus. » Au début de l'année suivante, se rendant à Paris pour quelques semaines, il préfère ne

1. Lettre du 25 février 1854.

pas avertir Louise de sa venue. Mais elle est alertée par des amis communs et s'empresse de le relancer dans son hôtel de la rue du Helder. Il n'est pas là. Elle y retourne à plusieurs reprises et finit par laisser un message lui annonçant qu'elle se prépare à partir pour un voyage à l'étranger et qu'elle a absolument besoin de le voir. « Il serait puéril de consulter quelqu'un et grossier de me refuser, lui écrit-elle. J'attendrai donc avec confiance ce soir, chez moi, de huit heures à minuit. » Furieux de cette intrusion dans sa vie privée, il lui répond par une lettre de rupture : « Madame, j'ai appris que vous vous étiez donné la peine de venir, hier, dans la soirée, trois fois, chez moi. Je n'y étais pas. Et dans la crainte des avanies qu'une telle persistance de votre part pourrait vous attirer de la mienne, le savoir-vivre m'engage à vous prévenir : *je n'y serai jamais*. J'ai l'honneur de vous saluer[1]. » Sur ce feuillet, Louise, avec des larmes de rage et d'humiliation, écrit : « Lâche, couard et *canaille* », en soulignant d'un gros trait le dernier mot. Va-t-elle l'assaillir avec un couteau, comme Alphonse Karr? Non, mais elle le poursuivra de sa vindicte pendant des années. Dès 1856, elle le ridiculisera dans un récit, *Histoire de soldat*, inséré dans *Le Moniteur*.

Après s'être brutalement débarrassé de Louise, Flaubert éprouve une sensation de vide, certes, mais aussi d'équilibre et de sérénité. Maintenant qu'il n'a plus à craindre les reproches, les larmes, les colères et les pâmoisons de sa maîtresse, il envisage sous un meilleur jour sa prochaine installation à Paris. Justement, Louis Bouilhet a besoin de lui sur place. Sa pièce, *Madame de Montarcy*, vient d'être refusée par le comité de lecture de la Comédie-Française. Flaubert lui remonte le moral par lettre : « Je te rappelle à l'ordre, c'est-à-dire à la conviction de ta valeur. Allons, mon pauvre vieux, mon roquentin, mon seul confident, mon seul ami, mon seul déversoir, reprends courage,

1. Lettre du 6 mars 1855.

aime-nous mieux que cela. Tâche de traiter les hommes et la vie avec la maestria (style parisien) que tu as en traitant les idées et les phrases[1]. » Et aussi : « Tu as un talent que je ne reconnais qu'à toi. Il te manque ce qu'ont tous les autres, à savoir : l'aplomb, le petit manège du monde, l'art de donner des poignées de main et d'appeler " mon cher ami " des gens dont on ne voudrait pas pour domestiques[2]. » Par ailleurs, il annonce à son correspondant : « Mon malheureux roman ne sera pas fini avant le mois de février. Cela devient ridicule. Je n'ose plus en parler... Les feuilles tombent. Les allées sont, quand on y marche, pleines de bruits lamartiniens que j'aime extrêmement. Dackno [son chien] reste toute la journée au coin de mon feu et j'entends, de temps à autre, les remorqueurs. Voilà les nouvelles[3]. »

Pour mener à bien les dernières pages de son roman, il demande des renseignements médicaux à son frère Achille, à Louis Bouilhet, et des détails juridiques aux légistes rouennais. Il se rend aussi à Paris et y côtoie des femmes faciles, une actrice, Mme Person, amie de Louis Bouilhet, Suzanne Lagier, Louise Pradier. Elles le reposent de l'explosive Louise Colet qui a définitivement disparu de son horizon. À présent, il a un « chez-soi », un pied-à-terre au quatrième étage du 42 boulevard du Temple. Un domestique, Narcisse Barette, s'occupe de son ménage. Au début de l'année 1856, sa mère le rejoint. Deux ans plus tard, elle louera un appartement à l'étage au-dessus. Entre-temps, Flaubert s'est rapproché de Maxime du Camp. Celui-ci insiste pour qu'il confie à *La Revue de Paris* la publication de *Madame Bovary*. Il offre deux mille francs. C'est une somme correcte. Flaubert est partagé entre la tentation de lancer son roman dans le monde et la terreur des remous qu'une telle initiative provoquera

1. Lettre du 30 septembre 1855.
2. Lettre du 5 octobre 1855.
3. Lettre du 10 octobre 1855.

immanquablement autour de sa personne. Cette œuvre, à laquelle il a travaillé en secret pendant quatre ans et demi, ne va-t-il pas la déflorer, l'avilir en la livrant à la stupide curiosité des foules? Et ne deviendra-t-il pas lui-même, en se jetant dans la bagarre littéraire, un de ces pantins qu'il a méprisés tout au long de sa vie? Il était si tranquille tant que la *Bovary* n'avait que lui et Louis Bouilhet comme lecteurs. Mais justement, Louis Bouilhet le tarabuste pour qu'il se décide. Il accepte et écrit à son cousin Bonenfant : « Sache, ô cousin, que hier j'ai vendu un livre (terme ambitieux!) moyennant la somme de deux mille francs et je vais continuer! J'en ai d'autres qui suivront... Le marché est fini, je paraîtrai dans *La Revue de Paris* pendant six numéros de suite, à partir de juillet. Après quoi, je revendrai mon affaire à un éditeur qui la mettra en volume[1]. »

Il rentre à Croisset à la fin du mois d'avril, peaufine encore son texte, et, le 1ᵉ juin 1856, annonce à Louis Bouilhet : « J'ai enfin expédié hier à Du Camp le manuscrit de la *Bovary* allégé de trente pages environ, sans compter, par-ci par-là, beaucoup de lignes d'enlevées. J'ai supprimé trois grandes tartines d'Homais, un paysage en entier, les conversations de bourgeois dans le bal... etc. Tu vois, vieux, si j'ai été héroïque. Le livre y a-t-il gagné? Ce qui est sûr, c'est que l'ensemble a maintenant plus de mouvement. Si tu retournes chez Du Camp, je serais curieux de savoir ce qu'il en pense. Pourvu (*inter nos*) que ces gaillards-là ne me reculent pas! Car je ne te cache point, cher vieux, que j'ai *maintenant* envie de me voir imprimé et le plus promptement possible. »

Cette hâte l'étonne lui-même. Que s'est-il passé pour qu'il se laisse si aisément convaincre? Est-ce l'atmosphère délétère de la capitale qui l'a contaminé au point de le transformer en un homme de lettres pareil aux autres? Ou est-ce la conscience des qualités de son œuvre qui le pousse

1. Lettre du 9 avril 1856.

aujourd'hui à en souhaiter la divulgation ? Il a l'impression d'être à la fois un écrivain de métier sûr de sa plume et un novice qui n'a jamais encore affronté le jugement du monde. Le vent de l'aventure l'enveloppe. Il attend, avec les battements de cœur d'un débutant, la réponse de Paris.

XII

L'ŒUVRE, LA PUBLICATION, LE PROCÈS

À peine s'est-il séparé du manuscrit de *Madame Bovary*
que Flaubert s'interroge : a-t-il eu raison de consentir à la
publication de ce livre? A-t-il même eu raison de l'écrire?
Qui s'intéressera à l'histoire d'une petite-bourgeoise adultère dont les déceptions successives aboutissent à un
suicide? Dès l'abord, ce sujet réaliste l'a rebuté comme
étant étranger à son tempérament tumultueux et lyrique.
Puis, forçant sa nature, il s'est appliqué à l'animer en
songeant que c'était là un excellent exercice de style. Et
peu à peu Emma a pris possession de lui avec tant de force
qu'il a pu dire : « La Bovary, c'est moi. » Mais, tout en
étant captivé par elle, tout en s'identifiant à elle, il a
constamment surveillé sa plume. Et c'est ce mélange d'une
obsession hallucinatoire et d'une froide maîtrise de l'expression qui donne à l'œuvre sa couleur unique. D'un bout
à l'autre du roman, Flaubert, malgré un formidable bouillonnement intérieur, contrôle son imagination, dompte ses
sens et parle un langage mesuré. « Il faut écrire froidement », dit-il. Ou encore : « Ce n'est pas avec le cœur
qu'on écrit, c'est avec la tête. » Rompant avec les inclinations de sa jeunesse, il se méfie de l'inspiration qui pousse
l'auteur à se jeter tout entier dans un récit. Il ne veut plus
que celui-ci soit le déversoir de ses états d'âme. C'est en
s'effaçant derrière ses personnages qu'il leur donnera la
vie, pense-t-il, non en intervenant pour approuver ou

condamner leur conduite. C'est en restant impartial et impassible qu'il traduira avec le plus d'efficacité le tourment qui les agite. C'est par son absence qu'il assurera leur présence. À cette méthode quasi scientifique de l'observation des êtres et des choses correspond chez Flaubert un style d'une netteté de silex. Lui, si débridé, si impulsif dans ses lettres, se montre dans *Madame Bovary* avare d'adjectifs et de métaphores. Tout est dit, en peu de mots, avec une simplicité tranchante. L'écrivain procède par scènes, comme au théâtre. De l'une à l'autre, on avance dans la connaissance des lieux et l'intimité des protagonistes. Pas une description inutile. Toutes, quelle que soit leur longueur, n'ont pour but que d'éclairer l'action. On a dit que le village imaginaire d'Yonville-l'Abbaye où se situe la majeure partie de l'histoire correspond, point par point, au village authentique de Ry où vécut Delphine Delamare. Mais il peut s'agir aussi bien de Forges-les-Eaux où Flaubert, sa mère et Caroline ont cherché refuge, pendant quelques semaines, pour échapper aux visites d'Émile Hamard devenu fou et qui voulait reprendre sa fille. Quant à Emma Bovary, il est bien difficile de retrouver les origines réelles de cette figure fictive. Certes, la triste aventure de Delphine Delamare, trompant un mari médiocre, contractant des dettes et mourant désespérée, a servi de point de départ au premier scénario. Mais Emma, c'est aussi Louise Pradier, la femme infidèle du sculpteur, qui passe de bras en bras, emprunte de l'argent, est menacée de saisie et songe à se jeter dans la Seine. Flaubert a reçu ses confidences et lu un manuscrit, *Mémoires de madame Ludovica*, qui relate ses folles aventures. Peut-être aussi a-t-il été inspiré par la célèbre Mme Lafarge qui vient d'empoisonner son mari, un butor incapable de comprendre ses inclinations romanesques. Et comment ne pas songer aussi à Élisa Schlésinger, à Eulalie Foucaud, à Louise Colet? Quand il écrit son roman, toutes les femmes qu'il a aimées se pressent dans sa tête. Il vole à chacune un peu de sa substance. À l'une il emprunte sa chevelure, à

162

l'autre la nuance de sa peau, à la troisième sa coquetterie, à la quatrième ses robes, à la cinquième ses songes d'épouse frustrée. Le tout se conjugue dans son esprit jusqu'à former un personnage unique qui ne ressemble à aucun de ses modèles mais a les nerfs, le sang, les élans d'âme de son auteur. Oui, Flaubert a bien raison de dire : « La Bovary, c'est moi. » L'état nerveux de son héroïne, avec ses exaltations, ses éclairs, ses rechutes, ses vertiges, ses malaises, il le connaît pour en avoir souffert lui-même pendant son travail. Il a beau jurer que « tout est inventé » dans son livre, il ne s'y est pas moins représenté sous les traits d'une femme insatisfaite, déchirée entre ses aspirations vers les amours éthérées et la vulgaire évidence quotidienne. Emma Bovary, c'est le combat tragique d'une âme éprise d'idéal qui se heurte aux banales exigences de la vie en province. Flaubert a trop souvent ressenti cet antagonisme pour ne pas l'avoir exprimé avec force en changeant de sexe. Lui aussi vit en bourgeois et rêve en poète. Mais, à la différence d'Emma, il a, pour assurer son équilibre, l'exutoire de la création littéraire.

D'où vient le nom de Bovary? Certains y voient la déformation du nom d'Esther Bovery, plaignante d'un procès à Rouen, en 1845, d'autres penchent pour une analogie avec le nom de Bouvaret, propriétaire de l'hôtel du Caire où Flaubert était descendu en 1849, lors de son voyage en Orient. Si l'on s'en tient à cette dernière version, il est fort possible que, conformément au témoignage de Maxime du Camp, Flaubert se soit écrié devant la deuxième cataracte du Nil : « J'ai trouvé! Eurêka! Eurêka! Je l'appellerai Madame Bovary. » D'innombrables exégètes se sont de même appliqués à découvrir les modèles des autres personnages du roman. Ainsi Rodolphe Boulanger, l'élégant propriétaire foncier dont Emma devient la maîtresse, serait Louis Campion, don Juan de village, qui, après de multiples aventures, s'est suicidé en 1852. Il a été l'amant de Delphine Delamare et, comme dans le roman, c'est un clerc de notaire qui l'a remplacé auprès de la jeune femme. L'abbé Bournisien aurait beaucoup de points communs avec un certain abbé Lafortune, et le pharmacien Homais, superbe d'assurance et de sottise, serait le portrait à peine retouché, au physique comme au moral, de l'apothicaire Jouanne qui exerçait à Ry. On aurait même retrouvé des exemplaires vivants du maire Tuvache et du négociant Lheureux. Et certes, Flaubert a nourri son œuvre de mille observations directes. Mais ces graines de vérité sont d'une importance infime dans le travail qu'il s'impose. À partir de données minuscules, il insuffle la vie à des personnages dont chacun – fait rarissime – devient un type humain. Ainsi *Madame Bovary*, ce n'est pas seulement Emma, son mari Charles, ses amants, Rodolphe et Léon, mais toute la petite société de la bourgade d'Yonville. La peinture de cet environnement provincial est nécessaire à la compréhension de la psychologie d'Emma. C'est par le contraste entre les autres et elle que le drame prend sa véritable ampleur. Ces « autres » sont tous, d'ailleurs, de tristes échantillons de l'humanité. Malgré son amour aveugle pour Emma, Charles Bovary traîne sa médiocrité tout au long du livre. Homais affiche une suffisance et une bêtise solennelle qui le rendent vite odieux. L'abbé Bournisien est un prêtre dénué de toute élévation spirituelle, Rodolphe un séducteur de bas étage, Léon un faible et un veule, Lheureux une crapule...

Afin d'assurer la progression de l'histoire, Flaubert adopte une méthode de préparation sévère. Avant de rédiger son texte, il en note le plan en style télégraphique. Les différentes parties sont développées ensuite dans des scénarios plus précis. À ces scénarios succèdent des esquisses écrites d'une plume très libre, dans le mouvement de l'inspiration. C'est sur ces esquisses que s'accomplit la besogne ardue de l'épluchage et de l'équilibrage. Flaubert les reprend mot par mot, les resserre, les cisèle infatigablement et, en fin de journée, se réjouit d'avoir sauvé quelques phrases du désastre. Ces phrases, il les récite d'une voix claironnante dans le silence de son bureau. Si elles résistent à l'épreuve du « gueuloir », il les considère comme définitives. Sinon, il les remet avec rage sur le métier pour leur donner la sonorité voulue. Et, au terme de cette exténuante acrobatie verbale, il obtient le miracle d'une prose qui donne l'illusion du naturel et de la facilité.

À peine a-t-il expédié son manuscrit à *La Revue de Paris* qu'il se remet à écrire. Cette fois, il essaie de remanier sa *Tentation de saint Antoine* : « J'espère rendre cela lisible et pas trop embêtant[1]. » En même temps, il réunit une documentation pour une légende médiévale. Ces travaux le changent agréablement de l'atmosphère étouffante de la *Bovary*. Mais il ne cesse de penser à elle. Le silence de Maxime Du Camp l'inquiète. « Je me suis conduit comme un sot en faisant *comme les autres*, en allant habiter Paris, en voulant publier. J'ai vécu dans une sérénité d'art parfaite, tant que j'ai écrit pour moi seul. Maintenant je suis plein de doutes et de troubles. Et j'éprouve une chose nouvelle : écrire m'embête. Je sens contre la littérature la haine de l'impuissance[2]. »

Au vrai, il n'a pas tort de s'alarmer. À Paris, les codirecteurs de Maxime Du Camp à *La Revue de Paris* – Louis Ulbach et Laurent-Pichat –, ayant pris connaissance du manuscrit, craignent que sa publication ne provoque un scandale. La censure est sévère sous le Second Empire. Déjà les autorités jugent la revue trop libérale. Ne vont-elles pas prendre prétexte de l'immoralité de l'œuvre pour supprimer définitivement le journal? « Nous allions publier, déclare Ulbach, une œuvre étrange, hardie, cynique dans sa négation, déraisonnable à force de raison, fausse par trop de vérités de détail, mal observée à cause de l'émiettement pour ainsi dire de l'observation; sans tristesse généreuse..., sans élan..., sans amour. » Le 14 juillet, sur le conseil de Laurent-Pichat, Maxime Du Camp

1. Lettre à Louis Bouilhet du 1er juin 1856.
2. Lettre à Louis Bouilhet du 16 juin 1856.

adresse à Flaubert une lettre lui annonçant que son roman est trop touffu pour être publié tel quel : « Nous y ferons les coupures que nous jugeons indispensables; tu le publieras ensuite en volume comme tu l'entendras, cela te regarde... Tu as enfoui ton roman sous un tas de choses bien faites, mais inutiles; on ne le voit pas assez; il s'agit de le dégager, c'est un travail facile. Nous le ferons faire sous nos yeux par une personne exercée et habile, on n'ajoutera pas un mot à ta copie, on ne fera qu'élaguer; ça te coûtera une centaine de francs qu'on réservera sur tes droits, et tu auras publié une bonne chose, vraiment bonne, au lieu d'une œuvre incomplète et trop rembourrée. »

Stupéfait qu'on puisse traiter avec tant de légèreté un texte qui lui a donné tant de mal, Flaubert note au verso de la lettre : « Gigantesque! » Et il se précipite à Paris pour plaider la cause de son livre. Après une rude discussion avec Laurent-Pichat, il fait quelques concessions de détail et repart apaisé. Dans son numéro du 1ᵉʳ août 1856, *La Revue de Paris* annonce la parution de *Madame Bovary (Mœurs de province)* mais une coquille dénature le nom de l'auteur. Il manque un « l ». On lit *Faubert* au lieu de *Flaubert*. Faubert est le nom d'un épicier de la rue de Richelieu, en face du Théâtre-Français. « Ce début ne me paraît pas heureux, note Flaubert. Je ne suis pas encore paru que l'on m'écorche[1]. » À Croisset, l'été est torride, les moustiques sont enragés, Flaubert travaille par à-coups à son *Saint Antoine* et attend avec impatience des nouvelles de la *Bovary*. Il est persuadé que Laurent-Pichat retarde la publication du roman afin de lasser l'auteur et le préparer à d'autres coupures : « J'ai pourtant sa parole et je la lui rendrai, avec un joli remerciement, s'ils continuent longtemps de ce train-là... *Je suis harassé de la Bovary*. Et il me tarde d'en être quitte[2]. » Enfin, le 21 septembre 1856, il est rassuré : une lettre de Maxime Du Camp l'avertit que son

1. Lettre à Louis Bouilhet du 3 août 1856.
2. Lettre à Louis Bouilhet du 24 août 1856.

roman commencera à paraître, dans son intégralité, à partir du 1ᵉʳ octobre. En recevant la première livraison de la revue il éprouve, à voir sa prose imprimée, un mélange de fierté et de gêne. Tout est désormais joué. Le voudrait-il qu'il ne pourrait changer une virgule. Il a mis ses rêves en vente. Son Emma, la compagne de tant de nuits de fièvre, est devenue l'Emma de tout le monde. Et puis, il y a les erreurs typographiques ! « Je n'ai remarqué que les fautes d'impression, trois ou quatre répétitions de mots qui m'ont choqué, et une page où les *qui* abondaient[1]. » Une chose est sûre : on n'a rien changé à son texte. Il en remercie Laurent-Pichat et justifie son obstination à ne pas édulcorer le récit : « Croyez-vous donc que cette ignoble réalité, dont la reproduction vous dégoûte, ne me fasse pas autant qu'à vous sauter le cœur ? Si vous me connaissiez davantage, vous sauriez que j'ai la vie ordinaire en exécration... Mais esthétiquement j'ai voulu, cette fois et rien que cette fois, la pratiquer à fond. Aussi ai-je pris la chose d'une manière héroïque, j'entends minutieuse, en acceptant tout, en disant tout, en peignant tout (expression ambitieuse). Je m'explique mal. Mais c'en est assez pour que vous compreniez quel était le sens de ma résistance à vos critiques, si judicieuses qu'elles soient. Vous me refaisiez un autre livre... L'art ne réclame ni complaisance ni politesses. Rien que la foi, la foi toujours et la liberté[2]. »

Or, en novembre 1856, Maxime Du Camp apprend par un proche des milieux officiels que *La Revue de Paris* risque des poursuites judiciaires si elle continue à publier *Madame Bovary* sous sa forme actuelle. Une fois de plus, il essaie d'obtenir de Flaubert la suppression des passages dangereux. Flaubert se cabre et refuse. Maxime Du Camp insiste : « Il ne s'agit pas de plaisanter, lui écrit-il le 18 novembre 1856. Ta scène du fiacre est *impossible*, non pour nous qui nous en moquons, non pour moi qui signe

1. Lettre à Jules Duplan du 11 octobre 1856.
2. Lettre du 2 octobre 1856.

le numéro, mais pour la police correctionnelle qui nous condamnerait net... Nous avons deux avertissements, on nous guette et on ne nous raterait pas à l'occasion. » De son côté, et pour les mêmes raisons, Ulbach demande à Flaubert d'exclure, à la fin, l'épisode de l'extrême-onction et de la veillée du corps par le prêtre et l'apothicaire. Flaubert tempête et finit par consentir à quelques changements secondaires. Mais, en lisant le numéro du 1er décembre 1856, il constate que de nombreuses coupures ont été faites sans son accord. Du coup, il explose et s'en prend à Laurent-Pichat, coupable de l'avoir trompé en lui promettant de respecter son œuvre : « Je ne ferai rien, pas une correction, pas un retranchement, pas une virgule de moins, rien, rien!... Mais si *La Revue de Paris* trouve que je la compromets, si elle a peur, il y a quelque chose de bien simple, c'est d'arrêter là *Madame Bovary* tout court. Je m'en moque parfaitement. » Et il ajoute : « En supprimant le passage du fiacre, vous n'avez rien ôté de ce qui scandalise et en supprimant, dans le sixième numéro, ce qu'on me demande, vous n'ôterez rien encore. Vous vous attaquez à des détails, c'est à l'ensemble qu'il faut s'en prendre. L'élément brutal est au fond et non à la surface. On ne blanchit pas les nègres et on ne change pas le *sang* d'un livre. On peut l'appauvrir, voilà tout[1]. »

Maxime Du Camp va trouver Flaubert pour tenter de le raisonner, mais se heurte à un mur : « Je m'en moque; si mon roman exaspère les bourgeois, je m'en moque; si l'on nous envoie en police correctionnelle, je m'en moque; si *La Revue de Paris* est supprimée, je m'en moque! Vous n'aviez qu'à ne pas accepter la *Bovary*, vous l'avez prise, tant pis pour vous, vous la publierez telle quelle[2]. » Alors Maxime Du Camp essaie de gagner Mme Flaubert à sa cause. Mais elle refuse de se mêler d'une affaire à laquelle elle ne comprend goutte. Finalement, les directeurs de la revue

1. Lettre du 7 décembre 1856.
2. Maxime Du Camp, *Souvenirs littéraires*.

restent sur leurs positions et Flaubert exige qu'ils insèrent dans leur publication un avertissement de l'auteur ainsi conçu : « Des considérations que je n'ai pas à apprécier ont conduit *La Revue de Paris* à faire une suppression dans le numéro du 1er décembre. Ses scrupules s'étant renouvelés à l'occasion du présent numéro, elle a jugé convenable d'enlever encore plusieurs passages. En conséquence, je déclare dénier la responsabilité des lignes qui suivent. Le lecteur est donc prié de n'y voir que des fragments et non pas un ensemble. »

La veille de Noël, Flaubert signe avec Michel Lévy un contrat d'édition cédant *Madame Bovary* pour cinq ans, moyennant huit cents francs. Entre-temps, *Le Nouvelliste de Rouen* a entrepris, lui aussi, la publication du roman en feuilleton. Mais, à l'instar de *La Revue de Paris*, le journal local a des scrupules et, dès le 14 décembre, il prévient ses lecteurs : « Nous prenons le parti d'arrêter après ce numéro la publication de *Madame Bovary*, parce que nous ne pourrions la continuer sans opérer plusieurs retranchements. » À ce moment-là, Flaubert est à Paris. Il fait « le chef de claque » pour la représentation de la pièce de Louis Bouilhet, *Madame de Montarcy*, qui remporte un grand succès à l'Odéon. Quant à *Madame Bovary*, les échos qu'il en reçoit lui paraissent plutôt favorables. « La *Bovary* marche au-delà de mes espérances, écrit-il à Louis Bonenfant. Les femmes seulement me regardent comme " une horreur d'homme ". On trouve que je suis trop vrai. Voilà le fond de l'indignation... Je t'avouerai, du reste, que tout cela m'est parfaitement indifférent. La morale de l'Art consiste dans sa beauté même, et j'estime par-dessus tout d'abord le style, et ensuite le vrai. Je crois avoir mis dans la peinture des mœurs bourgeoises et dans l'exposition d'un caractère de femme naturellement corrompu autant de littérature et de convenances que possible, une fois le sujet donné, bien entendu. Je ne suis pas près de recommencer une pareille besogne. Les milieux communs me répugnent et c'est parce qu'ils me répugnent que j'ai pris celui-là, lequel était archi-commun et anti-plastique. Ce travail aura servi à m'assouplir la patte; à d'autres exercices maintenant [1]. »

Cependant, le gouvernement s'émeut des rumeurs qui courent au sujet de ce livre audacieux. Le ministère public se saisit de l'affaire. Le texte du roman est examiné à la loupe. On y découvre de nombreuses « atteintes à la morale ». L'auteur, les directeurs et l'imprimeur de la revue sont évidemment responsables. Sentant venir l'orage, Flaubert, loin de s'effondrer, se redresse d'indignation. Son retrait délibéré du monde ne l'empêche pas de montrer, à l'occasion, un caractère combatif. Sortant de son nid douillet, il fait front avec la rage de l'innocence piétinée. « Mon affaire est une *affaire politique*, parce qu'on veut, à toute force, exterminer *La Revue de Paris* qui agace le pouvoir, écrit-il, le 1er janvier 1857, à son frère Achille. Elle a déjà eu deux avertissements et il est très habile de la supprimer à son troisième délit pour attentat à la religion : car ce qu'on me reproche surtout, c'est une extrême-onction *copiée* dans *Le Rituel de Paris*. Mais ces bons magistrats sont tellement ânes qu'ils ignorent complètement cette religion dont ils sont les défenseurs. Mon juge d'instruction, M. Treilhard, est un juif, et c'est lui qui me poursuit! Tout cela est d'un grotesque sublime... Je vais devenir le lion de la semaine, toutes les hautes garces s'arrachent la *Bovary* pour y trouver des obscénités qui n'y sont pas. »

Oubliant ses principes d'effacement orgueilleux et de mépris des représentants du pouvoir, il se rend chez le ministre de l'Instruction publique et chez le directeur général de la Police. « On avait cru s'attaquer à un pauvre bougre et, quand on a vu d'abord que j'avais de quoi vivre, on a commencé à ouvrir les yeux, écrit-il encore à son frère, deux jours plus tard. Il faut qu'on sache au ministère de l'Intérieur que nous sommes, à Rouen, ce

1. Lettre du 12 décembre 1856.

170

qu'on appelle *une famille*, c'est-à-dire que nous avons des racines profondes dans le pays et qu'en m'attaquant, pour immoralité surtout, on blessera beaucoup de monde. J'attends de grands effets de la lettre du préfet au ministre de l'Intérieur. » Il est tellement persuadé que les juges, dûment éclairés, vont renoncer aux poursuites qu'il se réjouit presque du scandale soulevé par son roman. Alors que, naguère encore, il hésitait à le publier, aujourd'hui il se rengorge à l'idée que tant de gens en parlent. Porté par le succès, il confie à Achille : « Sois sûr, cher frère, que je suis maintenant considéré comme un *môssieu*, de toutes façons. Si je m'en tire (ce qui me paraît très probable), mon livre va se vendre véritablement bien... N'importe! Soigne le préfet et ne t'arrête que quand je te le dirai[1]. » Il va même jusqu'à suggérer à son frère une manœuvre de caractère strictement politique : « Tâche de faire dire *habilement* qu'il y aurait quelque danger à m'attaquer, à *nous* attaquer, à cause des élections qui vont venir[2]. » Et il précise : « La seule chose vraiment influente sera le nom du père Flaubert et la peur qu'une condamnation n'indispose les Rouennais dans les futures élections. On commence à se repentir, au ministère de l'Intérieur, de m'avoir attaqué inconsidérément. Ce qui arrêtera, c'est de faire voir les *inconvénients politiques* de la chose[3]. » Ce n'est pas seulement à Rouen qu'il cherche des appuis. À Paris aussi, où il réside depuis la mi-octobre, il bat le rappel des amis importants. La princesse de Beauvau, « qui est une bovaryste enragée », s'est rendue deux fois chez l'impératrice pour défendre l'écrivain. Tout semble indiquer que l'accusation est abandonnée. Elle n'aura servi qu'à gagner des partisans au courageux auteur de *Madame Bovary*.

Pendant ce temps, des fragments du *Saint Antoine* paraissent dans *L'Artiste* et donnent au public un nouvel

1. Lettre du 3 janvier 1857.
2. *Ibid.*
3. Lettre du 4 ou du 5 janvier 1857.

aperçu de son talent. Ses confrères l'applaudissent, Lamartine chante son éloge « très haut », ce qui l'étonne, *La Presse* et *Le Moniteur* lui font des propositions « fort honnêtes », on lui demande un opéra-comique et différentes feuilles, « grandes et petites », parlent avec considération de *Madame Bovary*. Flaubert l'explique à sa chère Élisa Schlésinger qui vient de lui écrire une lettre de tendre amitié : « Voilà, chère Madame, et sans aucune modestie, le bilan de ma gloire. » Et il ajoute : « Je vais donc reprendre ma pauvre vie si plate et tranquille, où les phrases sont des aventures et où je ne recueille d'autres fleurs que des métaphores. J'écrirai comme par le passé, pour le seul plaisir d'écrire, pour moi seul, sans aucune arrière-pensée d'argent ou de tapage[1]. »

Or, le 15 janvier, tandis que Flaubert se croit à l'abri des foudres de la justice, son avocat rouennais, Me Sénard, lui annonce que l'affaire est renvoyée en correctionnelle. Abasourdi par ce revirement subit, Flaubert en informe Achille : « Je croyais l'affaire complètement terminée. Le prince Napoléon l'avait par trois fois affirmé et à trois personnes différentes... C'est un tourbillon de mensonges et d'infamies dans lequel je me perds. Il y a là-dessous *quelque chose*, quelqu'un d'invisible et d'acharné... Je n'attends aucune justice, je ferai ma prison, je ne demanderai bien entendu aucune grâce, c'est là ce qui me déshonorerait... Et on ne me clora pas le bec du tout! Je travaillerai comme par le passé, c'est-à-dire avec autant de conscience et d'indépendance. Ah! je leur en foutrai des romans! Et des vrais!... Dans tout cela, la *Bovary* continue son succès; il devient *corsé*, tout le monde l'a lue, la lit ou veut la lire. Ma persécution m'a ouvert mille sympathies. Si mon livre est mauvais, elle servira à le faire paraître meilleur, s'il doit au contraire demeurer, c'est un piédestal pour lui... J'attends de minute en minute le papier timbré qui m'indiquera le jour où je dois aller m'asseoir (pour crime d'avoir

1. Lettre du 14 janvier 1857.

écrit en français) sur le banc des filous et des pédéras-tes[1]. »

Chaque jour qui passe le confirme dans l'idée qu'en l'attaquant le ministère public l'a transformé en martyr des lettres. Homme d'ombre, il est devenu, malgré lui, l'écla-tant symbole du talent outragé. « Les démarches que j'ai faites m'ont beaucoup servi en ce sens que j'ai maintenant pour moi *l'opinion*, écrit-il encore à Achille. Il n'est pas un homme de lettres dans Paris qui ne m'ait lu et qui ne me défende, tous s'abritent derrière moi, ils sentent que ma cause est la leur. La police s'est méprise : elle croyait s'en prendre au premier roman venu et à un petit grimaud littéraire; or, il se trouve que mon roman passe maintenant et en partie grâce à la persécution pour un chef-d'œuvre; quant à l'auteur, il a pour défenseurs pas mal de ce qu'on appelait autrefois des grandes dames, l'Impératrice (entre autres) a parlé pour moi deux fois[2]. » Lamartine le reçoit, lui fait des compliments « par-dessus les moulins », l'assure de son appui au moment du procès. Et Flaubert observe : « Cela me surprend beaucoup, je n'aurais jamais cru que le chantre d'Elvire se passionnât pour Homais. » En tout cas, il est sûr à présent que « ses actions montent ». *Le Moniteur* offre de le payer dix sols la ligne, « ce qui ferait pour un roman comme la *Bovary* environ dix mille francs ». Conclusion : « Que je sois condamné ou non, mon trou maintenant n'en est pas moins fait[3]. »

Il est cependant très ému en comparaissant, le 29 janvier 1857, devant la sixième chambre de police correctionnelle, au Palais de Justice de Paris. Ses coaccusés sont Auguste Pillet, l'imprimeur, et Laurent-Pichat, le directeur de *La Revue de Paris*. Le procureur général, Ernest Pinard, commence son réquisitoire sur un ton acerbe. Après avoir résumé l'intrigue du roman, il en isole les passages qu'il

1. Lettre du 16 janvier 1857.
2. Lettre du 20 janvier 1857.
3. Lettre à son frère Achille du 25 janvier 1857.

juge obscènes ou blasphématoires et s'appuie sur de nombreuses citations. À son avis, si l'imprimeur n'est qu'à demi coupable et si le directeur de la revue peut invoquer en sa faveur le refus de publier certains épisodes scabreux, l'auteur, lui, n'a aucune excuse. « L'art sans règle n'est plus l'art! s'écrie-t-il avec une emphase comique. C'est comme une femme qui quitterait tout vêtement. Imposer à l'art l'unique règle de la décence publique, ce n'est pas l'asservir, mais l'honorer. On ne grandit qu'avec une règle. » Quand Me Sénard se lève pour la plaidoirie, le public retient son souffle. Dans le prétoire, beaucoup de jolies femmes, quelques visages célèbres. Il s'agit d'un procès très parisien. Flaubert défaille sous tant de regards fixés sur lui. Que ne donnerait-il pour s'enfouir à nouveau dans son trou de province? La voix de l'avocat retentit, superbe d'assurance. Il parlera quatre heures d'affilée. Flaubert boit ses paroles avec gratitude. « La plaidoirie de maître Sénard a été splendide, écrit-il, dès le lendemain, à son frère. Il a écrasé le ministère public, qui se tordait sur son siège et a déclaré qu'il ne répondrait pas. Nous l'avons accablé sous les citations de Bossuet et de Massillon, sous des passages graveleux de Montesquieu, etc. La salle était comble. C'était chouette et j'avais une fière balle. Je me suis permis une fois de donner en personne un *démenti* à l'avocat général qui, séance tenante, a été convaincu de mauvaise foi et s'est rétracté. Tu verras du reste tous les débats mot pour mot, parce que j'avais à moi (à raison de soixante francs l'heure) un sténographe qui a tout pris[1]. » Me Sénard évoque d'abord la haute figure du père de l'accusé, puis les qualités de ses deux fils, dont l'un est médecin comme il le fut lui-même à l'Hôtel-Dieu de Rouen, et dont l'autre est un écrivain exceptionnel. Analysant le roman chapitre par chapitre, il démontre qu'il s'agit d'une peinture profondément morale puisque l'héroïne est punie de ses fautes. Il cite une lettre de Lamartine décla-

1. Lettre du 30 janvier 1857.

rant que *Madame Bovary* est la plus belle œuvre dont il ait eu connaissance depuis vingt ans. Il lit tout le passage du fiacre pour prouver qu'il ne comporte aucun détail licencieux. Enfin, abordant la description du rite de l'extrême-onction, il révèle que l'auteur n'a fait, en la rédigeant, que transposer en français le texte latin du *Rituel*, manuel religieux. Chaque coup porte. Flaubert se regonfle. « Tout le temps de la plaidoirie, le père Sénard m'a posé comme un grand homme et traité mon livre de chef-d'œuvre », écrit-il dans la même lettre.

Le verdict est prononcé le 7 février 1857. Tout en blâmant les accusés pour la légèreté dont ils ont fait preuve en publiant une œuvre offensante pour les bonnes mœurs, le tribunal les acquitte et les renvoie sans dépens. Pour la première fois depuis des mois, Flaubert respire à pleins poumons. Mais il est écœuré, rompu. « Il m'est resté de mon procès une courbature physique et morale qui ne me permet de remuer ni pied ni plume, écrit-il à Louise Pradier. Ce tapage fait autour de mon premier livre me semble tellement étranger à l'art qu'il me dégoûte et m'étourdit. Combien je regrette le mutisme de poisson où je m'étais tenu jusqu'alors. Et puis l'avenir m'inquiète : quoi écrire qui soit plus inoffensif que ma pauvre *Bovary*, traînée par les cheveux, comme une catin, en pleine police correctionnelle?... Quoi qu'il en soit, et malgré l'acquittement, je n'en reste pas moins à l'état d'auteur suspect. Médiocre gloire!... Je ne vais pas tarder à m'en retourner dans ma maison des champs, loin des humains, comme on dit en tragédie, et là je tâcherai de mettre de nouvelles cordes à ma pauvre guitare, sur laquelle on a jeté de la boue avant même que son premier air ne soit chanté[1]. » Dans une autre lettre, il affirme : « J'ai beaucoup perdu cet hiver. Je valais mieux il y a un an. Je me fais l'effet d'une prostituée... Je suis dégoûté de moi[2]. » Ailleurs encore :

1. Lettre du 10 février 1857.
2. Lettre à Frédéric Baudry du 10 février 1857.

« J'ai envie de rentrer et pour toujours dans la solitude et le mutisme dont je suis sorti, de ne rien publier pour ne plus faire parler de moi. Car il me paraît impossible par le temps qui court de rien dire. L'hypocrisie sociale est tellement féroce[1] ! » À présent, l'idée de voir paraître son roman en volume lui répugne. Ses amis et sa mère insistent pour qu'il ne renonce pas à ce projet. Du reste, il a signé un contrat avec Michel Lévy. Il ne peut plus se dédire. Mais, s'il rétablit dans le livre les passages supprimés dans la revue, ne s'exposera-t-il pas à de nouvelles poursuites? Tant pis. Le public a droit au texte intégral. *Madame Bovary* mérite ce dernier combat.

Au mois d'avril 1857, le roman est en librairie. Deux tomes. Tirage : six mille six cents exemplaires. Préparé par le scandale du procès, le succès auprès du public est immédiat. Vite épuisé, l'ouvrage est réédité à quinze mille, mais, l'auteur ayant traité à forfait, Michel Lévy se contente de lui octroyer une prime de cinq cents francs. Si l'opération est médiocre pour Flaubert sur le plan financier, elle sert largement sa renommée. Il reçoit des lettres enthousiastes de Victor Hugo, de Champfleury, chef de l'école réaliste, et même de Sainte-Beuve, qui déplore cependant l'absence de sentiments doux, purs et profonds dans une production de cette importance : « Cela eût reposé. Cela eût rappelé qu'il y a du bon même au milieu du mauvais et du bête. » Le même Sainte-Beuve donne un article sur *Madame Bovary* dans *Le Moniteur*. Après quelques coups de griffe, il reconnaît que l'œuvre est « entièrement impersonnelle », ce qui est « une grande preuve de force ». Et il note que « fils et frère de médecins distingués, M. Flaubert tient la plume comme d'autres un scalpel ». Cette opinion élogieuse dans un journal gouvernemental n'est pas, loin de là, partagée par le reste de la critique. « C'est l'exaltation maladive des sens et de l'imagination dans la démocratie mécontente », déclare

1. Lettre à Maurice Schlésinger du 11 février 1857.

M. de Pontmartin. « Art de second ordre..., nous méritons mieux », renchérit Paulin Limayrac dans *Le Constitutionnel*. « Œuvre laborieuse, vulgaire et coupable », juge Veuillot dans *L'Univers*. Dans *Le Journal des débats*, Cuvillier-Fleury lance cette prophétie : « Dans *Madame Bovary*, si elle peut vieillir, il y a tout l'avenir d'une marchande à la toilette. » Charles de Mazade, dans *La Revue des Deux Mondes*, reconnaît que Flaubert a un brin de talent : « Seulement, dans ce talent, il y a jusqu'ici plus d'imitation et de recherche que d'originalité. L'auteur a un certain don d'observation rigoureuse et âcre, mais il saisit les objets pour ainsi dire par l'extérieur, sans pénétrer jusqu'aux profondeurs de la vie morale. » Duranty, dans sa revue *Le Réalisme*, écrit : « Il n'y a ni émotion, ni sentiment, ni vie dans ce roman, mais une grande force d'arithmétique. Le style a des allures inégales, comme chez tout homme qui écrit artistiquement sans sentir, tantôt des pastiches, tantôt du lyrisme, rien de personnel. Avant que ce roman ait paru, on le croyait meilleur. Trop d'étude ne remplace pas la spontanéité qui vient du sentiment. » Et Granier de Cassagnac, après quelques compliments passe-partout, compare *Madame Bovary* à « un gros tas de fumier ». Au milieu de ce déferlement de reproches, une appréciation flatteuse dans *L'Artiste*, un journal, il est vrai, peu répandu. On y lit que l'auteur utilise « un style nerveux, pittoresque, subtil, exact, sur un canevas banal », qu'il évoque « les sentiments les plus chauds et les bouillants dans l'aventure la plus triviale » et qu'il en est résulté « une merveille ». L'article est signé Baudelaire.

La publication de *Madame Bovary* vaut à Flaubert de nombreuses lettres de femmes, émues par le destin de l'héroïne et qui se reconnaissent en elle. Celle qui lui écrit avec le plus d'insistance est une romancière exubérante, Mlle Leroyer de Chantepie, de vingt et un ans son aînée, qui habite la province et lui envoie son portrait et deux de ses livres en hommage. Excédé par ses tribulations judiciaires, il éprouve le besoin de s'épancher auprès d'une personne du sexe, qui de surcroît l'admire. N'ayant plus Louise Colet sous la main, il se rabat sur Mlle Leroyer de Chantepie pour la correspondance. Comme elle l'interroge sur la genèse de *Madame Bovary*, il lui répond : « *Madame Bovary* n'a rien de vrai. C'est une histoire *totalement inventée* ; je n'y ai rien mis ni de mes sentiments ni de mon existence. L'illusion (s'il y en a une) vient au contraire de *l'impersonnalité* de l'œuvre. C'est un de mes principes, qu'il ne faut pas *s'écrire*. L'artiste doit être dans son œuvre comme Dieu dans la création, invisible et tout-puissant, qu'on le sente partout mais qu'on ne le voie pas. » Et il continue en étalant ses états d'âme à cette inconnue : « J'ai longtemps, Madame, vécu de votre vie. Moi aussi, j'ai passé plusieurs années complètement *seul*, à la campagne, n'ayant d'autre bruit l'hiver que le murmure du vent dans les arbres avec le craquement de la glace, quand la Seine charriait sous mes fenêtres. Si je suis arrivé à quelque connaissance de la vie, c'est à force d'avoir peu vécu dans le sens ordinaire du mot, car j'ai peu mangé, mais considérablement ruminé ; j'ai fréquenté des compagnies diverses et vu des pays différents. J'ai voyagé à pied et à dromadaire. Je connais les boursiers de Paris et les juifs de Damas, les rufians d'Italie et les jongleurs nègres... Ajoutez ceci pour avoir mon portrait et ma biographie complète : que j'ai trente-cinq ans, je suis haut de cinq pieds huit pouces, j'ai des épaules de portefaix et une irritabilité nerveuse de petite maîtresse. Je suis célibataire et solitaire[1]. »

Quelques jours plus tard, il complète ainsi ses confidences à Mlle Leroyer de Chantepie : « J'ai considérablement aimé, en silence. Et puis, à vingt et un ans, j'ai manqué mourir d'une maladie nerveuse, amenée par une série d'irritations et de chagrins à force de veilles et de colères. Cette maladie m'a duré dix ans... Je suis né à l'hôpital (de Rouen, dont mon père était le chirurgien en chef ; il a laissé

1. Lettre du 18 mars 1857.

un nom illustre dans son art) et j'ai grandi au milieu de toutes les misères humaines, dont un mur me séparait. Tout enfant, j'ai joué dans un amphithéâtre. Voilà pourquoi, peut-être, j'ai les allures à la fois funèbres et cyniques. Je n'aime point la vie et je n'ai point peur de la mort. L'hypothèse du néant absolu n'a même rien qui me terrifie. Je suis prêt à me jeter dans le grand trou noir avec placidité. Et cependant ce qui m'attire par-dessus tout, c'est la religion. Je veux dire toutes les religions, pas plus l'une que l'autre. Chaque dogme en particulier m'est répulsif, mais je considère le sentiment qui les a inventés comme le plus naturel et le plus poétique de l'humanité... Je n'ai de sympathie pour aucun parti politique ou pour mieux dire je les exècre tous... J'ai en haine tout despotisme. Je suis un libéral enragé. C'est pourquoi le socialisme me semble une horreur pédantesque qui sera la mort de tout art et de toute moralité. J'ai assisté, en spectateur, à presque toutes les émeutes de mon temps[1]. »

Manifestement, il goûte un plaisir vaniteux à s'expliquer, à se raconter, à se faire admirer et plaindre. Tout en proclamant qu'il se déteste, c'est avec une ronde complaisance qu'il parle des singularités de son caractère et de sa vie. Il se juge et il veut qu'on le juge *étonnant*. Son orgueil éclate sous une modestie de surface. Est-il devenu un autre homme depuis la publication de *Madame Bovary*? Il espère que non et cependant, à se frotter au monde remuant et frivole des gens de lettres, il a acquis le désir encore inconscient de s'affirmer comme un grand écrivain, d'acquérir une large audience, d'être estimé par ses pairs, par le public, par la presse. Alors même qu'il se réjouit de fuir bientôt la capitale et ses vains papotages, il est sûr d'y être de nouveau, et dans peu de temps, irrésistiblement attiré. Il y a maintenant dans sa vie un pôle citadin qui s'oppose au pôle champêtre. À Paris, il plastronne, à Croisset il réfléchit et il écrit. Depuis peu, un projet fabuleux le

1. Lettre du 30 mars 1857.

domine : la révolte des mercenaires à Carthage. Au comble de l'excitation, il confie à Mlle Leroyer de Chantepie : « Je m'occupe, avant de m'en retourner à la campagne, d'un travail archéologique sur une des époques les plus inconnues de l'antiquité, travail qui est la préparation d'un autre. Je vais écrire un roman dont l'action se passera trois siècles avant Jésus-Christ, car j'éprouve le besoin de sortir du monde moderne, où ma plume s'est trop trempée et qui d'ailleurs me fatigue autant à reproduire qu'il me dégoûte à voir[1]. »

Désormais, il est sûr que cette plongée dans un passé de splendeur et de violence le délivrera des bassesses de la *Bovary*. « J'ai bien du mal avec Carthage! avoue-t-il encore à un nouvel ami, l'écrivain Ernest Feydeau. Ce qui m'inquiète le plus, c'est le fonds, je veux dire la partie psychologique; j'ai besoin de me recueillir profondément dans « le silence du cabinet », au milieu de « la solitude des champs ». Là peut-être, à force de masturber mon pauvre esprit, parviendrai-je à en faire jaillir quelque chose[2]. » Mais le sort en est jeté : avant même d'avoir écrit la première ligne de ce nouveau livre, il sait que, s'il en est tant soit peu satisfait, il le publiera. Comme *Madame Bovary*. Pour lui, les temps de la littérature secrète sont à jamais révolus.

1. Lettre du 18 mars 1857.
2. Lettre de la fin avril 1857.

XIII

SALAMMBÔ

De nouveau Croisset, avec son confort, son silence, son feuillage léger et son fleuve au mouvement calme. Entre sa mère qui le dorlote et sa nièce, âgée maintenant de onze ans et demi, dont la tendresse et l'espièglerie le ravissent, Flaubert retrouve les habitudes du travail et de la méditation. Ces deux femmes, l'une flétrie, fatiguée, l'autre dans la fraîcheur de l'enfance, le reposent des tumultes et des intrigues de Paris. Avec un appétit dévorant, il avale pêle-mêle les livres les plus ardus ayant trait au passé de Carthage. Il veut tout savoir de l'époque et du lieu où se déroulera son roman. « Quant à moi, j'ai une indigestion de bouquins, écrit-il à Jules Duplan. Je rote l'in-folio. Voilà cinquante-trois ouvrages différents sur lesquels j'ai pris des notes depuis le mois de mars. J'étudie maintenant l'art militaire, je me livre aux délices de la contrescarpe et du cavalier, je pioche les balistes et les catapultes. Je crois enfin pouvoir tirer des effets neufs du tourlourou antique. Quant au paysage, c'est encore bien vague. Je ne *sens* pas encore le côté religieux. La psychologie se cuit tout doucement. Mais c'est une lourde machine à monter, mon cher vieux. Je me suis jeté là dans une besogne bougrement difficile. Je ne sais quand j'aurai fini, ni même quand je commencerai[1]. » Et encore, à Frédéric Baudry : « Je crois

1. Lettre du 28 mai 1857.

que je me suis embarqué dans une sale besogne. Quelquefois cela me paraît superbe. Mais il est des jours où il me semble que je navigue en pleine merde[1]. » L'amas des plumes taillées, sur sa table, lui paraît « un buisson de formidables épines », son encrier, « un océan » où il se noie, la vue du papier blanc lui donne « le vertige[2] ». Au programme de ses lectures, Polybe, Appien, Diodore de Sicile, Isidore, Cornelius Nepos, Pline, Plutarque, Xénophon, Tite-Live et les dix-huit tomes de la Bible de Cahen. « Chaussons le cothurne. Et entamons les grandes gueulades! s'exclame-t-il. Ça fait du bien à la santé[3]. » Et, afin d'expliquer sa rage de documentation, il déclare : « Pour qu'un livre *sue* la vérité, il faut être bourré de son sujet jusque par-dessus les oreilles. Alors la couleur vient tout naturellement, comme un résultat fatal et comme une floraison de l'idée même[4]. »

Absorbé par la préparation de son nouveau livre, il se désintéresse du sort de *Madame Bovary*. En découvrant les critiques violentes que suscite ce roman prétendument immoral, il hausse les épaules et traite les journalistes d'imbéciles. Ces pisseurs de copie sont tous des jaloux qui n'ont rien compris à la grandeur de son combat. Lorsqu'il apprend que *Les Fleurs du mal* de Baudelaire vont faire, elles aussi, l'objet de poursuites judiciaires, il écrit à l'auteur : « Pourquoi? Contre quoi avez-vous attenté?... Ceci est du nouveau : poursuivre un livre de vers! Jusqu'à présent la magistrature laissait la poésie fort tranquille. Je suis grandement indigné[5]. » Mais voici que le curé de la paroisse dont dépend Croisset s'en prend à Flaubert dans son sermon dominical. « Le curé de Canteleu *tonne* contre la *Bovary* et *défend* à ses paroissiennes de me lire, écrit Flaubert à Jules Duplan. Vous allez me trouver bête, mais

1. Lettre du 24 juin 1857.
2. Lettre à Louis de Cormenin du 14 mai 1857.
3. Lettre à Ernest Feydeau de la fin juin 1857.
4. Lettre à Ernest Feydeau du 6 août 1857.
5. Lettre du 14 août 1857.

je vous assure que ç'a été, pour moi, une grande joie de vanité. Cela m'a plus flatté, comme succès, que n'importe quel éloge[1]. » Et, quelques jours plus tard, à Louis Bouilhet : « Ainsi, rien ne m'aura manqué : attaque du gouvernement, engueulades des journaux et haine des prêtres[2]. »

Au début du mois d'octobre, Flaubert se lance enfin dans la rédaction d'un premier jet de son roman que, pour l'instant, il intitule *Carthage*. « J'en suis arrivé, dans mon premier chapitre, à ma petite femme. J'astique son costume, ce qui m'amuse : cela m'a remis un peu d'aplomb. Je me vautre comme un cochon sur les pierreries dont je l'entoure. Je crois que le mot pourpre ou diamant est à chaque phrase de mon livre. Quel galon! Mais j'en retirerai[3]. » En novembre, il change le titre de son ouvrage et en informe Charles-Edmond, directeur de *La Presse* : « Mon affaire aura (je crois) pour titre *Salammbô, roman carthaginois*. C'est le nom de la fille d'Hamilcar, fille inventée par votre serviteur. Mais... ça ne va pas du tout. Je suis malade, moralement surtout, et si vous voulez me rendre un éminent service, ce serait de ne pas plus parler de ce roman que s'il ne devait pas exister[4]. »

Et c'est l'habituelle succession, dans sa vie, des crises de découragement et des élans d'enthousiasme : « J'ai entrepris une fière chose, ô mon bon, une fière chose, et il y a de quoi se casser la gueule avant d'arriver au bout. N'aie pas peur, je ne calerai pas. Sombre, farouche, désespéré, mais pas couillon. Mais pense un peu à ce que j'ai entrepris : vouloir ressusciter toute une civilisation sur laquelle on n'a rien[5]. » Ou bien : « La difficulté est de trouver la note *juste*. Cela s'obtient par une *condensation* excessive de l'idée, que ce soit naturellement ou à force de volonté,

1. Lettre du 3 octobre 1857.
2. Lettre du 8 octobre 1857.
3. Lettre à Jules Duplan du 3 octobre 1857.
4. Lettre du 17 novembre 1857.
5. Lettre à Ernest Feydeau du 24 novembre 1857.

mais il n'est pas aisé de s'imaginer une vérité constante, à savoir une série de détails saillants et probables dans un milieu qui est à deux mille ans d'ici[1]. » En écrivant *Madame Bovary*, il se plaignait d'être enfoncé dans un monde moderne qui lui répugnait, en écrivant *Salammbô* il souffre de l'éloignement de son modèle dans le temps et dans l'espace. Cette fois, il doit tout inventer et obtenir que son mensonge ait force de vérité. Le plus difficile est de faire penser et parler des personnages qui ont vécu vingt siècles plus tôt. « Je sens que je suis dans le faux, comprenez-vous? » écrit-il à Mlle Leroyer de Chantepie. Et à Ernest Feydeau : « Les descriptions, passent encore; mais le dialogue, quelle foirade! » Les deux lettres sont du 12 décembre, jour de son anniversaire. « C'est ce soir que je prends trente-six ans, confie-t-il à Mlle Leroyer de Chantepie. Je me rappelle plusieurs de mes anniversaires. Il y a aujourd'hui huit ans, je revenais de Memphis au Caire, après avoir couché aux Pyramides. J'entends encore d'ici hurler les chacals et les coups du vent qui secouaient ma tente. J'ai l'idée que je retournerai plus tard en Orient, que j'y resterai et que j'y mourrai. »

En attendant, il se prépare à quitter Croisset pour Paris et les mystères antiques de *Salammbô* pour « les débauches monstrueuses » de la capitale. Une récréation bien méritée, estime-t-il. À Paris, il voit Sainte-Beuve, Gautier, Renan, Baudelaire, Feydeau, les frères Goncourt et quelques femmes en vogue, Jeanne de Tourbey, Aglaé Sabatier, surnommée « la Présidente », l'actrice Arnould-Plessy... Dans ce petit groupe, on parle surtout de littérature. Le romantisme est démodé. Alfred de Musset vient de mourir, Marceline Desbordes-Valmore est très vieille, très oubliée. Qui lit encore Chateaubriand, Vigny, Stendhal, Lamartine? Seuls parmi les grands de l'époque précédente restent populaires Balzac, George Sand, Alexandre Dumas et Hugo qui, toujours exilé, fulmine de loin contre l'Empire.

1. Lettre à Ernest Feydeau de la fin novembre 1857.

Déjà d'autres voix se font entendre. Par réaction contre le mouvement intellectuel de leurs prédécesseurs qui prônaient la suprématie du sentiment, de l'imagination et du rêve, des jeunes gens comme Champfleury et Duranty tentent d'imposer un réalisme timide. Cependant, les auteurs les plus prisés du public sont encore un Paul Féval et un Edmond About. Flaubert méprise cette foire d'empoigne mais éprouve une heureuse excitation à bavarder parmi des confrères préoccupés comme lui de jongler avec des mots. À propos d'un de ces débats, les Goncourt notent avec agacement dans leur *Journal* : « Entre Flaubert et Feydeau, mille recettes de style et de forme agités; de petits procédés à la mécanique, emphatiquement et sérieusement exposés; une discussion puérile et grave, ridicule et solennelle, de façons d'écrire et de règles de bonne prose... Il nous a semblé tomber dans une discussion de grammairien du Bas-Empire[1]. » Pour Flaubert, ces questions d'écriture sont loin d'être secondaires. Il affirme qu'une œuvre sans style n'existe pas. Et il veut le prouver avec *Salammbô* plus clairement encore qu'avec *Madame Bovary*. Comme Mlle Leroyer de Chantepie lui écrit que, devenu parisien, il est « un homme du boulevard », « un homme à la mode » adulé et recherché, il proteste avec énergie : « Je vous jure qu'il n'en est rien du tout... Je suis au contraire ce qu'on appelle un ours... Quelquefois, même à Paris, je reste huit jours sans sortir. Je suis en bonnes relations avec beaucoup d'artistes, mais je n'en fréquente qu'un petit nombre... Quant à ce qu'on nomme *le monde*, jamais je n'y vais. Je ne sais ni danser, ni valser, ni jouer à aucun jeu de cartes, ni même faire la conversation dans un salon, car tout ce qu'on y débite me semble inepte[2]. » Pendant quelques jours, une affaire insolite le tourmente. Le théâtre de la Porte-Saint-Martin lui propose de monter une pièce tirée de *Madame Bovary*. Il hésite, consulte Louis

1. Goncourt, *Journal*, 11 avril 1857.
2. Lettre du 23 janvier 1858.

Bouilhet et finalement renonce à ce qu'il considère comme une compromission indigne de lui et de son livre. « Il s'agissait de donner mon titre seulement et je touchais la moitié des droits d'auteur. On eût fait bâcler la chose par un faiseur en renom... Mais ce tripotage d'art et d'écus m'a semblé peu convenable. J'ai tout refusé net et je suis rentré dans ma tanière. Quand je ferai du théâtre, j'y entrerai par la grande porte, autrement non[1]. » Et il précise à Alfred Baudry : « C'est un gain d'une trentaine de mille francs dont je me prive. Merde, voilà comme je suis, pauvre mais honnête. J'entrais dans la catégorie des faiseurs, je me suis cabré d'orgueil. Telle est l'histoire[2]. »

Ayant pris cette décision héroïque, il se sent plus résolu que jamais à poursuivre l'élaboration de *Salammbô*. Mais il est convaincu que, pour donner plus de vérité à son œuvre, il doit se rendre sur les lieux de l'action, humer les odeurs du pays, baigner dans sa lumière. Ce sera un voyage très court, puisqu'il lui suffira de visiter la région de Carthage. Le 23 mars, il annonce à Alfred Baudry : « Je m'esbigne pour " le rivage du Maure " où j'espère ne pas rester captif, de demain en quinze, mercredi 7 avril. Je me suis fait bâtir une paire de bottes à l'écuyère qui me cause une grande volupté. Bref votre ami est satisfait de revoir des flots et des palmiers. » Il a cru, un moment, ne pas pouvoir partir, sa mère étant tombée malade : une pleurésie. Mais elle s'est rétablie, grâce aux soins d'Achille. À présent, elle va tout à fait bien. Elle n'en est pas moins mortellement inquiète de savoir son fils à nouveau lancé dans une aventure exotique. « Comme nous souffrons par nos affections ! écrit Flaubert à Mlle Leroyer de Chantepie. Il n'est pas d'amour qui ne soit parfois aussi lourd à porter qu'une haine ! On sent cela quand on va se mettre en voyage surtout !... Dans huit jours, je serai à Marseille, dans quinze à Constantine et trois jours après à Tunis...

1. *Ibid.*
2. Lettre du 10 février 1858.

Voilà la quatrième fois que je vais me retrouver à Marseille et, cette fois-ci, je serai seul, absolument seul. Le cercle s'est rétréci... Notre vie tourne ainsi continuellement dans la même série de misères, comme un écureuil dans une cage, et nous haletons à chaque degré[1]. »

Il quitte son appartement parisien le lundi 12 avril 1858 et se rend à la gare en fiacre. Dans sa poche, un carnet pour noter ses impressions : « Je fume et refume en retournant en moi toutes mes vieilleries. » À Valence, il s'empiffre « avec rapidité et délices », à Avignon, il déguste des « sorbets à la glace », à Marseille, il se « bourre de bouillabaisse ». Pèlerinage obligatoire à l'hôtel de la rue Darse. Le rez-de-chaussée est occupé par un bazar. Au premier étage, officie un perruquier-coiffeur. Avec une pensée émue pour les caresses d'Eulalie Foucaud, Flaubert va se faire raser par l'artiste capillaire. Le papier des murs n'a pas changé. Deux jours plus tard, il embarque sur le paquebot *L'Hermus*, parmi des émigrants et des troupiers. Pour lutter contre le mal de mer, il mâche du pain frotté d'ail. Puis la houle se calme. « La nuit est belle, écrit-il à Louis Bouilhet, la mer plate comme un lac d'huile, cette vieille Tanit[2] brille, la machine souffle, le capitaine, à côté de moi, fume sur un divan et le pont est encombré d'Arabes qui vont à La Mecque. Couchés dans leurs burnous blancs, la figure voilée et les pieds nus, ils ressemblent à des cadavres dans leurs linceuls. Nous avons aussi des femmes avec leurs enfants. Tout cela, pêle-mêle, dort ou dégueule mélancoliquement, et le rivage de la Tunisie que nous côtoyons apparaît dans la brume... La seule chose importante que j'aie vue jusqu'à présent, c'est Constantine, le pays de Jugurtha. Il y a un ravin démesuré qui entoure la ville. C'est une chose formidable et qui donne le vertige. Je me suis promené au-dessus à pied et dedans à cheval... Des gypaètes tournoyaient dans le ciel.

1. Lettre du 6 avril 1858.
2. Divinité de Carthage dont le symbole était la lune.

En fait d'ignoble, je n'ai jamais rien vu d'ainsi beau que trois Maltais et un Italien (sur la banquette de la diligence de Constantine) qui étaient saouls comme des Polonais, puaient comme des charognes et hurlaient comme des tigres. Ces messieurs faisaient des plaisanteries et des gestes obscènes, le tout accompagné de pets, de rots et de gousses d'ail qu'ils croquaient dans les ténèbres à la lueur de leurs pipes. Quel voyage et quelle société! C'était du Plaute à la douzième puissance[1]. »

Il visite des mosquées fraîches et silencieuses, admire un homme accroupi qui écrit sur un petit pupitre, à côté du tombeau d'un marabout, croise sur la route trois gaillards squelettiques, mangeurs de hachisch et chasseurs de porcs-épics dont ils sont très friands. Lors d'un dîner avec le directeur des Postes et trois autres invités, il constate avec stupeur : « Ils connaissent la *Bovary*! » Retour à Philippeville; puis on se dirige sur Tunis par une plaine aride. Flaubert passe la nuit dans une cahute de terre, au toit de roseaux. « Les chiens du douar aboient. Ils ont cette habitude d'aboyer toute la nuit afin d'écarter les chacals. » Le dimanche 2 mai, c'est la visite des ruines d'Utique. Un amas de blocs informes « comme si un tremblement de terre les eût renversés ». Plus loin enfin, il découvre le paysage de *Salammbô*. « Tout Carthage est beaucoup plus bas que moi, maisons blanches, places vertes : des blés... Un dromadaire sur une terrasse, tournant un puits : *cela devait avoir lieu à Carthage.* » Cependant il affirme à Louis Bouilhet : « Je ne pense nullement à mon roman, je regarde le pays, voilà tout, et je m'amuse énormément... Je connais Carthage *à fond* et à toutes les heures du jour et de la nuit[2]. » À Ernest Feydeau, il raconte qu'il passe la plupart de son temps à cheval, qu'il va dans les cabarets maures entendre des chanteurs juifs, qu'il a participé à une chasse aux scorpions

1. Lettre du 23-24 avril 1858.
2. Lettre du 8 mai 1858.

et qu'il a tué, à coups de fouet, un serpent « long d'un mètre environ » qui s'enroulait aux jambes de sa monture. Il parcourt la région avec un émerveillement renouvelé, de paysage en paysage, de péripétie en péripétie, visite Bizerte, « une ville charmante, une Venise orientale à demi abandonnée », assiste à la cérémonie du baisemain au bey, qui est un personnage grisonnant, « aux grosses paupières et à l'œil enivré ». Le défilé commence. Chacun applique ses lèvres à l'intérieur de la main du bey à deux reprises : « D'abord les ministres, puis les hommes à turban vert et à turban potiron. Les militaires en costume sont pitoyables : gros culs dans des pantalons informes, souliers éculés, épaulettes attachées avec des ficelles, immense quantité de croix et de dorures; les prêtres, blancs, maigres, sinistres ou stupides : l'air bigot est le même partout, l'intolérance du Ramadan m'a rappelé celle du carême des catholiques[1]. »

Revenu à Tunis, il assiste à une fantasia qui se déroule dans un nuage de poussière. Puis il pousse jusqu'à la plaine du Bardo, jusqu'aux gorges de Djarkoub-el-Djedavi, couvertes de jujubiers sauvages, jusqu'à la plaine de Mezel-Bab. Là, il inspecte des ruines et note : « N'est-ce pas ici le pont d'Hamilcar? » Par un douloureux effort d'imagination, il essaie de redresser les décombres, de reconstruire les villes et d'introduire les fantômes de ses personnages dans ce décor artificiellement rebâti. Mais le présent résiste au passé. Et la randonnée se poursuit, à cheval, par Testour, Tugga, Keff... Déjà il entrevoit la fin de son expédition : « Je pars d'ici après-demain, et je m'en retourne en Algérie *par terre*, ce qui est un voyage que peu d'Européens ont exécuté, écrit-il à Jules Duplan le 20 mai 1858. Je verrai de cette façon tout ce qu'il me faut pour *Salammbô*. Je connais maintenant Carthage et les environs *à fond*... J'ai été très chaste dans mon voyage. Mais très gai et d'une santé marmoréenne et rutilante. »

1. Flaubert, *Voyage à Carthage*.

Le 24 mai, à Rieff, il voit un tombeau romain, prend « un bain turc excellent » et couche sous la tente, chez les Bédouins. À Guelma, il doit lutter, la nuit, contre une invasion de puces. À Constantine, il descend à l'hôtel et se livre, dans une étuve, aux mains d'un masseur nègre. « Celui de Rieff me massait les genoux avec sa tête », affirme-t-il. Enfin, c'est l'embarquement pour Marseille. Sur le pont, se pressent « des officiers de l'armée d'Afrique qui rentrent dans leurs foyers ».

La suite du voyage manque tristement de pittoresque : « Arrivée à Marseille à deux heures. Intolérable douane. Omnibus. Hôtel Parrocel. Bain. Embarras d'argent... Je pars seul dans une calèche... » Dans le train, ses compagnons de compartiment sont sans intérêt. « Déjeuner solide à Dijon. Ennui de l'après-midi, chaleur. Quel sot pays que la France! » Et voici Paris : « Le boulevard en été. Ma maison vide. Bousculade pour aller chez Feydeau; on me sert à dîner... Souper au Café Anglais. Je dors sur mon divan. Déjeuner au Café Turc. Visite à la Tourbey, Sabatier, Mme Maynier. » Les 7 et 8 juin, il voit entre autres Louise Pradier, Alexandre Dumas fils et une actrice, Mme Person, habillée (Dieu sait pourquoi) en matelot et coiffée d'une perruque rouge.

De retour à Croisset, il recopie ses notes dans la nuit du 12 au 13 juin, et conclut : « Mon voyage est considérablement reculé, oublié; tout est confus dans ma tête, je suis comme si je sortais d'un bal masqué de deux mois. Vais-je travailler? Vais-je m'ennuyer? Que toutes les énergies de la nature que j'ai aspirées me pénètrent et qu'elles s'exhalent dans mon livre! À moi, puissances de l'émotion plastique! Résurrection du passé, à moi! à moi! Il faut faire à travers le Beau, vivant et vrai quand même. Pitié pour ma volonté, Dieu des âmes! Donne-moi la force. Et l'espoir! »

En retrouvant son manuscrit, il éprouve une amère déception. Pas une page qui tienne le coup. Son voyage lui a ouvert les yeux sur la vérité antique. « Je t'apprendrai que *Carthage* est complètement à refaire, ou plutôt à faire, écrit-il à Ernest Feydeau. Je *démolis tout*. C'est absurde! impossible! faux! Je crois que je vais arriver au ton juste. Je commence à comprendre mes personnages et à m'y intéresser. C'est déjà beaucoup. Je ne sais quand j'aurai fini ce colossal travail. Peut-être pas avant deux ou trois ans. D'ici là, je supplie tous les gens qui m'aborderont de ne pas m'en ouvrir la bouche. J'ai même envie d'envoyer des billets de faire-part pour annoncer ma mort. Mon parti est pris. Le public, l'impression et le temps n'existent plus : en marche[1]! »

Cette indifférence à l'égard des contingences de la publication est, bien sûr, renforcée chez Flaubert par l'idée que la littérature ne sera jamais pour lui un gagne-pain. Grâce aux revenus de sa mère, il est à l'abri du besoin. Il peut traiter de haut ceux qui n'ont que leur plume pour subsister. L'année précédente, il confiait à Mlle Leroyer de Chantepie : « Je vis avec ma mère et avec une nièce (la fille d'une sœur morte à vingt ans), dont je fais l'éducation. Quant à l'argent, j'en ai ce qu'il faut pour vivre *à peu près*, car j'ai de grands goûts de dépense, dit-on, bien que j'aie une conduite fort régulière. Beaucoup de gens me trouvent riche, mais je me trouve gêné continuellement, ayant par-devers moi les désirs les plus extravagants que je ne satisfais pas, bien entendu. Et puis je ne sais nullement compter, je n'entends goutte aux affaires d'intérêt[2]. »

Dégagé des considérations pécuniaires, il se remet à la tâche avec ardeur. Comme il fait chaud, il se baigne chaque jour dans la Seine et déclare superbement à Ernest Feydeau : « Je nage comme un triton. Jamais je ne me suis mieux porté. L'humeur est bonne et j'ai de l'espoir. Il faut, quand on est en bonne santé, amasser du courage pour les défaillances futures. Elles viendront, hélas[3]! » Et encore, au même : « Je suis rentré (et moralement encore plus que

1. Lettre du 20 juin 1858.
2. Lettre du 23 août 1857.
3. Lettre du 20 juin 1858.

physiquement) dans ma caverne. D'ici deux ou trois ans peut-être, rien de ce qui se passe ici-bas en littérature ne va m'atteindre. Je vais, comme par le passé, écrire pour moi, pour moi seul. Quant à *La Presse*, et au Charles-Edmond[1], merde, contre-merde, et remerde!... Je suis sûr que ce que je fais n'aura aucun succès, tant mieux! Je m'en triple-fous... Je ne veux plus faire une concession, je vais écrire des horreurs, je mettrai des bordels d'hommes et des matelotes de serpents, etc. Car, nom d'un petit bon-homme! il faut bien s'amuser un peu avant de crever[2]. »

Il travaille comme « quinze bœufs », se demande s'il se trouvera un lecteur capable d'avaler quatre cents pages « d'une pareille architecture », et hurle ses phrases du matin au soir « à s'en casser la poitrine ». « Le lendemain, quand je relis ma besogne, souvent j'efface tout et je recommence. Et ainsi de suite. L'avenir ne me présente qu'une série indéfinie de ratures, horizon peu facétieux[3]. » Et il précise, à l'intention du même Ernest Feydeau : « Depuis que la littérature existe, on n'a pas entrepris quelque chose d'aussi insensé. C'est une œuvre hérissée de difficultés. Donner aux gens un langage *dans lequel ils n'ont pas pensé* ! On ne sait rien de Carthage... Il faut que je trouve le milieu entre la boursouflure et le réel... Je suis convaincu que les bons livres ne se font pas de cette façon. Celui-là ne sera pas un bon livre. Qu'importe, s'il fait rêver à de grandes choses ! Nous valons plus par nos aspirations que par nos œuvres[4]. » À la fin d'octobre, ses tourments au sujet de la conduite du roman lui causent des « maux d'estomac atroces ». « Personne, depuis qu'il existe des plumes, n'a tant souffert que moi par elles. Quels poi-

1. Charles-Edmond, directeur de *La Presse*, à qui il avait promis inconsidérément de réserver la publication de son prochain roman.
2. Lettre du 24 juin 1858.
3. Lettre du 28 août 1858.
4. Lettre du milieu d'octobre 1858.

gnards! et comme on se laboure le cœur avec ces petits outils-là[1] ! »

À peine requinqué, il part pour Paris. Aux amis qu'il rencontre, il vante le talent sulfureux de Sade qu'il vient de relire et qu'il place très haut. En novembre, il dîne avec Gavarni, Charles-Edmond, Saint-Victor et Mario Uchard chez les frères Goncourt. Ces derniers notent dans leur *Journal* : « Flaubert, une intelligence hantée par M. de Sade, auquel il revient toujours, comme à un mystère qui l'affriole. Friand de la turpitude au fond, la cherchant, heureux de voir un vidangeur manger de la merde et s'écriant, toujours à propos de Sade : " C'est la bêtise la plus amusante que j'aie rencontrée ! "... Il a choisi pour son roman Carthage comme lieu de la civilisation du globe la plus pourrie. »

À la fin du mois, Flaubert boucle ses valises et le « revoilà à Carthage », selon son expression, c'est-à-dire à Croisset. Il fait très froid. Les bûches flambent dans la cheminée. Flaubert « travaille raide », jusqu'à quatre heures du matin toutes les nuits. La solitude le grise « comme de l'alcool ». À peine s'il voit, dit-il, la lumière du ciel. Pas un événement, pas un bruit. « C'est le néant objectif complet. » « À chaque ligne, à chaque mot le vocabulaire me manque. » Cependant le livre avance cahin-caha. « Enfin l'érection est arrivée, monsieur, à force de me fouetter et de me manustirper. Espérons qu'il y aura fête[2]. » À la fin de l'année, il n'en est encore, d'après ses calculs, qu'au quart de l'ouvrage. Mais rien ne presse. Plus on s'attarde sur un manuscrit, plus il a de chance d'échapper à la médiocrité de la production courante. « Un ours blanc n'est pas plus solitaire et un dieu n'est pas plus calme, affirme Flaubert à Mlle Leroyer de Chantepie. Je ne pense plus qu'à *Carthage* et c'est ce qu'il faut. Un livre n'a jamais été pour moi qu'une *manière de vivre* dans un

1. Lettre à Mlle Leroyer de Chantepie du 31 octobre 1858.
2. Lettre à Ernest Feydeau du 19 décembre 1858.

milieu quelconque[1]. » Avec Ernest Feydeau, il use d'un langage plus cru : « Oh! que Carthage, par moments, me scie le trou du cul!... Tu me dis que tu as besoin d'argent, misérable! Et moi!... N'importe!... On me verra cocher de fiacre avant de me voir *écrire pour de l'argent.* » Et pour finir, ce conseil d'un homme éloigné des femmes à un confrère trop porté sur la bagatelle : « Prends garde d'abîmer ton intelligence dans le commerce des dames. Tu perdras ton génie au fond d'une matrice... Réserve ton priapisme pour le style, fous ton encrier, calme-toi sur la viande, et sois bien convaincu, comme dit Tissot (de Genève) (*Traité de l'Onanisme*, page 72, voir la gravure), que : une once de sperme perdu fatigue plus que trois litres de sang[2]. »

Le 19 février, il est à Paris, mais se contente de rendre visite à quelques amis du milieu littéraire et à quelques actrices. Un jour, les frères Goncourt le voient arriver chez eux à l'improviste : « On sonne, c'est Flaubert à qui Saint-Victor a dit que nous avions vu quelque part une masse à assommer à peu près carthaginoise et qui vient nous demander l'adresse. Embarras pour son roman carthaginois. Il n'y a rien. Pour retrouver, il faut inventer le vraisemblable... Il ressemble extraordinairement au portrait de Frédérick Lemaître jeune, très grand, très fort, de gros yeux saillants, des paupières soufflées, des joues pleines, des moustaches rudes et tombantes, un teint martelé et plaqué de rouge[3]. »

Revenu à Croisset, Flaubert reçoit une lettre d'Ernest Feydeau : « Tu es bien heureux de pouvoir travailler sans te presser grâce à tes rentes. » Aussitôt, il réplique, vexé : « Les confrères me jettent à la tête continuellement les trois sols de revenu qui m'empêchent de crever précisément de faim. Cela est plus facile que de m'imiter. J'entends de

1. Lettre du 26 décembre 1858.
2. Lettre du début février 1859.
3. Goncourt, *Journal*, 11 mai 1859.

vivre comme je fais : premièrement, à la campagne les trois quarts de l'année; deuxièmement, *sans femme* (petit point assez délicat mais considérable), sans ami, sans cheval, sans chien, bref sans aucun des attributs de la vie humaine; troisièmement, et puis je regarde comme néant tout ce qui est en dehors de l'œuvre en elle-même... L'impatience qu'ont les gens de lettres à se voir imprimés, joués, connus, vantés m'émerveille comme une folie. Cela me semble avoir autant de rapports avec leur besogne qu'avec le jeu de dominos ou la politique... J'aurais pu être riche, j'ai tout envoyé faire foutre et je reste comme un Bédouin dans mon désert et dans ma noblesse. Merde, merde et archi-merde, telle est ma devise[1]. »

Avec les chaleurs de l'été, il se sent revivre. « Je me réjouis de cette température, écrit-il à Mme Jules Sandeau. Le soleil m'anime et me grise comme du vin. Je passe mes après-midi dans des négligés peu convenables, fenêtres closes et jalousies fermées. Je me plonge, le soir, dans la Seine qui coule au bas de mon jardin. Les nuits sont exquises et je me couche au jour levant. Voilà. D'ailleurs, j'aime la nuit passionnément. Elle me pénètre d'un grand calme... Vous me demandez si mon roman sera bientôt fini. Hélas! non, j'en suis au tiers... J'écris comme on joue du violon, sans autre but que de me divertir, et il m'arrive de faire des *morceaux* qui ne doivent servir à rien dans l'ensemble de l'œuvre et que je supprime ensuite. Avec une pareille méthode, et un sujet difficile, un volume de cent pages peut demander dix ans[2]. »

Le 15 août, Achille Flaubert et Louis Bouilhet sont décorés de la Légion d'honneur. La première pensée de Flaubert est que cette croix décernée à Louis Bouilhet risque de lui faire des jaloux, « lesquels se vengeront à sa prochaine pièce ». Son sens profond de l'amitié l'incite à se réjouir, pour les êtres qui lui sont chers, d'une distinction

1. Lettre de mai 1859.
2. Lettre du 7 août 1859.

qu'il ne souhaite pas pour lui-même. À la fin de septembre, il reçoit *La Légende des siècles* et se jette avec enthousiasme dans cette forêt de rimes. « Quel homme que ce père Hugo! s'écrie-t-il à l'intention d'Ernest Feydeau. Sacré nom de Dieu, quel poète! Je viens d'un trait d'avaler les deux volumes... Je ne me connais plus! Qu'on m'attache! Ah! ça fait du bien... Le père Hugo m'a mis la boule à l'envers[1]. » Et il ajoute : « Ma besogne va un peu mieux. Je suis en plein dans une bataille d'éléphants et je te prie de croire que je tue les hommes comme les mouches. Je verse le sang à flots. » Mais Ernest Feydeau est, à cette époque-là, trop inquiet de la santé de sa femme pour s'intéresser à la littérature. Les médecins l'ont, dit-il, condamnée. Pour lui redonner un peu de courage, Flaubert ne trouve rien de mieux que de lui vanter, avec un égoïsme féroce, la nécessaire observation de la souffrance par un artiste épris de vérité. À son avis, tout événement, si cruel soit-il dans la vie d'un écrivain, doit être considéré par lui comme un prétexte à enrichir son œuvre. Un livre qui n'est pas nourri du sang de son auteur n'est qu'un vulgaire amas de papier. Quiconque a la prétention de savoir tenir une plume est amené à regarder la douleur comme un élément indispensable de la création. Il n'y a pas de génie sans déformation professionnelle. « Pauvre petite femme! écrit-il à Ernest Feydeau. C'est affreux! Tu as et tu vas avoir de *bons* tableaux et tu pourras faire de *bonnes* études! C'est chèrement les payer. Les bourgeois ne se doutent guère que nous leur servons notre cœur. La race des gladiateurs n'est pas morte, tout artiste en est un. Il amuse le public avec ses agonies... Le seul moyen dans ces crises-là de ne pas trop souffrir, c'est de s'étudier soi-même démesurément[2]. » L'épouse d'Ernest Feydeau meurt le 18 octobre 1859. Il l'annonce à son ami dans une lettre désespérée. Ému, Flaubert lui répond : « Au nom de la

1. Lettre de la fin septembre 1859.
2. Lettre de la première quinzaine d'octobre 1859.

seule chose respectable en ce monde, au nom du Beau, cramponne-toi des deux mains, bondis furieusement de tes deux talons et sors de là! Je sais bien que la douleur est un plaisir et qu'on jouit de pleurer. Mais l'âme s'y dissout, l'esprit se fond dans les larmes, la souffrance devient une habitude et une manière de voir la vie qui la rend intolérable... Tu es jeune encore. Tu as, je crois, dans le ventre de grandes œuvres à pondre. Pense qu'il faut les faire[1]. »

Son souhait se réalise. Après quelques jours d'abattement, Ernest Feydeau lui avoue qu'il s'est remis au travail. Flaubert l'en félicite aussitôt, comme d'une victoire sur la misérable condition de l'homme marié : « Continue, mon pauvre vieux! Acharne-toi sur une idée! Ces femmes-là au moins ne meurent pas et ne trompent pas. » Et, pour le distraire, il lui conseille de lire *Lui (Roman contemporain)*, qui vient de paraître sous la signature de Louise Colet : « Tu y reconnaîtras ton ami arrangé d'une belle façon... Quant à moi, j'en ressors blanc comme neige, mais comme un homme insensible, avare, en somme un sombre imbécile. Voilà ce que c'est que d'avoir coïté avec des Muses. J'ai ri à m'en rompre les côtes[2]. »

Tout en poursuivant le fignolage de *Salammbô*, qui avance lentement, il rêve de partir avec une expédition française pour la Chine, « au pays des paravents et du nankin ». Ce qui le retient, c'est sa mère qui, dit-il, « commence à devenir vieille et que ce départ achèverait ». Cependant, il convient avec elle qu'un séjour à Paris leur ferait du bien à tous deux. Elle s'y rend la première. Avant de la rejoindre, il écrit à Maurice Schlésinger : « Je vais trouver Paris probablement aussi bête que je l'ai laissé, ou encore plus. La platitude gagne avec l'élargissement des rues. Le crétinisme monte à la hauteur des embellissements... Ce ne sera pas encore cette année que j'aurai fini

1. Lettre de la fin octobre 1859.
2. Lettre du 12 novembre 1859.

mon bouquin sur Carthage. J'écris fort lentement, parce qu'un livre est pour moi une manière spéciale de vivre. À propos d'un mot ou d'une idée, je fais des recherches, je me livre à des divagations, j'entre dans des rêveries infinies[1]. »

Le 20 décembre, il arrive enfin dans ce Paris qu'il dit exécrer, mais dont il ne peut se passer longtemps. Sans doute entre-t-il de la comédie dans cette attitude d'ermite des lettres effarouché par les turpitudes de la capitale. Il joue un personnage de troglodyte, mais prend plaisir à recevoir des amis chez lui, le dimanche, et à dîner souvent chez « la Présidente », Mme Sabatier, maîtresse en titre du banquier Mosselmann, amie de Baudelaire et modèle célèbre du marbre de Clésinger : *Femme piquée par un serpent*. Au milieu de ce charivari mondain, il regrette l'absence de Louis Bouilhet qui, à présent, habite Mantes. Pourtant, la carrière de son ami se dessine favorablement. Il prépare un recueil de poèmes et l'administrateur de la Comédie-Française lui a commandé une œuvre célébrant la prochaine annexion de la Savoie à la France. Cette dernière proposition indigne Flaubert qui explose : « Jamais! Jamais! Jamais! C'est une enfonçade qu'on te prépare, et sérieuse! *Je t'en supplie*, ne fais pas cela! » Et aussi : « En acceptant tu t'abaisses et, tranchons le mot, tu te dégrades. Tu perds ta balle de " poète pur ", d'homme indépendant. Tu es classé, enrégimenté, capturé. Jamais de politique, nom de Dieu! Ça porte malheur et ça n'est pas propre[2]. »

Au début de l'année, Flaubert fréquente assidûment les écrivains en vogue, rencontre Octave Feuillet chez Jules Janin, se lie avec Paul de Saint-Victor et les frères Goncourt, dîne avec Maury et Renan. Le 12 janvier, il se trouve en joyeuse compagnie à la table des Goncourt. On parle du dernier roman, *Lui*, de Louise Colet où il est peint

1. Lettre de décembre 1859.
2. Les deux lettres sont du 15 mars 1860.

sous les traits de Léonce, des pièces de théâtre à la mode, des actrices et des bizarreries de la gent féminine. « J'ai trouvé un moyen bien simple de m'en passer, déclare Flaubert. Je me couche sur le cœur, et dans la nuit..., c'est infaillible. » Un à un, les invités s'en vont. Flaubert reste le dernier. « Nous sommes seuls, lui et nous, dans le salon tout plein de fumée de cigares, notent les Goncourt. Lui, arpentant le tapis, cognant de sa tête la boule du lustre, débordant, se livrant comme avec des frères de son esprit. Il nous dit sa vie retirée, sauvage, même à Paris, enfermée et fermée. Détestant le théâtre, point d'autre distraction que le dimanche au dîner de Mme Sabatier, "la Présidente" comme on l'appelle dans le monde. Ayant horreur de la campagne, travaillant dix heures par jour, mais grand perdeur de temps, s'oubliant en lectures et tout prêt à faire un tas d'écoles buissonnières autour de son œuvre... » La discussion en vient au style dans le roman, et Flaubert s'exclame : « Comprenez-vous l'imbécillité de travailler à ôter les assonances d'une phrase ou les répétitions d'une page? Pour qui?... Oui, la forme, qu'est-ce qui dans le public est réjoui et satisfait par la forme? » Là-dessus, il cite les trois auteurs qui, pour lui, écrivent le mieux : La Bruyère, Montesquieu et Chateaubriand dans certains passages. « Et le voilà, racontent les Goncourt, les yeux hors de la tête, le teint allumé, les bras soulevés comme pour des embrassements de drame, dans une envergure d'Antée, tirant de sa poitrine et de sa gorge des fragments du *Dialogue de Sylla et d'Eucrate*, dont il nous jette le bruit d'airain qui semble un rauquement de lion. » Puis Flaubert revient aux soucis que lui cause sa lutte pour la perfection dans *Salammbô* et soupire : « Savez-vous toute mon ambition? Je demande à un honnête homme intelligent de s'enfermer quatre heures avec mon livre, et je veux lui donner une bosse de haschich historique. Voilà tout ce que je veux... Après tout, le travail, c'est encore le meilleur moyen d'escamoter la vie! »

Le 25 janvier, ce sont les frères Goncourt qui lui rendent

visite : « Nous voilà au boulevard du Temple, dans le cabinet de travail de Flaubert, dont les fenêtres donnent sur le boulevard et dont le milieu de la cheminée est une idole indienne dorée. Sur sa table, des pages de son roman qui ne sont presque que ratures. De grands, chauds et sincères compliments sur notre livre, qui nous font du bien au cœur; une amitié dont nous sommes fiers, qui vient à nous franchement, loyalement, avec une sorte de familiarité robuste et de généreuse expansion. » Cinq jours plus tard, les frères Goncourt passent la soirée chez Flaubert avec Louis Bouilhet qui a, disent-ils, « le physique d'un bel ouvrier ». « Causerie sur de Sade, auquel revient toujours, comme fasciné, l'esprit de Flaubert. » Il le définit ainsi : « C'est l'esprit de l'Inquisition, l'esprit de torture, l'esprit de l'Église du Moyen Âge, l'horreur de la nature. Il n'y a pas un arbre dans de Sade, ni un animal. » Assis au coin du feu, il raconte aux Goncourt son premier amour pour Eulalie Foucaud : « Ce furent une fouterie de délices, puis des larmes, puis des lettres, puis plus rien. » Pourtant, de rencontre en rencontre, les deux frères en viennent à perdre quelques illusions sur leur nouvel ami. Après l'avoir encensé, ils lui découvrent tous les défauts. Ils sont trop raffinés, trop « sophistiqués » pour n'être pas heurtés par ses manières rustiques. « Nous le reconnaissons aujourd'hui, il y a une barrière entre nous et Flaubert, écrivent-ils dans leur *Journal* à la date du 16 mars 1860. Il y a un fond de provincial et de poseur chez lui. On sent vaguement qu'il a fait tous ces grands voyages un peu pour étonner les Rouennais. Il a l'esprit gros et empâté comme son corps. Les choses fines n'ont pas l'air de le toucher. Il est surtout sensible à la grosse caisse des phrases. Il y a très peu d'idées dans sa conversation et elles sont présentées avec bruit et solennellement. Il a l'esprit, comme la voix, déclamateur. Les histoires, les figures qu'il esquisse ont une odeur de fossiles de sous-préfecture. Il porte des gilets blancs d'il y a dix ans, avec lesquels Macaire faisait la cour à Éloa. Il lui est resté, contre l'Académie et le pape, de ces grosses colères et de ces indignations dont on pourrait dire, comme de Maistre pour l'incrédulité : " C'est canaille ! "... Il est pataud, excessif et sans légèreté en toutes choses, dans la plaisanterie, dans la charge, dans l'imitation... Le charme manque à ses gaîtés de bœuf. »

Malgré cette opinion malveillante sur Flaubert, les Goncourt continuent à le voir et à le traiter avec la plus grande amabilité. Il resterait bien à Paris quelques semaines encore, mais il doit retourner en province pour assister au mariage de la fille d'Achille, Juliette, avec un certain Adolphe Roquigny : « C'est un fort homme et qui me paraît doux comme un agneau. Les jeunes gens ont l'air épris l'un de l'autre. Tout cela est très bien. On est enchanté. Heureux ceux qui vivent dans la bonne et simple nature !... Tout le bonheur de la vie est là, sans doute. Et pourtant si on me l'offrait, accepterais-je[1] ? » La cérémonie religieuse a lieu à Rouen le 17 avril 1860. Ces réjouissances familiales, avec fleurs, accolades, discours et banquets sont pour Flaubert un supplice à peine tolérable. « J'ai eu une indigestion de bourgeois, écrit-il à Ernest Feydeau. Trois dîners, un déjeuner ! Et quarante-huit heures passées à Rouen. C'est fort ! Je rote encore les rues de ma ville natale et je vomis des cravates blanches[2]. » Les Goncourt lui ayant fait parvenir leur dernier livre, Les Maîtresses de Louis XV, il les félicite sur la qualité de l'ouvrage et, sans se douter de leur sentiment véritable à son égard, termine sa lettre par ces mots : « Vous êtes bien gentils de m'avoir envoyé le livre, d'avoir tant de talent et de m'aimer un peu[3]. » Dans une autre lettre, il leur parle de son travail qui progresse doucement : « La réalité est chose presque impossible dans un pareil sujet. Reste la ressource de faire pohétique, mais on retombe dans quantité de vieilles blagues connues, depuis le Télémaque jusqu'aux Martyrs...

1. Lettre à Louis Bouilhet du 29 mars 1860.
2. Lettre du 21 avril 1860.
3. Lettre de mai 1860.

Malgré tout cela, je continue, mais dévoré d'inquiétudes et de doutes[1]. » À une nouvelle amie, Mlle Amélie Bosquet[2], il confirme les difficultés de la tâche qu'il a entreprise : « Je suis présentement accablé de fatigue, je porte sur les épaules deux armées entières : trente mille hommes d'un côté, onze mille de l'autre, sans compter les éléphants avec leurs éléphantarques, les goujats et les bagages... Quand je songe qu'on ne me tiendra aucun compte de toute la peine que je me donne, et que le premier venu, un journaliste, un idiot, un bourgeois, trouvera *sans se gêner* (et justement peut-être) quantité de sottises dans ce qui me paraît le meilleur, j'entre dans une mélancolie sans fond, j'ai des tristesses d'ébène, une amertume à en crever, des angoisses qui me ballottent comme sur un océan d'immondices[3]. » Il envie Ernest Feydeau qui a quitté sa table de travail et voyage présentement en Tunisie, où il doit, sans nul doute, se griser de vastes horizons et coucher avec des femmes dociles et expertes. Et il lui prédit qu'à son retour il ne trouvera plus aucun goût aux caresses de ses chères compatriotes : « Tu regretteras ces amours silencieux où les âmes seules se parlent, ces tendresses sans paroles, ces passivités de bêtes où se dilate l'orgueil viril[4]. » Mais plus surprenante encore lui paraît l'aventure de Maxime Du Camp qui, sur un coup de tête, s'est enrôlé dans l'armée de Garibaldi et participe à l'expédition des Mille : « Si tu as devant toi cinq minutes, mon bon Max, envoie-moi un mot seulement que je sache ce que tu deviens, sacrebleu! Si tu es mort, vif ou blessé... Animal! Tu ne te tiendras donc jamais tranquille[5]! »

Dans la deuxième quinzaine d'août, il retourne à Paris pour parfaire sa documentation et dîne chez le critique Aubryet, avec les Goncourt, Saint-Victor, Charles-

1. Lettre du 3 juillet 1860.
2. Journaliste et romancière de tendance résolument féministe.
3. Lettre de juillet 1860.
4. Lettre du 4 juillet 1860.
5. Lettre du 15 août 1860.

Edmond, Halévy, Gautier. Immédiatement la conversation prend feu. Chacun y va de son jugement péremptoire sur un livre, sur une pièce, sur un auteur. « Eh bien! hurle Flaubert, il y en a un que je déteste encore plus que Ponsard, c'est Feuillet, le gars Feuillet! » Et il part dans un éloge de Voltaire qu'il tient pour « un saint », ce qui soulève les clameurs des autres convives.

Après une courte visite à Étretat, où il rêve à sa jeunesse en contemplant la mer, il revient à Paris pour assister à la première, à l'Odéon, de la pièce de Louis Bouilhet : *L'Oncle Million.* « Flaubert tombe chez nous, écrivent les Goncourt. Toujours dans sa Carthage, enfoncé là-bas dans une vie de cloporte et dans un travail de bœuf... Il en est maintenant dans son roman à la baisade, une baisade carthaginoise et, dit-il, "il faut que je monte joliment le bourrichon à mon public; il faut que je fasse baiser un homme qui croira enfiler la lune avec une femme qui croira être baisée par le soleil[1] ". »

La première de *L'Oncle Million*, le 6 décembre 1860, se solde par un échec. Flaubert est consterné comme s'il avait été sifflé lui-même. « La pièce de Bouilhet, comme tu sais (ou ne sais pas), écrit-il à Jules Duplan, a raté. La presse a été atroce et le directeur de l'Odéon pire... Ah! ç'a été joli! joli! joli! L'empereur devait y venir, il n'est pas venu... Quant au Bouilhet, il est désolé et se trouve dans une foutue position. Il devait aller te voir, mais je le crois tellement assombri qu'il se cache[2]. » Déjà il estime que son séjour à Paris a trop longtemps duré. Laissant sa mère et Caroline dans l'appartement du boulevard du Temple, il retourne seul à Croisset pour travailler. « Je deviens très ridicule avec mon éternel livre qui ne paraît pas, et je me suis juré d'en finir cette année, écrit-il à Mlle Leroyer de Chantepie. Je suis ici avec un vieux domestique, me levant à midi et me couchant à trois heures du matin, sans voir

1. Goncourt, *Journal*, 29 novembre 1860.
2. Lettre du 1er janvier 1861.

203

personne ni rien savoir de ce qui se passe dans le monde[1]. »

Retranché dans cette forcerie littéraire, il reçoit un livre de Michelet, *La Mer*, et l'en remercie aussitôt avec émotion : « Au collège, je dévorais votre *Histoire romaine*, les premiers volumes de l'*Histoire de France*, les *Mémoires de Luther*, l'*Introduction*, tout ce qui sortait de votre plume, avec un plaisir presque sensuel, tant il était vif et profond... Devenu homme, mon admiration s'est solidifiée[2]. » En ce même mois de janvier, il apprend qu'Ernest Feydeau, veuf depuis peu, se remarie. Décidément, c'est une maladie que de vouloir prendre femme alors que le célibat a tant d'avantages pour un artiste. Il n'en félicite pas moins son ami : « Bénie soit elle; accepte tous mes souhaits, tu dois savoir s'ils sont sincères et profonds. » Mais il ne peut s'empêcher d'ajouter : « Nous ne suivons guère les mêmes sentiers... Tu crois à la vie et tu l'aimes, moi je m'en méfie. J'en ai plein le dos et en prends le moins possible. C'est plus lâche, mais plus prudent. » Quant à sa *Salammbô*, il annonce à son correspondant qu'elle avance, « avec de bons et de mauvais jours (ceux-là plus fréquents bien entendu)[3] ».

Encore trois mois de travail et il se précipite à Paris pour lire des extraits de son roman aux amis. « C'est lundi qu'aura lieu la solennité, écrit-il aux Goncourt. Grippe ou non. Tant pis. Merde! Voici le programme : 1. Je commencerai à hurler à quatre heures juste. Donc venez vers trois heures. 2. À sept heures, dîner oriental. On vous y servira de la chair humaine, des cervelles de bourgeois et des clitoris de tigresses sautés au beurre de rhinocéros. 3. Après le café, reprise de la gueulade punique jusqu'à la crevaison des auditeurs. Ça vous va-t-il[4]? » Le lundi, 6 mai

1. Lettre du 15 janvier 1861.
2. Lettre du 26 janvier 1861.
3. Lettre de janvier 1861.
4. Lettre du début mai 1861.

1861, les Goncourt sont exacts au rendez-vous. « Flaubert, racontent-ils, lit avec sa voix mugissante et sonore, qui vous berce dans un bruit pareil à un ronronnement de bronze. À sept heures, on dîne... Puis, après le dîner et une pipe fumée, la lecture recommence. » Les Goncourt n'osent pas dire à Flaubert ce qu'ils pensent de son livre dont il a « gueulé » devant eux les passages les plus significatifs. Mais ils confient leur déception à leur *Journal* : « *Salammbô* est au-dessous de ce que j'attendais de Flaubert. Sa personnalité, si bien dissimulée, absente dans l'œuvre si impersonnelle de *Madame Bovary*, fait jour ici, renflée, mélodramatique, déclamatoire, roulant dans l'emphase, la grosse couleur, presque l'enluminure. Flaubert voit l'Orient, et l'Orient antique, sous l'aspect des étagères algériennes. Il y a des effets enfantins, d'autres ridicules. Les sentiments de ses personnages... sont les sentiments banaux et généraux de l'humanité, et non de l'humanité carthaginoise; et son Mathô n'est au fond qu'un ténor d'opéra dans un poème barbare... Chaque phrase, presque, porte une comparaison au bout d'un *comme*, comme un flambeau porte une bougie. » Avec une naïveté énorme, Flaubert ne devine pas la désillusion de ses confrères. Il retourne à Croisset gonflé d'enthousiasme. « Je ne pense pas avoir fini avant la fin de cette année, écrit-il à Ernest Feydeau. Mais, dussé-je y être encore dans dix ans, je ne rentrerai à Paris qu'avec *Salammbô* terminé. C'est un serment que je me suis fait[1]. »

Et la litanie reprend; il exècre ce bouquin, il est nerveusement malade, il n'en peut plus, la description du siège de Carthage l'a achevé : « Les machines de guerre me scient le dos! Je sue du sang, je pisse de l'eau bouillante, je chie des catapultes et je rote des balles de frondeurs[2] », écrit-il aux Goncourt. Le 2 janvier 1862, il leur annonce qu'il émerge, tout fumant, des combats du défilé de la Hache : « J'accu-

1. Lettre de la deuxième quinzaine de juin 1861.
2. Lettre du début d'octobre 1861.

mule horreurs sur horreurs. Vingt mille de mes bonshommes viennent de crever de faim et de s'entre-manger; le reste finira sous la patte des éléphants et dans la gueule des lions. » Déjà il songe à une publication possible. Mais il préfère ne pas se presser. En effet, on parle à Paris de la « sortie » prochaine des *Misérables* de Victor Hugo. « Je trouve un peu imprudent et impudent de me risquer à côté d'une si grande chose, écrit Flaubert à Mlle Leroyer de Chantepie. Il y a des gens devant lesquels on doit s'incliner et leur dire : " Après vous, monsieur. " Victor Hugo est de ceux-là[1]. » Une autre nouvelle le surprend : Baudelaire lui écrit pour le prier d'intercéder auprès de Jules Sandeau afin que celui-ci appuie sa candidature à l'Académie française. Comment ce poète maudit, qui a été condamné en correctionnelle pour *Les Fleurs du mal* et qui vient de publier *Les Paradis artificiels*, peut-il ambitionner de siéger parmi les plus purs représentants de la littérature bourgeoise? Flaubert éclate de rire, intervient auprès de Jules Sandeau sans grand espoir d'être entendu et répond à Baudelaire : « Malheureux, vous voulez donc que la Coupole de l'Institut s'écroule. Je vous rêve entre Villemain et Nisard[2]. »

Les jours suivants, il recopie les dernières pages de son manuscrit, se purge « afin de bannir les humeurs peccantes et d'arriver frais dans la capitale[3] » et se prépare à repartir pour Paris où il compte passer quelques semaines. Le 21 février, il dîne avec les frères Goncourt chez Charles-Edmond et évoque devant les convives ses relations tumultueuses avec Louise Colet. « Point d'amertume, point de ressentiment, du reste, chez lui, pour cette femme qui semble l'avoir enivré avec son amour furieux et dramatisé d'émotions, de sensations, de secousses, notent les Goncourt. Il y a une grossièreté de nature dans Flaubert qui se

1. Lettre du 18 janvier 1862.
2. Lettre du 19 janvier 1862.
3. Lettre à Alfred Baudry du 7 février 1862.

plaît à ces femmes terribles de sens et d'emportement d'âme, qui éreintent l'amour à force de transports, de colères, d'ivresses brutales ou spirituelles. » En veine de confidences, Flaubert affirme avoir été jadis tellement exaspéré par Louise Colet qu'il a failli la tuer. « J'ai entendu craquer sous moi les bancs de la Cour d'assises », dit-il en roulant des yeux terribles. Tout en l'admirant pour son étonnante faculté de travail, ses amis le critiquent derrière son dos. Un jour, Théophile Gautier confie aux frères Goncourt qu'il trouve absurdes les procédés d'écriture de l'auteur de *Salammbô*. Des années et des années pour aligner quatre cents pages, quelle folie! Et puis, à quoi bon gueuler son texte pour en apprécier l'harmonie? « Un livre n'est pas fait pour être lu à haute voix, dit Théophile Gautier. Nous avons des pages tous les deux... Eh bien, c'est aussi rythmé que tout ce qu'il a fait et sans nous être donné tant de mal. Il y a un remords qui empoisonne sa vie; c'est d'avoir mis dans *Madame Bovary* deux génitifs l'un sur l'autre, *une couronne de fleurs d'oranger*. Ça le désole; mais il a beau faire, impossible de faire autrement[1]. » Le 29 mars, Flaubert reçoit les Goncourt chez lui, assis sur son divan, les jambes croisées à la turque. Il est très en verve et parle de son désir d'écrire un livre sur l'Orient moderne, sur « l'Orient en habit noir », où il évoquerait « des canailles européennes, juives, moscovites, grecques... » Après le dîner, les trois hommes se rendent chez Théophile Gautier, à Neuilly. Là, on demande à Flaubert de danser « l'idiot des salons ». Il accepte volontiers, emprunte un habit à Gautier et relève son faux col. « Je ne sais pas ce qu'il fait de ses cheveux, de sa figure, de sa physionomie, notent les Goncourt; mais le voilà tout à coup transformé en une formidable caricature de l'hébétement. Gautier, plein d'émulation, ôte sa redingote et, tout suant et tout perlant, son gros derrière

1. Goncourt, *Journal*, 3 mars 1862.

écrasant ses jarrets, nous danse le *Pas du créancier*. Et la soirée se termine par des chants bohèmes. »

Après la grosse rigolade, retour à la solitude et au travail. Le 14 avril 1862, Flaubert peut écrire à Mlle Amélie Bosquet : « J'ai encore cinq pages pour avoir complètement fini, elles ne sont pas les plus faciles et je n'en peux plus. Voilà juste cinq ans que je travaille à cet interminable bouquin. » Et dix jours plus tard à Mlle Leroyer de Chantepie : « J'ai enfin terminé, dimanche dernier, à sept heures du matin, mon roman *Salammbô*. Les corrections et la copie me demanderont encore un mois et je reviendrai ici (à Paris) dans le milieu de septembre pour faire paraître mon livre à la fin d'octobre. Mais je n'en puis plus. J'ai la fièvre tous les soirs et à peine si je puis tenir une plume. La fin a été lourde et difficile à venir[1]. »

Devant cette pile de pages manuscrites, il éprouve un mélange de fierté, d'angoisse et de fatigue. En les relisant, il découvre qu'une phrase sur deux est boiteuse : « Il m'est impossible de continuer mes corrections de *Salammbô*. Le cœur me saute de dégoût à la vue de mon écriture[2] », confie-t-il à sa nièce Caroline. Et encore, à la même : « Ma copiste me met en fureur. Je devrais tout avoir demain et je n'ai encore que quatre-vingts pages. Ce sera bien heureux si le manuscrit entier est recopié à la fin de la semaine[3]. » Déjà des questions pratiques le préoccupent : avec quel éditeur traiter ? et à quel prix ? et pour quelle date approximative de publication ? Il craint la concurrence. *Les Misérables* remportent dans le public un succès fracassant. Est-ce bien le moment de jeter *Salammbô* dans l'arène ? Pour sa part, il juge le roman de Hugo détestable et il le dit à Mme Roger des Genettes[4] : « Eh bien ! notre dieu baisse.

1. Lettre du 24 avril 1862.
2. Lettre du début mai 1862.
3. Lettre du 19 mai 1862.
4. Une nouvelle correspondante de Flaubert. Il avait fait sa connaissance dans le salon de Louise Colet. Louis Bouilhet était tombé amoureux de la jeune femme et Flaubert lui-même la jugeait charmante.

Les Misérables m'exaspèrent et il n'est pas permis d'en dire du mal : on a l'air d'un mouchard. La position de l'auteur est inexpugnable, inattaquable. Moi qui ai passé ma vie à l'adorer, je suis présentement *indigné*! Il faut bien que j'éclate, cependant. Je ne trouve dans ce livre ni vérité, ni grandeur. Quant au style, il me semble intentionnellement incorrect et bas. C'est une façon de flatter le populaire... Des types tout d'une pièce comme dans les tragédies! Où y a-t-il des prostituées comme Fantine, des forçats comme Valjean?... Ce sont des mannequins, des bonshommes de sucre... Des explications énormes données sur des choses en dehors du sujet et rien sur les choses qui sont indispensables au sujet. Mais en revanche des sermons pour dire que le suffrage universel est une bien jolie chose, qu'il faut de l'instruction aux masses; cela est répété à satiété. Décidément ce livre, malgré de beaux morceaux, et ils sont rares, est enfantin... La postérité ne lui pardonnera pas, à celui-là, d'avoir voulu être un penseur, malgré sa nature[1]. »

En vérité, ce qu'il critique chez Hugo, ce sont ses excès de plume, ses envolées lyriques, son romantisme attardé. Et soudain, une idée terrible le frappe : ne pourra-t-on lui reprocher la même chose pour *Salammbô*?

1. Lettre de juillet 1862.

XIV

MONDANITÉS

Incapable de traiter une affaire d'argent par lui-même, Flaubert consulte d'abord Jules Duplan sur la marche à suivre pour la publication de *Salammbô*. Il voudrait que Michel Lévy lui signât un contrat de confiance sans avoir lu le livre : « Du moment qu'on a un nom en littérature, il est d'usage de vendre chat en poche. Il (Michel Lévy) doit acheter mon nom et rien que cela [1]. » D'ailleurs, précise-t-il dans une autre lettre, « l'idée de la balle de Lévy foutant ses pattes sur *mes pages* me révolte plus que ne pourra faire n'importe quelle critique [2] ». En tout cas, il s'oppose énergiquement à une édition illustrée : « Quant aux illustrations, m'offrirait-on cent mille francs, je te jure qu'il n'en paraîtra pas une... Cette idée seule me fait entrer en frénésie. Jamais, jamais!... Ah! qu'on me le montre, le coco qui fera le portrait d'Hannibal et le dessin d'un fauteuil carthaginois! Il me rendra grand service. Ce n'était guère la peine d'employer tant d'art à laisser tout dans le vague pour qu'un pignouf vienne démolir mon rêve par sa précision inepte [3]. » Avec un serrement de cœur, il expédie la copie du manuscrit à Paris. Le frère de Jules Duplan, Ernest, en sera le dépositaire jusqu'à nouvel ordre. « Je me

---

1. Lettre à Jules Duplan du début juin 1862.
2. Autre lettre à Jules Duplan de la même époque.
3. Lettre à Jules Duplan du 10 juin 1862.

suis enfin résigné à considérer comme fini un travail interminable, écrit Flaubert aux Goncourt. À présent, le cordon ombilical est coupé. Ouf! N'y pensons plus [1]. »

À sa demande, c'est Ernest Duplan qui à présent négocie avec Michel Lévy. Flaubert, qui avait rêvé d'un forfait de trente mille francs, se déclare prêt à en accepter un de vingt mille. Mais les pourparlers s'enlisent. En juillet, il s'impatiente. « Pour que mon bouquin paraisse au commencement de novembre, il faudrait commencer à imprimer dès le milieu de septembre, écrit-il à Ernest Duplan. Il n'y a que trois éditeurs possibles, Lévy, Lacroix et Hachette. Voyez, tâtez! Et tâchez de m'avoir une somme assez ronde, sans pour cela manquer aux principes [2]. » Ces tractations l'obsèdent au point de l'empêcher de travailler. Il se sent « sec comme un caillou et vide comme un cruchon sans vin [3] ». Sa mère désirant faire une cure à Vichy, il l'y accompagne. Puis, de guerre lasse, il rabat ses prétentions et accepte de traiter avec Michel Lévy pour dix mille francs sans que le manuscrit ait été lu et avec l'assurance que le volume ne sera pas illustré. (Cette même année, Victor Hugo a touché, lui, trois cent mille francs pour *Les Misérables*.) En outre, Michel Lévy exige que l'accord soit conclu pour dix ans, que *Madame Bovary* reste sa propriété pendant ce laps de temps et que l'auteur lui cède au même prix son prochain roman qui devra obligatoirement être « moderne ». Afin d'impressionner les foules, on laissera courir le bruit que la somme payée pour *Salammbô* est bien de trente mille francs. Flaubert promet de ne pas démentir.

Le 8 septembre, il est à Paris et revoit une dernière fois son manuscrit : « Je m'occupe présentement à enlever les *et* trop fréquents et quelques fautes de français, écrit-il aux Goncourt. Je couche avec la *Grammaire des grammaires* et

1. Lettre du début juillet 1862.
2. Lettre du 26 juillet 1862.
3. Lettre à Mlle Amélie Bosquet de la fin juillet 1862.

le dictionnaire de l'Académie surcharge mon tapis vert. Tout cela sera fini dans huit jours[1]. » Nouvelles angoisses avec les épreuves d'imprimerie qu'il lit, la plume à la main : « Je suis dans l'agacement des épreuves et des dernières corrections. Je bondis de colère sur mon fauteuil en découvrant dans mon œuvre quantité de négligences et de sottises. Les embarras que me donne un mot à changer me donnent des insomnies[2]. »

Enfin, le 20 novembre 1862, *Salammbô* paraît en librairie : un bel in-octavo sous couverture jaune. La première édition est de deux mille volumes. Flaubert distribue des exemplaires sur papier de Hollande à ses amis et organise une réception boulevard du Temple. Tout en se disant dédaigneux des succès d'argent, il soigne de son mieux le lancement de son livre. Or, on a vite fait d'apprendre, dans les milieux littéraires, que *Salammbô* n'a pas été vendu à Michel Lévy pour trente mille francs, mais pour dix mille. Les Goncourt s'offusquent de ce micmac commercial indigne d'un homme de lettres et notent dans leur *Journal*, à la date du 21 novembre : « Il y a du Normand et du plus matois et du plus renforcé, je commence à le croire, au fond de ce garçon (Flaubert) si ouvert en apparence, exubérant de surface, la poignée de main si large, faisant avec tant d'éclat un si grand fi du succès, des articles, des réclames, – et que je vois, depuis l'histoire et le coup de grosse caisse de son faux traité avec Lévy, souterrainement accepter le bruit, les relations, travailler son succès comme pas un et se lancer, avec des allures modestes, à une concurrence face à face avec Hugo. » Et de fait, après des années de réclusion et de silence, Flaubert explose : tant pis pour ses principes de réserve et de hauteur. Pris dans l'engrenage parisien, il est prêt à tout pour que *Salammbô* triomphe. Mais peut-on intéresser le public avec l'histoire de cette héroïne carthaginoise, Salammbô, fille d'Hamilcar

1. Lettre du 13 septembre 1862.
2. Lettre à Mlle Amélie Bosquet du 21 octobre 1862.

et prêtresse de Tanit, qui se rend sous la tente du chef des mercenaires, Mathô, se livre à lui et obtient qu'il lui rende le voile sacré dont il s'est emparé et auquel est attachée la fortune de la République? La défaite sanglante des Barbares, le supplice de Mathô, la mort de Salammbô, toutes ces scènes violentes ne vont-elles pas décevoir les lectrices de *Madame Bovary*? Les archéologues ne seront-ils pas tentés d'attaquer un romancier qui prétend ressusciter un passé lointain?

Avec *Salammbô*, il a fait œuvre de visionnaire. Il n'a pas utilisé les événements qu'il raconte pour soutenir une thèse comme Chateaubriand dans *Les Martyrs*. Il ne s'est pas contenté de reconstituer avec précision une civilisation disparue à la façon d'un Michelet ou d'un Augustin Thierry. Il n'a pas davantage cherché à écrire un roman psychologique. Ses personnages sont tout d'une pièce, avec une passion centrale et des instincts simples et robustes qui les font agir sans détour. Salammbô, dont on a dit qu'elle avait été inspirée à l'auteur par Jeanne de Tourbey, brune piquante, amie de Louise Pradier et maîtresse en titre de Marc Fournier, le directeur du théâtre de la Porte-Saint-Martin, est loin d'avoir la complexité de caractère d'une Emma Bovary. Les ressorts de l'action sont plus politiques que sentimentaux. Le récit avance au rythme des ambitions, des rivalités, des combats d'influence et non au gré des battements du cœur. Avec ses descriptions hautes en couleur, son style tendu et la gratuité de son propos, il s'agit là d'une épopée que le lecteur subit comme une hallucination et dont il sort gorgé de pittoresque barbare et de riche violence. « Un mirage », disait Flaubert dans ses lettres. Il a atteint son but. L'œuvre est unique en son genre. Située à l'opposé de *Madame Bovary*, elle défie toute classification. Dans le public, elle remporte d'abord un succès de curiosité. Avant son apparition, lecteurs et journalistes se demandaient si l'auteur saurait se renouveler. Ils sont servis! *Salammbô* éclate tel un opéra de fureur, telle une bombe chargée de pierreries. On parle d'une

« horrifiante pluie de sang », on s'extasie, on s'indigne, on hausse les épaules. La presse est, dans l'ensemble, féroce. Du *Monde* à *L'Union* et de *La Patrie* au *Figaro*, c'est une mitraille d'invectives contre un écrivain qui heurte la sensibilité de ses contemporains. Sainte-Beuve, qui entretient avec Flaubert des relations très cordiales, se déclare irrité et déçu par la grandiloquence de *Salammbô*. Dans trois longs articles du *Constitutionnel*, il dénonce les défauts du livre, mais, par la place même qu'il lui consacre dans les colonnes de son journal, il souligne l'importance de l'événement. Il commence par affirmer qu'on ne peut « recomposer la civilisation antique », ce qui, à son avis, explique l'échec de l'auteur. Certes, celui-ci s'est livré à un travail ardu, mais il s'est trop appliqué, il ne s'est pas tenu au-dessus de son sujet. L'héroïne, Salammbô, est, dit Sainte-Beuve, dépourvue de vie. Ses comportements échappent à la logique humaine. Dans la description des atrocités, Flaubert témoigne d'une « pointe d'imagination sadique ». L'étalage de son érudition nécessiterait un lexique. Quant au style, il est pompeux, emphatique, « pavé de cailloux de toutes les couleurs et de pierres précieuses ». En conclusion, si l'effort du romancier a été titanesque, son ratage n'en est pas moins certain. Mais il a prouvé qu'il avait de la puissance et, dans ces conditions, « le malheur d'avoir échoué dans sa visée principale n'est pas si grand ».

Flaubert accuse le coup et, le 23 décembre, répond à Sainte-Beuve par une longue lettre de justification : « Votre troisième article sur *Salammbô* m'a radouci (je n'ai jamais été bien furieux). Mes amis les plus intimes se sont un peu irrités des deux autres; mais moi, à qui vous avez dit franchement ce que vous pensez de mon gros livre, je vous sais gré d'avoir mis tant de clémence dans votre critique. » Après ce préambule, il passe à la contre-attaque. Point par point, avec précision, avec acharnement, avec humour, il défend son roman. Tout, selon lui, y est exact. Il n'a pas inventé de supplices. En l'accusant de sadisme,

Sainte-Beuve donne des arguments à ceux qui l'ont déjà traîné en correctionnelle pour *Madame Bovary*. Quant au style, « j'ai moins sacrifié dans ce livre-là que dans l'autre à la rondeur de la phrase et à la période, écrit Flaubert. Les métaphores y sont rares et les épithètes positives ». Et il conclut en ces termes : « En me donnant des égratignures, vous m'avez très tendrement serré les mains et, bien que vous m'ayez quelque peu ri au nez, vous ne m'en avez pas moins fait trois grands saluts, trois grands articles très détaillés, très considérables et qui ont dû vous être plus pénibles qu'à moi... Vous n'aurez eu affaire ni à un sot ni à un ingrat. » Beau joueur, Sainte-Beuve annonce qu'il joindra la réponse de Flaubert à ses chroniques dans le prochain volume des *Lundis*.

En même temps que cet éreintement feutré paraissent, çà et là, des articles élogieux. Dans *Le Moniteur universel*, Théophile Gautier déclare que la lecture d'un pareil ouvrage est « une des plus violentes sensations intellectuelles qu'on puisse éprouver ». Flaubert tressaille de fierté. Le voici vengé de Sainte-Beuve : « Quel bel article, mon cher Théo, et comment t'en remercier ? Si l'on m'avait dit, il y a vingt ans, que ce Théophile Gautier, dont je me bourrais l'imagination, écrirait sur mon compte de pareilles choses, j'en serais devenu fou d'orgueil[1]. »

Mais à présent les savants s'en mêlent. Guillaume Froehner, un jeune archéologue allemand, bardé de diplômes, critique, dans *La Revue contemporaine*, la documentation de l'auteur. Du coup, Flaubert s'enflamme. S'il accepte les remontrances littéraires d'un Saint-Beuve, il ne peut tolérer qu'un cuistre le chicane sur ses recherches historiques. Dans une longue lettre au ton mordant, il démontre qu'il n'a rien avancé dans son roman qui ne soit appuyé sur des textes irréfutables, démolit un à un tous les arguments de son adversaire, le ridiculise avec une férocité joyeuse et conclut : « Rassurez-vous, Monsieur, bien que

1. Lettre du 22 décembre 1862.

vous paraissiez effrayé vous-même de votre force et que vous pensiez sérieusement " avoir déchiqueté mon livre pièce à pièce ", n'ayez aucune peur, tranquillisez-vous! car vous n'avez pas été *cruel*... mais léger[1]. »

Si, dans l'ensemble, la critique se montre réticente, Flaubert trouve une compensation d'amour-propre dans la réaction de ses pairs. Victor Hugo, Baudelaire, Michelet, Fromentin, Berlioz, Manet, Leconte de Lisle se déclarent subjugués. George Sand publie, le 27 janvier 1863, un superbe article dans *La Presse* : « J'aime *Salammbô*. La forme de Flaubert est aussi belle, aussi frappante, aussi concise, aussi grandiose dans sa prose française que n'importe quels beaux vers connus en quelque langue que ce soit. » Flaubert n'apprécie guère les romans de George Sand et la connaît à peine. Mais ce jugement généreux le bouleverse. Il se confond en remerciements. Elle lui répond : « Mon cher frère, il ne faut pas me savoir gré d'avoir rempli un devoir... Nous nous connaissons bien peu. Venez donc me voir quand vous en aurez le temps. Ce n'est pas loin, j'y suis toujours, mais je suis âgée, n'attendez pas que je sois en enfance[2]. » Nouvelle lettre de Flaubert : « Je ne vous sais pas gré d'avoir rempli ce que vous appelez un devoir. La bonté de votre cœur m'a attendri et votre sympathie m'a rendu fier. Voilà tout. » Mais, invité à se rendre chez George Sand, à Nohant, il ne dit « ni oui ni non », « en vrai Normand ». Il ira peut-être, un de ces jours, l'été prochain... En attendant, il demande à son illustre correspondante un portrait pour l'accrocher dans son cabinet[3]. Et il lui donne du « cher maître ».

Malgré l'hostilité d'une partie de la presse, *Salammbô* fait son chemin dans le public. L'impératrice lit le livre avec passion jusqu'à une heure avancée de la nuit. L'empereur s'intéresse à l'aspect militaire de l'œuvre et discute

1. Lettre du 21 janvier 1863.
2. Lettre du 28 janvier 1863.
3. Lettre du 31 janvier 1863.

avec son entourage des balistes, des catapultes et autres machines de guerre. Il est de bon ton, à la cour, d'admirer l'auteur. L'engouement des salons impériaux se communique à la ville. La mode s'empare de l'héroïne de Flaubert. Aux bals masqués, les dames portent volontiers des déguisements puniques. Mme Rimsky-Korsakov paraît à une réception au palais des Tuileries enveloppée dans les voiles transparents et constellés d'or de la fille d'Hamilcar, une ceinture en forme de serpent autour de la taille. *Le Journal amusant* fait dialoguer « les deux sœurs », Emma Bovary et Salammbô. Les caricaturistes s'en prennent à l'auteur et à ses personnages. Le théâtre du Palais-Royal affiche une revue satirique en quatre tableaux qui a pour titre : *Folammbô ou les Cocasseries carthaginoises*. Des musiciens découvrent dans *Salammbô* un merveilleux sujet d'opéra et Flaubert, qui a refusé jadis de laisser porter *Madame Bovary* à la scène, est séduit par l'idée d'un grand spectacle lyrique. Il songe à Verdi, puis à Berlioz, puis à Reyer, disciple de Berlioz, pour la partition et à Théophile Gautier pour le livret. Cependant l'affaire traîne en longueur. Quoi qu'il en soit, pour son deuxième roman publié, Flaubert suscite dans l'opinion les mêmes remous que pour le premier, mais, cette fois, aucun procès n'a excité la curiosité des foules. Le livre ne doit son succès qu'à lui-même. Et l'auteur, qui fait profession de mépriser tous les signes extérieurs de la notoriété, devient un personnage très parisien, dont les gens du monde recherchent la compagnie. Grisé, il accepte de nombreuses invitations, mais c'est encore parmi ses confrères qu'il se sent le plus à l'aise. Il participe avec quelques écrivains aux dîners du restaurant Magny, où Sainte-Beuve a ses habitudes. À un de ces dîners, il rencontre Ivan Tourgueniev, et immédiatement, entre les deux hommes, jaillit l'étincelle de la sympathie. D'ailleurs, l'écrivain russe, élégant et débonnaire, séduit tous les convives, à commencer par les Goncourt. « C'est un colosse charmant, un doux géant, les cheveux blancs, écrivent-ils. Il est beau, mais de je ne sais quelle beauté vénérable... Il y a du ciel dans les yeux de Tourgueniev. À la bienveillance du regard se joint la caresse et le petit chantonnement de l'accent russe, quelque chose de la cantilène de l'enfant et du nègre[1]. »

Néanmoins, les attraits de l'amitié et de la gloire ne sont pas suffisants pour retenir Flaubert plus longtemps à Paris. Ayant fait son plein de compliments, de critiques, de mondanités et de rires gras autour des viriles plaisanteries des dîners Magny, il repart pour Croisset. Et Sainte-Beuve peut dire de lui, en reprenant le mot de l'académicien Lebrun : « Il sort de là plus gros monsieur qu'avant. »

Comme pour confirmer cette sentence, Flaubert apprend, dès son arrivée à la campagne, qu'il a été attaqué en chaire dans deux églises parisiennes, l'église Sainte-Clotilde et l'église de la Trinité, en tant que corrupteur des mœurs. « Là, le prédicateur s'appelait l'abbé Becel, écrit Flaubert. J'ignore le nom de l'autre. Tous deux ont tonné contre l'impudicité des mascarades, contre le costume de Salammbô! Ledit Becel a rappelé la Bovary et prétend que cette fois je veux ramener le paganisme. Ainsi l'Académie et le clergé m'exècrent. Cela me flatte et m'excite... J'aurais dû, après *Salammbô*, me mettre immédiatement à *Saint Antoine*, j'étais en train, ce serait fini maintenant. Je m'ennuie à crever. Mon oisiveté (qui n'en est pas une, car je me creuse la cervelle comme un misérable), ma non-écriture, dis-je, me pèse. Sacré état[2]! »

Aucun des sujets qui se présentent à lui ne l'accroche vraiment. Son esprit flotte dans le vide sans jamais se poser sur une branche. Il hésite entre une nouvelle rédaction de son *Saint Antoine* et un roman moderne qui pourrait être la refonte de son *Éducation sentimentale*. Indécis, mécontent, il accompagne de nouveau sa mère en cure à Vichy. Logé avec elle à l'hôtel Britannique, il dépérit de morosité en regardant tous ces « bourgeois ignobles » qui boivent

1. Goncourt, *Journal*, 28 février 1863.
2. Lettre à Jules Duplan du début avril 1863.

leurs verres d'eau gravement et ponctuellement. La ville manque de « cocottes ». « Elles attendent pour accourir la venue de l'empereur, écrit-il. Un bourgeois fort aimable m'a appris qu'il s'était fondé, depuis l'année dernière, une nouvelle maison de prostitution, et même il a poussé l'obligeance jusqu'à m'en donner l'adresse. Mais je n'y ai pas été; je ne suis plus assez gai ou assez jeune pour adorer la Vénus populaire. Le besoin d'idéal est une preuve de décadence, on a beau dire[1] ! »

Revenu à Croisset à la fin du mois d'août, il travaille à une « féerie », *Le Château des cœurs*, qui, avant même d'être achevée, est refusée « sur scénario » par Marc Fournier, directeur du théâtre de la Porte-Saint-Martin. Il est vrai que la pièce a de quoi dérouter un organisateur de spectacles. En l'écrivant, Flaubert nourrit l'ambition d'imposer sur la scène un genre nouveau, inspiré de certaines comédies de Shakespeare. Pour y parvenir, il se plonge, avec sa patience habituelle, dans la lecture de nombreuses féeries modernes et sollicite la collaboration de Louis Bouilhet et du comte Charles d'Osmoy. Tous trois se mettent à l'ouvrage. L'histoire du *Château des cœurs* est celle de deux amants candides qui, avec l'aide des fées, doivent, pour se rejoindre, déjouer les traquenards que leur tendent toutes sortes de mauvais génies : les gnomes ennemis des grands sentiments humains. L'intrigue hésite entre le réalisme et le fantastique, le dialogue entre le sentencieux naïf et l'ironie pesante. Flaubert est quelque peu déçu du résultat. « J'en suis honteux, avoue-t-il. Cela me semble immonde, c'est-à-dire léger, *petiot*... Je suis humilié intérieurement : j'ai fait quelque chose de médiocre, d'inférieur[2]. » Malgré ce jugement sévère, il ne désespère pas de faire jouer sa féerie. Piqué de la tarentule du théâtre, il aimerait, à son tour, connaître les feux de la

1. Lettre à Mlle Amélie Bosquet du début juillet 1863.
2. Lettre à Mlle Amélie Bosquet du 26 octobre 1863.

rampe, l'agitation des coulisses, les applaudissements d'une salle en délire.

Le 29 octobre 1863, les Goncourt lui rendent visite à Croisset. Il va les chercher à la gare de Rouen avec son frère Achille, « grand et méphistophélique garçon, à grande barbe noire ». Un fiacre les emporte jusqu'à Croisset. « Nous voilà dans ce cabinet du travail obstiné et sans trêve, qui a vu tant de labeur et d'où sont sortis *Madame Bovary* et *Salammbô*, écrivent les Goncourt. Des corps de bibliothèque en bois de chêne à colonnes torses... Le buste en marbre blanc de sa sœur morte, par Pradier... Un divan-lit, fait d'un matelas recouvert d'une étoffe turque et chargé de coussins... la table de travail, une grande table ronde à tapis vert, où l'écrivain prend l'encre à un encrier qui est un crapaud... Çà et là, sur la cheminée, sur les tables, sur les tablettes des bibliothèques, un bric-à-brac de choses d'Orient, des amulettes avec la patine verte de l'Égypte, des flèches, des armes, des instruments de musique... Cet intérieur, c'est l'homme, ses goûts et son talent : sa vraie passion est celle de ce gros Orient, il y a un fond de Barbare dans cette nature artiste[1]. »

Le lendemain, 30 octobre, Flaubert lit *Le Château des cœurs* aux frères Goncourt. Ils sont stupéfaits par la nullité de la pièce : « Une œuvre dont, dans mon estime pour lui, je le croyais incapable. Avoir lu toutes les féeries pour arriver à faire la plus vulgaire de toutes! » Pour le reste, ils observent que l'intérieur où vit leur ami est « assez sévère, très bourgeois et un peu serré », que « les feux sont maigres dans les cheminées » et que même l'ordinaire, à table, sent « l'économie normande ». La mère de Flaubert a, selon eux, « sous ses traits de vieille femme, la dignité d'une grande beauté passée ». Quant à la nièce, Caroline, « la pauvre fille prise entre la studiosité de son oncle et la vieillesse de sa grand-mère, elle a d'aimables paroles, de jolis regards bleus et une jolie moue de regret quand, sur

1. Goncourt, *Journal*, 29 octobre 1863.

les sept heures, après le *Bonsoir, ma vieille*, de Flaubert à sa mère, la vieille grand-maman l'emmène dans sa chambre, pour se coucher bientôt ».

Le 1ᵉʳ novembre, les trois amis restent enfermés toute la journée, car Flaubert lit à haute voix ses œuvres de jeunesse. Avant le dîner, il fouille dans une malle et en tire des défroques orientales : « Et le voilà nous costumant et se costumant, superbe sous le *tarbouch*, une tête de Turc magnifique, avec ses beaux traits gras, son teint plein de sang et sa moustache tombante. » Il leur lira aussi ses *Notes de voyage* et leur exposera son point de vue sur l'art et les femmes. « Sur toutes choses, il a des thèses qui ne peuvent être sincères, des opinions de parade et de chic délicat, des paradoxes de modestie[1] », notent les Goncourt avec malveillance. Ils repartent, fatigués par les éclats de voix de Flaubert, sa faconde épaisse, ses jugements à l'emporte-pièce.

Un mois plus tard, il les retrouve à Paris. Insigne honneur, il a été invité à dîner, en même temps qu'eux, par la princesse Mathilde, fille de Jérôme Bonaparte et cousine de l'empereur. D'emblée, il tombe sous le charme de cette femme boulotte, couperosée, à l'œil petit et au sourire juvénile. Fier d'être distingué par une personne de si haut rang, le sauvage de Croisset, le contempteur de la vie mondaine, pérore à table pour se montrer à son avantage, ce qui agace les Goncourt : « Flaubert et Saint-Victor nous portent insupportablement sur les nerfs avec ce redoublement de grécomanie. Enfin ils en arrivent à admirer dans le Parthénon jusqu'à la couleur de cet admirable blanc, qui est, dit Flaubert avec enthousiasme, " noir comme de l'ébène "[2] ! » Définitivement lancé dans la haute société, Flaubert conquiert également l'estime du prince Jérôme Napoléon qui l'appelle « mon cher ami ». Il a beau proclamer à la ronde que cette bienveillance est due à la

1. Goncourt, *Journal*, 2 novembre 1863.
2. Goncourt, *Journal*, 2 décembre 1863.

certitude que lui, Flaubert, avec son caractère entier, ne demandera « ni une croix, ni un bureau de tabac », il n'en est pas moins très honoré de figurer parmi les familiers d'un si brillant personnage. Ce dernier est devenu, à l'époque, le protecteur de Jeanne de Tourbey qui a organisé un salon presque aussi couru que celui de la princesse Mathilde. On y retrouve entre autres Sainte-Beuve, Théophile Gautier, les Goncourt, Renan, Tourgueniev, Dumas fils...

Dans l'intervalle, *Le Château des cœurs*, remanié, est présenté au directeur du Châtelet, Hippolyte Hostein, pour une lecture. Nouvel échec. Un commissionnaire rapporte le manuscrit à Flaubert sans même une lettre de regret. Mais ce n'est plus le sort de sa pièce qui le préoccupe. Des affaires de famille autrement importantes retiennent son attention. L'avenir de sa nièce Caroline est en jeu. Elle vient de fêter ses dix-huit ans et s'est amourachée de son professeur de dessin, Maisiat, peintre de talent. Son exaltation est telle que sa grand-mère juge indispensable d'y mettre le holà en la mariant au plus vite avec un prétendant convenable. En 1860, lors des noces de Juliette Flaubert avec Adolphe Roquigny, parmi les invités figurait Ernest de Commanville, homme d'une trentaine d'années, de belle prestance, négociant en bois et dont la fortune paraît suffisante. Il plaît fort à Mme Flaubert qui insiste auprès de sa petite-fille pour qu'elle accepte cet excellent parti. Caroline se révolte, pleure, hésite, se confie par lettre à son oncle. Il est aussi troublé qu'elle. Pour lui, elle est encore une enfant. Il n'y a pas si longtemps qu'il lui faisait réciter ses leçons. Et voilà qu'on va la fourrer dans le lit d'un homme. En quittant la maison, elle les privera, lui et sa mère, d'une présence fraîche et primesautière, qui assurait leur bonheur. Égoïstement, il le déplore. Mais la raison lui dit qu'elle devrait céder. « Eh bien, ma pauvre Caro, tu es toujours dans la même incertitude, et peut-être que maintenant, après une troisième entrevue, tu n'en es pas plus avancée, lui écrit-il. C'est une décision si grave à prendre que je serais exactement dans le même état si j'étais dans ta jolie peau. Vois, réfléchis, tâte bien ta personne tout entière (cœur et âme), pour voir si le monsieur comporte en lui des chances de bonheur... Ta pauvre grand-mère désire te marier, par la peur où elle est de te laisser toute seule, et moi aussi, ma chère Caro, je voudrais te voir unie à un honnête garçon qui te rendrait aussi heureuse que possible! Quand je t'ai vue, l'autre soir, pleurer si abondamment, ta désolation me fendait le cœur. Nous t'aimons bien, mon bibi, et le jour de ton mariage ne sera pas un jour gai pour tes deux vieux compagnons. Bien que je sois naturellement peu jaloux, le coco qui deviendra ton époux, quel qu'il soit, me déplaira d'abord. Mais là n'est pas la question. Je lui pardonnerai plus tard et je l'aimerai, je le chérirai s'il te rend heureuse... Oui, ma chérie, je déclare que j'aimerais mieux te voir épouser un épicier millionnaire qu'un grand homme indigent : car le grand homme aurait, outre sa misère, des brutalités et des tyrannies à te rendre folle ou idiote de souffrances... Je suis comme toi, tu vois bien, je perds la boule; je dis alternativement blanc et noir... Tu auras du mal à trouver un mari qui soit au-dessus de toi par l'esprit et l'éducation... Tu es donc forcée à prendre un brave garçon inférieur. Mais pourras-tu aimer un homme que tu jugeras de haut?... Sans doute que l'on va te talonner pour donner une réponse prompte. Ne fais rien à la hâte[1]. »

Malgré lui, il repense à la déception et au désarroi de la femme mariée qu'il a analysés avec tant de lucidité dans *Madame Bovary*. Caroline ne va-t-elle pas connaître, avec un époux banal, un sort analogue à celui d'Emma? Mme Flaubert tient bon, face à sa petite-fille qui faiblit et se résigne. Une dernière anicroche : lorsqu'on en vient aux questions d'état civil, il apparaît que le prétendant n'a pas droit à la particule et qu'il est un enfant illégitime dont le nom même est contestable. En hâte, on obtient du tribunal

1. Lettre de la fin décembre 1863.

du Havre deux arrêts du 6 et du 10 janvier 1864 qui régularisent la situation. Quant à la condition matérielle et sociale de Commanville, elle est on ne peut plus claire : il possède une scierie mécanique à Dieppe, fait venir le bois du Nord et le revend, débité, à Rouen et à Paris. Cela semble du meilleur aloi.

Quelque peu rasséréné, Flaubert se replonge dans les divertissements de la capitale, qu'il dénigre, à son habitude, tout en les recherchant. Ce sont les mercredis de la princesse Mathilde, les soirées chez Jeanne de Tourbey, les sorties avec le prince Napoléon, les conversations avec les Goncourt, Théophile Gautier, Ernest Feydeau, Jules Michelet, les dîners Magny où l'on se rencontre entre hommes pour manger gras, boire sec et discuter à perdre haleine d'art, de littérature et de femmes. Pris dans ce tourbillon de plaisirs, Flaubert écrit avec une fierté puérile à sa nièce : « J'ai dîné samedi chez la princesse Mathilde, et la nuit d'hier (du samedi au dimanche) j'ai été au bal de l'Opéra, jusqu'à cinq heures du matin, avec le prince Napoléon et l'ambassadeur de Turin, en grande loge impériale[1]. » Par moments, il a l'impression de se dédoubler, d'être, à Croisset, un ostrogoth farouche et, à Paris, un fêtard content de se montrer en bonne compagnie. Tantôt il est pour la pénombre et le silence des profondeurs, tantôt pour la vaine agitation de la vie publique. Où se situe le vrai Flaubert? Sûrement dans son trou de province; ici, il se disperse, il se distrait, il joue un rôle. Les Goncourt le décrivent ainsi à un dîner chez Magny, le 18 janvier 1864 : « Flaubert, la face enflammée, la voix beuglante, remuant ses gros yeux, dit que la beauté n'est pas érotique, que les belles femmes ne sont pas faites pour être baisées, que l'amour est fait de cet inconnu que produit l'excitation et que très rarement produit la beauté. On le plaisante. Alors il dit qu'il n'a jamais baisé vraiment une femme, qu'il est vierge, que toutes les femmes qu'il a

1. Lettre de janvier 1864.

eues, il en a fait le matelas d'une autre femme rêvée. » Il affirme d'autre part, avec pesanteur, que « le coït n'est pas du tout nécessaire à la santé de l'organisme, que c'est un besoin que notre imagination crée ». Autour de lui, on s'esclaffe, on proteste. Et il s'enferre dans sa démonstration. Il y a un contraste étrange entre la grossièreté de ses jugements sur l'amour lors de ses rencontres avec des hommes et la délicatesse dont il fait preuve quand il dissèque la sensibilité féminine dans ses romans. Quelques jours plus tard, chez la princesse Mathilde, il est toujours aussi verbeux, mais surveille ses propos, et les Goncourt notent avec irritation son besoin d'occuper le tapis : « J'étudie chez la princesse le curieux travail de Flaubert pour attirer l'attention de la maîtresse de maison, se faire voir, se faire parler, et cela par l'obsession des regards, des mines, des poses. Je sens dans tout cet homme le besoin, qui va jusqu'à la souffrance, d'occuper, de violer l'attention et de la tenir à lui seul; et je ris en moi de voir ce gros blagueur de toutes les gloires humaines être si brutalement affamé de glorioles bourgeoises[1]. »

Au mois de février, Flaubert suit avec fièvre les répétitions de la nouvelle pièce de Louis Bouilhet, *Faustine*. C'est un franc succès : « Leurs Majestés ont paru très contentes l'autre jour, ce qui attire du monde », écrit Flaubert, tout heureux, à sa nièce. Et il ajoute en postscriptum : « Amitiés à Monsieur mon futur neveu[2]. » Le 29 février, il assiste à la première représentation du *Marquis de Villemer* de George Sand, au théâtre de l'Odéon, et, assis à côté du chef de claque, à la troisième galerie, la face congestionnée, les yeux hors de la tête, le front dégarni et luisant de sueur, il saute sur son fauteuil et tape dans ses mains comme un sourd. Quand sera-ce son tour d'être applaudi pour *Le Château des cœurs* ? Pour l'instant, la « féerie » n'intéresse personne. Il s'en console en songeant

1. Goncourt, *Journal*, 24 janvier 1864.
2. Lettre du 29 février 1864.

à son futur roman, mais il ne se sent pas encore mûr pour l'écrire. D'ailleurs, il est temps de retourner à Croisset. « Je suis bien content de penser que dans huit jours nous revivrons enfin ensemble, confie-t-il à Caroline. Les douleurs de genou de ta grand-mère seront dissipées, espérons-le! et nous passerons encore, avant ton mariage, quelques moments comme autrefois[1]. »

Le 6 avril 1864, en la mairie de Canteleu, Caroline Hamard devient Caroline Commanville. En contemplant, à l'église, sa nièce si jeune, si fragile, sous ses voiles blancs, aux côtés de son robuste époux plus vieux qu'elle de douze ans, Flaubert a un pressentiment tragique. Mais la grand-mère, tout en essuyant une larme, paraît enchantée. Le repas réunit trente personnes. Peu après, le couple part en voyage de noces. Pour l'Italie, comme il se doit. À peine sa nièce est-elle loin que Flaubert lui écrit à l'adresse qu'elle lui a laissée : « Eh bien, mon pauvre loulou, ma chère Caroline, comment vas-tu? Es-tu contente de ton voyage, de ton mari et du mariage? Comme je m'ennuie de toi! Et comme j'ai envie de te revoir et de causer avec ta gentille personne!... Ta grand-mère compte les jours qui la séparent de ton retour : il lui semble que tu es partie depuis des siècles[2]. » Et, trois jours plus tard : « Il était temps que ta lettre arrivât, ma chère Caro, car ta bonne maman commençait à perdre la boule. Nous avions beau lui expliquer qu'il fallait du temps à la poste pour apporter de tes nouvelles, rien n'y faisait, et, si nous n'en avions pas eu aujourd'hui, je ne sais comment la journée de demain se serait passée... Je me suis remis à travailler, mais ça ne va pas du tout! J'ai peur de n'avoir plus de talent et d'être devenu un pur crétin, un goitreux des Alpes[3]. »

Réunis dans l'attente du courrier, cette mère de soixante-dix ans et ce fils de quarante-deux ans forment un

1. Lettre du 3 mars 1864.
2. Lettre du 11 avril 1864.
3. Lettre du 14 avril 1864.

couple bizarre et apparemment indissoluble. Ayant marié sa petite-fille, Mme Flaubert, inquiète, valétudinaire et despotique, redouble d'affection envers Gustave. Même quand ils ne se parlent pas, ils communient dans le remuement des souvenirs. Il y a dans leurs tête-à-tête, à Croisset, une funèbre et douce relation avec tout le passé de la famille. Leurs conversations, leurs silences créent un climat intime qui sent le renfermé. « À mesure que l'on vieillit et que le foyer se dépeuple, on se reporte vers les jours anciens, vers le temps de la jeunesse[1] », écrit Flaubert à Ernest Chevalier. De lettre en lettre, il suit l'itinéraire des jeunes mariés : Venise, Milan, lac de Côme... D'après ce que dit Caroline, elle est très heureuse avec Ernest Commanville. Mais peut-on croire les confidences d'une jeune mariée à son oncle et à sa grand-mère?

Enfin les voyageurs sont de retour. Caroline se révèle assoiffée de vie mondaine. Les Commanville ont beaucoup d'amis dans la haute société de Rouen. Tout est pour le mieux. Soulagé, Flaubert reprend le chemin de Paris. Là, il travaille au plan de son livre, qu'il qualifie de « roman parisien ». « L'idée principale s'est dégagée et maintenant, c'est clair, confie-t-il à Caroline. Mon intention est de commencer à écrire pas avant le mois de septembre[2]. » D'ici là, il compte fréquenter assidûment la bibliothèque impériale pour se documenter et prendre des notes. Cette œuvre qui, jour après jour, se précise dans sa tête, il la veut aussi parfaite, aussi impersonnelle et aussi désespérée que *Madame Bovary*. Mais n'a-t-il pas tort de prétendre imposer au lecteur un retour à la grisaille contemporaine après le chatoiement carthaginois de *Salammbô* qui a connu un tel succès? Tant pis, pour lui la littérature est synonyme de risque. Écrire, c'est livrer un combat. Plus l'issue en paraît incertaine, plus il éprouve le besoin de s'y consacrer jusqu'à l'épuisement de ses forces.

1. Lettre du 19 avril 1864.
2. Lettre du 4 mai 1864.

XV

UN NOUVEL AMI : GEORGE SAND

Encore des allées et venues entre Croisset et Paris, puis un séjour d'agrément à Étretat avec sa mère, un voyage de documentation à Villeneuve-Saint-Georges, des « lectures socialistes » (Fourier, Saint-Simon) qui lui font prendre ces gens-là en haine (« Quels despotes et quels rustres! Le socialisme moderne pue le pion[1]! ») et, le 1er septembre 1864, Flaubert commence la rédaction de son roman. Pas d'hésitation sur le titre : le livre s'appellera *L'Éducation sentimentale*, comme celui qu'il a écrit dix-neuf ans plus tôt. Mais les sujets seront si différents qu'aucune confusion ne sera possible. Il s'en explique dans une lettre à Mlle Leroyer de Chantepie : « Me voilà maintenant attelé depuis un mois à un roman de mœurs modernes qui se passera à Paris. Je veux faire l'histoire morale des hommes de ma génération; " sentimentale " serait plus vrai. C'est un livre d'amour, de passion; mais de passion telle qu'elle peut exister maintenant, c'est-à-dire inactive. Le sujet, tel que je l'ai conçu, est, je crois, profondément vrai, mais, à cause de cela même, peu amusant probablement. Les faits, le drame manquent un peu; et puis l'action est étendue dans un laps de temps trop considérable. Enfin j'ai beaucoup de

---

1. Lettre à Mlle Amélie Bosquet de juillet 1864.

mal et je suis plein d'inquiétudes[1]. » Et à Mme Roger des Genettes : « Avez-vous jamais réfléchi à la tristesse de mon existence et à toute la volonté qu'il me faut pour vivre? Je passe mes jours absolument seul, sans plus de compagnie qu'au fond de l'Afrique centrale. Le soir enfin, après m'être battu les flancs, j'arrive à écrire quelques lignes, qui me semblent détestables le lendemain. Ai-je vieilli? Suis-je usé? Je le crois... Depuis sept semaines j'ai écrit quinze pages et encore ne valent-elles pas grand-chose[2]. »

Ce travail si ardu, si ingrat, il est heureux de le délaisser pour courir à Paris et y satisfaire à des obligations mondaines. En novembre, il est invité pour la première fois par l'empereur à Compiègne. Certes, il se sent quelque peu déguisé dans son habit de cour – culottes, bas et escarpins –, mais c'est avec gratitude qu'il s'incline devant Leurs Majestés. L'impératrice lui réserve un accueil charmant, le faste des salons l'éblouit, les compliments de quelques personnages considérables lui montent à la tête et, une fois rentré boulevard du Temple, il écrit à Caroline : « Il est quatre heures, et je ne fais que m'éveiller, car les pompes de la Cour m'ont éreinté... Les bourgeois de Rouen seraient encore plus épatés qu'ils ne le sont s'ils savaient mes succès à Compiègne. Je parle sans aucune exagération. Bref, au lieu de m'ennuyer, je me suis beaucoup amusé. Mais, ce qu'il y a de dur, c'est le changement de costume et l'exactitude des heures[3]. »

De retour à Croisset, il n'en oublie pas pour autant les usages et écrit à Jules Duplan : « Je te prie de m'inscrire, le jour de l'an, chez le prince et la princesse, au Palais-Royal. Demande à Madame Cornu[4] si la même chose s'exécute aux Tuileries. Dans ce cas, ce serait une seconde commis-

1. Lettre du 6 octobre 1864.
2. Lettre d'octobre 1864.
3. Lettre du 17 novembre 1864.
4. Mme Cornu, filleule de la reine Hortense, amie et correspondante de Louis-Napoléon avant le 2 décembre 1851.

sion[1]. » Ce goût de la haute société, il le partage à présent avec Caroline, qui est courtisée de près par le préfet de Rouen, le baron Leroy. Elle reçoit de cet aimable fonctionnaire des billets doux, et des violettes de Parme sont déposées dans son prie-Dieu, à la cathédrale. Flaubert la plaisante sur sa frivolité. « Madame aime le monde, lui écrit-il de Paris. Madame sait qu'elle est jolie. Madame aime à se l'entendre dire[2]. » Et quelques jours plus tard : « Continues-tu à faire les délices des salons de Rouen en général et de celui de M. le Préfet en particulier. Ledit préfet m'a l'air ravi de ta personne. Il me semble que tu te dégrades un peu, à tant fréquenter mes immondes compatriotes. » Elle se moque de ces mises en garde et se livre gaiement aux jeux de la coquetterie avec un homme en vue. Tout ce qui relève des mondanités parisiennes la passionne. Elle envie son oncle de fréquenter des gens célèbres. Comme elle insiste pour qu'il lui raconte le dernier bal donné par le prince Jérôme, il s'exécute de bonne grâce : « Ce qui m'a surpris le plus, c'est la quantité de salons : vingt-trois au bout les uns des autres, sans compter les petits appartements de dégagement. " Monseigneur[3] " était tout étonné de la quantité de monde que je connaissais. J'ai bien parlé à deux cents personnes... Au milieu de cette " brillante société ", que vis-je? Des trombines de Rouen !... Je me suis écarté de ce groupe avec horreur et j'ai été m'asseoir sur les marches du trône, à côté de la princesse Primoli... J'ai admiré sur la tête de ma souveraine le Régent (quinze millions); cela est assez joli. » Et plus loin : « La princesse Clotilde, me voyant au bras de Mme Sandeau, a demandé à sa cousine Mathilde si c'était ma femme; là-dessus plaisanteries des deux princesses sur

1. Lettre de décembre 1854.
2. Lettre du 5 février 1865.
3. Surnom de Louis Bouilhet.

mon compte. Tels sont les spirituels cancans que j'ai à te narrer[1]. »

Devant ces grandes dames, il éprouve une certaine timidité qui le retient de leur faire la cour. Il fréquente de plus près des femmes telles que Louise Pradier, qui lui a sans doute accordé ses faveurs, mais qui n'est plus jeune, Esther Guimond qui vieillit aussi et qui de surcroît est laide, Suzanne Lagier, artiste dramatique devenue chanteuse de café-concert, celles enfin qu'il surnomme ses « trois anges » : Marie-Angèle Pasca, Mme Lapierre, Mme Brainne. Toutes ont droit à ses prévenances, mais aucune ne devient sa maîtresse attitrée. L'expérience de Louise Colet lui a suffi. Il préfère se divertir en paroles avec des amies qui lui plaisent et s'adresser à une prostituée quand la nature l'exige. Ainsi du moins n'est-il pas perturbé dans son travail. Tenace, il s'épuise à escalader les chapitres de son roman, qui est devant lui, dit-il, comme « une montagne à gravir ». « Et je me sens les jarrets fatigués et la poitrine étroite[2]. » Il se plaint même à la princesse Mathilde : « Qu'ai-je au juste ? Voilà le problème. Ce qu'il y a de sûr, c'est que je deviens hypocondriaque, ma pauvre cervelle est fatiguée. On me dit de me distraire ; mais à quoi ?... Je suis assailli par les souvenirs tristes et tout m'apparaît comme enveloppé d'un voile noir. Enfin je suis maintenant un *pitoyable monsieur*. Est-ce le commencement de la fin, ou une maladie passagère ? J'essaye de divers remèdes ; entre autres, je ne fume plus ou presque plus[3]. »

Caroline arrive de Rouen pour le « remonter ». Il se rétablit, assiste à un dîner chez Théophile Gautier, véritable « caravansérail », à un autre au restaurant Magny en l'honneur de Sainte-Beuve, nommé sénateur, et, en sortant de table, tente d'étonner les Goncourt par une de ces

1. Lettre de février 1865.
2. Lettre à Mlle Leroyer de Chantepie du 11 mai 1865.
3. Lettre de mai 1865.

confidences énormes dont il raffole : « Ma vanité était telle, quand j'étais jeune, que, lorsque j'allais au bordel avec mes amis, je prenais la plus laide et tenais à la baiser devant tout le monde, sans quitter mon cigare. Cela ne m'amusait pas du tout, mais c'était pour la galerie. » N'est-ce pas encore pour la galerie qu'il se vante ainsi de ses prouesses sexuelles d'autrefois? « Flaubert a toujours un peu de cette vanité-là, notent les Goncourt, ce qui fait qu'avec une nature franche, il n'y a jamais une parfaite sincérité dans ce qu'il dit sentir, souffrir, aimer [1]. »

Et le voici repris par la bougeotte. À peine revenu à Croisset, il part pour Londres, ensuite pour Baden où il retrouve Maxime Du Camp, mais aussi sa chère Élisa Schlésinger qui réside depuis longtemps dans cette ville. Cette rencontre est-elle pour lui fortuite ou l'a-t-il recherchée parce qu'il travaille à L'Éducation sentimentale et qu'il éprouve le besoin de rafraîchir ses souvenirs amoureux? Élisa a vieilli, s'est fanée, et sa raison est fragile. Elle a même été internée pendant dix-sept mois dans une maison de santé, près de Mannheim. Sans doute, en la revoyant, Flaubert a-t-il la vertigineuse sensation de la fuite du temps, de l'usure des passions, de la vanité des illusions de jeunesse. De retour à Croisset, il tombe sur sa mère malade : « Un zona compliqué d'une névralgie générale et qui lui fait pousser la nuit de tels cris que j'ai été obligé d'abandonner ma chambre [2]. » Pour requinquer la malade, on lui fait boire du vin de quinquina et on la gave de viandes rouges. Mais elle s'ennuie de sa petite-fille qu'elle ne voit plus que rarement. Flaubert aussi regrette le bon temps où Caroline animait la maison de ses rires. Il se console en redoublant d'efforts sur son manuscrit. « Quant à moi, écrit-il à sa nièce, je crois que je suis en re-train de travailler. Je me suis couché cette nuit à quatre heures et je

1. Goncourt, *Journal*, 9 mai 1865.
2. Lettre aux Goncourt du 12 août 1865.

recommence à regueuler, dans le silence du cabinet, d'une façon congrue. Ça me fait du bien[1]. »

La première partie du roman sera, espère-t-il, terminée à la fin de l'année. Mais il doit se précipiter en novembre à Paris pour soutenir de ses applaudissements les frères Goncourt qui donnent une pièce, *Henriette Maréchal*, au Théâtre-Français. Malgré cette preuve d'amitié, les Goncourt notent dans leur *Journal* : « Je crois que j'ai trouvé la véritable définition de Flaubert, du talent et de l'homme : c'est un sauvage académique[2]. » Pendant les répétitions, on craint que la censure n'interdise le spectacle, jugé trop osé. Flaubert fulmine : « N'allez pas par quatre chemins, mes bons, dit-il aux Goncourt. Adressez-vous directement à l'empereur. » Le soir de la première, c'est un beau tumulte. Flaubert, la princesse Mathilde et quelques autres amis ont beau battre des mains à tout rompre, la salle ne suit pas. Quand le rideau tombe sur la dernière scène, le charivari est tel que l'acteur Got ne peut même pas annoncer le nom des auteurs; *Henriette Maréchal* est retirée de l'affiche, par ordre, après la sixième représentation. « Tout cela est d'un incroyable à devenir fou, écrit Flaubert. Je sens qu'il y a du prêtre dans votre cabale[3]. » Et il retourne à Croisset, son « vrai domicile, celui qui est habité le plus souvent », comme il le dit à la princesse Mathilde. Elle lui envoie, en souvenir, une aquarelle, due à son pinceau, qui lui parvient après un inquiétant retard, et qu'il accroche, tout ému, au mur de son cabinet de travail, entre le buste de sa sœur et un masque d'Henri IV. Il n'en revient pas d'être distingué, peut-être même aimé, par tant de gens proches du pouvoir. Décidément, les masses besogneuses et obscures sont faites pour être éclairées et guidées par une élite. Aussi bien en art qu'en politique, il faut des chefs, des maîtres, des aristocrates du cœur et de

1. Lettre du mois d'août 1865.
2. Goncourt, *Journal*, 29 novembre 1865.
3. Lettre aux Goncourt de décembre 1865.

la pensée. « Ce qu'il y a de considérable dans l'histoire, affirme-t-il à Mlle Leroyer de Chantepie, c'est un petit troupeau d'hommes (trois ou quatre cents par siècle, peut-être) et qui, depuis Platon jusqu'à nos jours, n'a pas varié; ce sont ceux-là qui ont tout fait et qui sont la conscience du monde. Quant aux parties basses du corps social, vous ne les élèverez jamais[1]. »

Le temps d'achever la première partie de *L'Éducation sentimentale* et, de nouveau, il boucle ses valises. Grâce au chemin de fer, Paris est si près de Rouen que, pour un oui pour un non, il saute dans le train et se retrouve dans la capitale. Désormais il a deux ports d'attache, et il court de l'un à l'autre avec son manuscrit dans ses bagages. On le suppose retiré à Croisset, et il est boulevard du Temple, on veut lui rendre visite à son logis parisien, et il est déjà reparti pour la campagne. À Paris, il va voir des ouvriers du faubourg Saint-Antoine et de la barrière du Trône, lit des traités sur les faïences et prépare la suite de son roman. Comme il s'y attendait, sa mère veut le rejoindre. Malheureusement, il n'a pas la place de la loger chez lui avec sa femme de chambre, Joséphine, car son propre domestique couche déjà dans la cuisine. Que faire ? Avec son caractère susceptible et buté, elle se figurera certainement qu'il a inventé ce prétexte pour ne pas la recevoir. Il implore Caroline de faire entendre raison à la vieille dame : « Il faut donc, écrit-il à sa nièce : 1. ou qu'elle se résigne à se passer de femme de chambre; 2. ou que j'envoie chaque soir mon domestique coucher à l'hôtel; ou 3. que ta grand-mère descende au Helder, ce qui franchement serait plus simple et plus commode pour elle et pour moi. Mais je me pendrais plutôt que de le lui dire moi-même[2]. »

Finalement, Flaubert, sa mère et les domestiques se tasseront, tant bien que mal, boulevard du Temple. Elle lui a apporté à sa demande quelques vêtements orientaux qu'il

1. Lettre du 23 janvier 1866.
2. Lettre de février 1866.

235

a achetés lors de son voyage en Afrique. Il aime les revêtir pour épater les amis. Le 12 février, il introduit George Sand aux dîners du restaurant Magny, rue Dauphine. Seule femme admise dans ce cercle d'hommes, elle est d'abord déroutée par la joyeuse camaraderie des convives et la hardiesse de leurs propos. Tous la traitent avec déférence, à cause de sa notoriété et de son âge. À soixante-deux ans, elle est la grand-mère des lettres. « Elle est là, écrivent les Goncourt, à côté de moi, avec sa belle et charmante tête, dans laquelle, avec l'âge, s'accuse de jour en jour un peu plus le type de la mulâtresse. Elle regarde le monde d'un air intimidé, glissant à l'oreille de Flaubert : " Il n'y a que vous ici qui ne me gêniez pas... " Elle a de petites mains d'une délicatesse merveilleuse, presque dissimulées dans des manchettes de dentelle. »

Le mois suivant, toujours attelé à son roman, Flaubert demande à Sainte-Beuve des renseignements sur le mouvement néo-catholique vers 1840 : « Mon histoire s'étend de 1840 au coup d'État. J'ai besoin de tout savoir, bien entendu, et, avant de m'y mettre, d'entrer dans l'atmosphère du temps... Je ne puis aller vous voir parce que j'ai un horrible clou qui m'empêche de m'habiller. Il m'est impossible d'aller aux bibliothèques. Je perds mon temps et je me ronge[1]. » Pendant quinze jours, il se traîne dans son appartement, « enharnaché de bandes et enfoui dans des cataplasmes ». Sa seule consolation, c'est le travail. Encore mal rétabli, il assiste comme témoin, en avril, au mariage très littéraire de Judith Gautier, fille aînée de Théophile, avec Catulle Mendès. Mais il ne prévoit rien de bon de cette union mal assortie. En tout cas, plus que jamais il est partisan du célibat pour les artistes. Constamment tourné vers lui-même, s'interrogeant, s'étudiant et commentant avec satisfaction ses états d'âme à l'intention de ses amis, il confie aux Goncourt : « Il y a deux hommes en moi. L'un, vous voyez, la poitrine étroite, le cul de

1. Lettre du 12 mars 1866.

236

plomb, l'homme fait pour être penché sur une table; l'autre, un commis voyageur, une véritable gaieté de commis voyageur en voyage, et le goût des exercices violents[1]. » Tel quel, il plaît à George Sand. Elle exerce sur lui son charme sur le déclin. Le 21 mai, elle apparaît au dîner Magny, en robe « fleur de pêcher ». « Une toilette d'amour, que je soupçonne mise avec l'intention de violer Flaubert », notent les Goncourt. Flaubert est ému par cette nouvelle amitié où se mêlent tendresse et coquetterie. Il sait que George Sand est trop âgée pour que leur affection dégénère en rapports intimes et cela le rassure. Aimer et estimer une femme avec laquelle on est sûr de ne coucher jamais, cela lui paraît la situation idéale pour un homme de lettres sur le retour.

Comme il passe pour être proche du trône, sa nièce l'interroge sur les bruits alarmants qui courent à Rouen au sujet d'un éventuel conflit armé. Avec aplomb, il la rassure : « Tu me demandes ce que je pense de la situation politique et ce qu'on en dit. J'ai toujours pensé qu'il n'y aurait pas la guerre, et on dit maintenant que tout va peut-être s'arranger... Ces bons bourgeois, qui ont nommé Isidore[2] pour défendre l'ordre et la propriété n'y comprennent plus rien... Eh bien, moi, je crois l'Empereur plus fort que jamais... Les bons Italiens vont donc se flanquer une tournée avec l'Autriche, mais la France mettra vite le holà. On prendra la Vénétie, on donnera à l'Autriche les provinces danubiennes comme compensation. Nos troupes reviendront du Mexique et tout sera fini *momentanément*.... En résumé, je crois que, si la guerre a lieu, nous y participerons très peu et qu'elle se finira vite. La France ne peut pas laisser détruire son œuvre, à savoir l'unité italienne, et elle ne peut pas elle-même détruire l'Autriche, car ce serait livrer l'Europe à la Russie. Donc, nous nous

1. Goncourt, *Journal*, 6 mai 1866.
2. Sobriquet de Napoléon III.

tiendrons au milieu, en empêchant qu'on ne se batte trop fort[1]. »

Ces prévisions optimistes sont démenties par les faits. Le 3 juillet 1866, l'armée prussienne écrase les Autrichiens à Sadowa. Cette victoire révèle la puissance de l'armement des Prussiens dotés du fusil à aiguille et l'habileté de leur tactique. Du coup, la France elle-même se sent menacée par son redoutable voisin. Mais Flaubert ne croit toujours pas à une guerre prochaine. Ce même mois, il se rend à Londres, où il voit Gertrude Tennant et sa sœur Mrs. Campbell, puis à Baden, où Maxime Du Camp fait son séjour annuel. À peine revenu à Croisset, au mois d'août, il repart pour Saint-Gratien où la princesse Mathilde possède une résidence d'été. Une importante cérémonie l'y attend. Il reçoit les insignes de chevalier de la Légion d'honneur. Après s'être moqué de ses amis qui ont eu la faiblesse d'accepter cette décoration, il se gonfle de fierté avec son ruban rouge à la boutonnière. De toute évidence, c'est la princesse Mathilde qui est intervenue en sa faveur auprès du ministre de l'Instruction publique. « Je ne doute pas du bon vouloir de M. Duruy, écrit-il à la princesse, mais j'imagine que l'idée lui a été quelque peu suggérée par une autre. Aussi le ruban rouge est-il pour moi plus qu'une faveur, presque un souvenir. Je n'avais pas besoin de cela pour penser souvent à la princesse Mathilde[2]. » Et il confesse à Mlle Amélie Bosquet : « Ce qui me fait plaisir dans le ruban rouge, c'est la joie de ceux qui m'aiment... Ah! si l'on recevait cela à dix-huit ans[3]! » Autre marque d'estime : George Sand lui dédie son roman *Dernier amour*. Mais Flaubert est gêné de voir son nom accolé à un titre aussi compromettant. Cette dédicace lui vaut, dit-il, « les plus aimables plaisanteries ». Serait-il le

1. Lettre du 19 ou du 26 mai 1866.
2. Lettre du 16 août 1866.
3. Lettre du 20 août 1866.

« dernier amour » de la dame de Nohant? Et voici qu'elle lui annonce sa visite à Croisset, du 28 au 30 août 1866.

Aussitôt, c'est un branle-bas dans la maison. En hâte, on prépare pour George Sand la chambre de Caroline. Flaubert attend la voyageuse sur le quai de la gare et l'emmène en voiture pour visiter la ville. Après quoi, on se rend à Croisset. « La mère de Flaubert est une vieille charmante, note George Sand dans son agenda à la date du 28 août. L'endroit est silencieux, la maison est confortable et jolie et bien arrangée. Et un bon service, de la propreté, de l'eau, des *prévisions*, tout ce qu'on peut souhaiter. Je suis comme un coq en pâte. » Le soir, il lui lit *La Tentation de saint Antoine*, dans la version de 1856, et elle trouve cette œuvre « superbe ». On se couche à deux heures du matin. Le lendemain, on prend le bateau pour La Bouille, sous la pluie, on revient à la maison pour une tasse de thé, on joue aux cartes et, au terme de cette visite de deux jours, George Sand écrit dans son carnet : « Flaubert m'emballe. » À peine revenue à Paris, elle adresse à Flaubert une lettre de remerciements : « Je suis vraiment touchée du bon accueil que j'ai reçu dans votre milieu de chanoine, où un animal errant de mon espèce est une anomalie qu'on pouvait trouver gênante. Au lieu de ça, on m'a reçue comme si j'étais de la famille et j'ai vu que ce grand savoir-vivre venait du cœur... Et puis toi, tu es un brave et bon garçon, tout grand homme que tu es, et je t'aime de tout mon cœur[1]. » Et elle lui envoie la collection complète de ses œuvres : soixante-quinze volumes. Lui qui a si peu publié est atterré par cette fécondité effervescente. Néanmoins l'amitié qu'il éprouve pour George Sand le pousse à l'indulgence. « Je vous trouve bien sévère pour *Dernier amour*, écrit-il à la princesse Mathilde. Ce livre contient, selon moi, des parties très remarquables... Quant à ses défauts, je les ai dits de vive voix à l'auteur; car *Elle* est tombée dans ma cabane à

1. Lettre du 31 août 1866.

l'improviste... Elle a été comme toujours très simple, et nullement bas-bleu[1]. » Il est tellement heureux de cette rencontre avec elle à Croisset qu'il l'invite à y revenir au plus vite, cette fois « pour une semaine au moins ». « Vous aurez votre chambre avec un guéridon et tout ce qu'il faut pour écrire. Est-ce convenu? » Et il précise dans la même lettre : « Je sais peu d'hommes moins vicieux que moi. J'ai beaucoup rêvé et très peu exécuté[2]. » Cet aveu est le premier d'une longue série. Mis en confiance, il éprouve à correspondre avec George Sand un plaisir de délivrance et d'abandon comparable à celui qu'il a connu jadis en écrivant à Louise Colet. Il lui parle, à distance, de lui-même, de ses pensées, de ses goûts, de son travail, de sa fatigue, de son art et de sa conception du monde : « Je n'éprouve pas, comme vous, ce sentiment d'une vie qui commence, la stupéfaction de l'existence fraîche éclose. Il me semble, au contraire, que j'ai toujours existé. Et je possède des souvenirs qui remontent aux Pharaons. Je me vois à différents âges de l'histoire, très nettement, exerçant des métiers différents et dans des fortunes multiples. Mon individu actuel est le résultat de mes individualités dispa-rues... Bien des choses s'expliqueraient si nous pouvions connaître notre généalogie véritable[3]. »

Fidèle à sa promesse, le 3 novembre 1866, George Sand est de nouveau à Croisset. Et l'enchantement recommence, point par point. On se promène, Flaubert lit à son invitée d'abord sa féerie, puis *L'Éducation sentimentale* (« C'est bien, bien », estime George Sand); ils bavardent jusqu'à deux heures du matin, descendent à la cuisine pour manger du poulet froid, vont chercher de l'eau fraîche à la pompe, remontent dans le cabinet de travail et causent encore jusqu'à l'aube. Après cette fête de l'amitié qui se prolonge pendant une semaine, c'est la séparation et Flaubert

1. Lettre de la fin août 1866.
2. Lettre du 22 septembre 1866.
3. Lettre du 29 septembre 1866.

constate : « Quoiqu'elle soit un peu trop bienveillante et bénisseuse, elle a des aperçus de très fin bon sens, pourvu qu'elle n'enfourche pas son dada socialiste[1]. » Ce sont là de légers reproches. Dans l'ensemble, il est subjugué. Il serait même prêt à pardonner à George Sand sa fâcheuse tendance à prôner une démocratie égalitaire et vertueuse. « Je suis tout *dévissé* depuis votre départ, lui écrit-il. Il me semble que je ne vous ai pas vue depuis dix ans. Mon unique sujet de conversation avec ma mère est de parler de vous; tout le monde ici vous chérit... Je ne sais quelle espèce de sentiment je vous porte, mais j'éprouve pour vous une tendresse *particulière* que je n'ai ressenti pour personne jusqu'à présent... Un journal de Rouen, *Le Nouvelliste*, a relaté votre visite à Rouen, si bien que samedi, après vous avoir quittée, j'ai rencontré plusieurs bourgeois indignés contre moi parce que je ne vous avais pas exhibée[2]. » Et il lui raconte que, la veille, un incendie a éclaté chez son marchand de bois et qu'il a travaillé aux pompes avec tant d'ardeur qu'en rentrant à la maison il a dû se coucher avec une courbature. Bien entendu, son roman se présente mal et il ne sait s'il en viendra à bout. Il envie George Sand (du moins le dit-il) pour sa facilité d'écriture : « Vous ne savez pas, vous, ce que c'est que de rester toute une journée, la tête dans ses deux mains, à pressurer sa malheureuse cervelle pour trouver un mot. L'idée coule chez vous largement, incessamment, comme un fleuve. Chez moi, c'est un mince filet d'eau. Il me faut de grands travaux d'art avant d'obtenir une cascade[3]. » Comme elle s'étonne qu'il lui parle toujours de son « travail pénible » et suggère qu'il s'agit là peut-être de sa part d'une « coquetterie », il répond avec accablement : « Je ne suis pas du tout surpris que vous ne compreniez rien à mes angoisses littéraires! Je n'y comprends rien moi-même.

1. Lettre à Mme Roger des Genettes du 12 novembre 1866.
2. Lettre du 12-13 novembre 1866.
3. Lettre du 27 novembre 1866.

Mais elles existent pourtant, et violentes. Je ne sais plus comment il faut s'y prendre pour écrire et j'arrive à exprimer la centième partie de mes idées, après des tâtonnements infinis. Pas primesautier, votre ami, non! pas du tout!... Et puis, j'éprouve une répulsion invincible à mettre sur le papier quelque chose de mon cœur. Je trouve même qu'un romancier *n'a pas le droit d'exprimer son opinion* sur quoi que ce soit. Est-ce que le bon Dieu l'a jamais dite, son opinion? Voilà pourquoi j'ai pas mal de choses qui m'étouffent, que je voudrais cracher et que je ravale. À quoi bon le dire, en effet! Le premier venu est plus intéressant que monsieur Gustave Flaubert, parce qu'il est plus *général* et par conséquent plus typique[1]. » Il a maintenant un bocal de poissons rouges : « Ça m'amuse. Ils me tiennent compagnie pendant que je dîne. » Mais voici que, de nouveau, la solitude lui pèse. Il retourne à Paris, revoit quelques amis, applaudit la pièce de Louis Bouilhet, *La Conjuration d'Amboise* qui triomphe à l'Odéon, reçoit Taine, lequel, en le voyant de près, est frappé de « l'énergie brutale de sa face et de ses yeux lourds de taureau », de son teint injecté de sang et de la grossièreté de ses propos. Mais, en dépit de cet aspect violent, l'auteur de *L'Histoire de la littérature anglaise* découvre en lui un « brave garçon », très naturel, sans outrecuidance, nullement « complimenteur » et aimant les discussions idéologiques.

En revenant à Rouen, en décembre 1866, Flaubert est tout heureux d'apprendre que le succès parisien de Louis Bouilhet a eu un grand retentissement en province. « Ses compatriotes, qui l'avaient radicalement nié jusqu'alors, du moment que Paris l'applaudit, hurlent d'enthousiasme, écrit-il à George Sand. Il reviendra ici samedi prochain pour un banquet qu'on lui offre : quatre-vingts couverts au moins, etc.[2]. » La réussite de son ami ne l'incite pas à

1. Lettre du 5 décembre 1866.
2. Lettre du 15 décembre 1866.

précipiter la cadence de son propre travail. Il n'est guère pressé de publier une œuvre qu'il juge de plus en plus imparfaite : « Peindre des bourgeois modernes et français me pue au nez étrangement[1] ! » déclare-t-il à son « cher grand cœur », à son « vieux troubadour aimé », ainsi qu'il appelle George Sand. Et il confie à Mme Roger des Genettes : « Je n'entends d'autre bruit que le crépitement de mon feu et le tic-tac de ma pendule. Je travaille à la clarté de ma lampe environ dix heures sur vingt-quatre... Ce qui me désole au fond, c'est la conviction où je suis de faire une chose inutile, je veux dire contraire au but de l'art, qui est l'exaltation vague. Or, avec les exigences scientifiques que l'on a maintenant et un sujet bourgeois, la chose me semble radicalement impossible. La beauté n'est pas compatible avec la vie moderne. Aussi est-ce la dernière fois que je m'en mêle; j'en ai assez[2]. »

Malgré cette affirmation, il s'empresse de demander à Ernest Feydeau des détails sur les opérations boursières que pourrait exécuter son personnage principal, Frédéric Moreau. Lui-même est de plus en plus obsédé par les soucis d'argent. « J'arrive actuellement à pouvoir payer mon papier, mais non les courses, les voyages et les livres que mon travail me demande, avoue-t-il au romancier René de Maricourt. Et, au fond, je trouve cela bien (ou je fais semblant de le trouver bien), car je ne vois pas le rapport qu'il y a entre une pièce de cinq francs et une idée. Il faut aimer l'art pour l'art lui-même; autrement, le moindre métier vaut mieux[3]. » Et, dans la nuit du 12 au 13 janvier 1867, il confirme son désarroi à George Sand : « La vie n'est pas facile! Quelle affaire compliquée et dispendieuse! J'en sais quelque chose. Il faut de l'argent pour *tout*! si bien qu'avec un revenu modeste et un métier improductif, il faut se résigner à peu. Ainsi fais-je! Le pli

1. *Ibid.*
2. Lettre de décembre 1866.
3. Lettre du 4 janvier 1867.

en est pris; mais les jours où le travail ne marche pas, ce n'est pas drôle... Je passe des semaines entières sans échanger un mot avec un être humain, et à la fin de la semaine il m'est impossible de me rappeler un seul jour, ni un fait quelconque. Je vois ma mère et ma nièce les dimanches, et puis c'est tout. Ma seule compagnie consiste en une bande de rats qui font dans le grenier, au-dessus de ma tête, un tapage infernal, quand l'eau ne mugit pas et que le vent ne souffle plus. Les nuits sont noires comme de l'encre, et un silence m'entoure, pareil à celui du désert. La sensibilité s'exalte démesurément dans un pareil milieu. »

De son aveu même, il devient « insociable ». Invité à dîner chez sa nièce, à Rouen, il éprouve un malin plaisir à choquer les convives par ses propos outranciers. George Sand lui conseillant de prendre de l'exercice, il se promène la nuit, au clair de lune, dans la neige, pendant deux heures et demie, et rêve qu'il voyage en Russie ou en Norvège. Il gémit de s'être condamné, avec son roman, à un « pensum » et demande à sa correspondante « une recette pour aller plus vite ». Autrefois, affirme-t-il, son cœur était relativement sec. Avec l'âge, il s'est « féminisé » : « Il ne faut rien pour m'émouvoir; tout me trouble et m'agite, tout m'est aquilon comme au roseau[1]. » Heureusement, dans l'intervalle, sa mère a pu vendre sa ferme de Courtavant, dans l'Aube, pour quinze mille cinq cents francs. Lui-même a obtenu de Michel Lévy un prêt de cinq mille francs. L'étau se desserre. Tourgueniev vient à Croisset pour une journée, charme ses hôtes par la douceur de son regard, la blancheur patriarcale de sa barbe, l'élégance de sa conversation et s'en va, laissant derrière lui une maison conquise.

Débarrassé des contraintes financières, Flaubert retourne à Paris pour un séjour de trois mois. En le revoyant, les Goncourt sont frappés par sa mine épanouie et sa faconde qu'ils ont quelque peu oubliées en son

1. Lettre du 23 janvier 1867.

absence : « La santé de Flaubert, grossière et sanguine, campagnardisée par un exil de dix mois, nous fait paraître l'homme un peu blessant et trop exubérant pour nos nerfs[1]. » Lui aussi, d'ailleurs, est déçu par ses amis. Il les trouve exagérément préoccupés de politique. Après un dîner chez Magny, il écrit à George Sand : « On a tenu, au dernier Magny, de telles conversations de portiers, que je me suis juré intérieurement de n'y pas remettre les pieds. Il n'a été question tout le temps que de M. de Bismarck et du Luxembourg. J'en suis encore gorgé! Au reste, je ne deviens pas facile à vivre[2]. » Cette humeur atrabilaire ne l'empêche pas d'assister à une première d'Alexandre Dumas fils, au Gymnase, et à diverses réceptions mondaines, où il s'efforce de faire bonne figure. Partout, il constate une inquiétude latente, une crainte larvée devant l'avenir. « L'horizon politique se rembrunit. Personne ne pourrait dire pourquoi, mais il se rembrunit, il se noircit même, ironise-t-il à l'intention de Caroline. Les bourgeois ont peur de tout! peur de la guerre, peur des grèves d'ouvriers, peur de la mort (probable) du prince impérial; c'est une panique universelle. Pour trouver un tel degré de stupidité, il faut remonter jusqu'en 1848! Je lis présentement beaucoup de choses sur cette époque : l'impression de bêtise que j'en retire s'ajoute à celle que me procure l'état contemporain des esprits, de sorte que j'ai sur les épaules des montagnes de crétinisme[3]. »

Il ne se contente pas de se plonger dans les livres et les journaux relatifs à la période de son roman, il se rend à Creil pour y voir une faïencerie qu'il dépeindra dans *L'Éducation sentimentale*. Mais, quand George Sand l'appelle à Nohant, il décline, une fois de plus, son invitation en prétextant une maladie de sa mère, qui a eu récemment une petite attaque et réclame sa présence auprès d'elle.

1. Goncourt, *Journal*, 25 février 1867.
2. Lettre de la fin février 1867.
3. Lettre du 8 avril 1867.

Avant de repartir pour Croisset, il visite avec la princesse Mathilde l'Exposition qu'il trouve « écrasante ». Entretemps, les bruits de guerre se sont apaisés. Les bourgeois redressent la tête. On peut de nouveau songer aux choses sérieuses, à l'art, à la philosophie, à la littérature : « Axiome : la haine du bourgeois est le commencement de la vertu. Moi, je comprends dans ce mot de " bourgeois " les bourgeois en blouse comme les bourgeois en redingote. C'est nous, et nous seuls, c'est-à-dire les lettrés, qui sommes le peuple, ou pour parler mieux la tradition de l'humanité[1]. »

Le 2 mai 1867, Louis Bouilhet, revenu en grâce auprès de ses compatriotes, est nommé bibliothécaire à Rouen avec un traitement de quatre mille francs par an et un logement de fonction. Le 10 juin, Flaubert est convié à un bal donné aux Tuileries pour les souverains étrangers, Alexandre II de Russie, le roi d'Italie, le roi de Prusse, ainsi que pour le prince de Galles, tous venus à Paris à l'occasion de l'Exposition. « Les souverains désirant me voir, comme une des plus splendides curiosités de la France, je suis invité à passer la soirée avec eux lundi prochain[2] », écrit-il ironiquement à Caroline. Il devrait être blasé par la fréquentation des grands de ce monde. Il ne l'est pas. La fête le stupéfie par son éclat. Dans ces salons où règnent les crinolines, les fracs et les uniformes, il a l'impression d'être un ours savant étourdi par le son des tambourins. Il fait l'aimable auprès des dames, observe tout avec acuité et déclare ensuite à George Sand : « Sans blague aucune, c'était splendide. » Mais le tsar de Russie lui a déplu : « Je l'ai trouvé pignouf. » Il va au Jockey-Club, au café Anglais, retourne à Croisset, revient à Paris en compagnie de sa mère pour lui montrer l'Exposition et, de nouveau, se renferme à Croisset avec son manuscrit. Cette fois, il écrit à Armand Barbès pour lui demander des

1. Lettre à George Sand de mai 1867.
2. Lettre du 7 juin 1867.

renseignements sur l'histoire contemporaine. Barbès s'étant exécuté, il l'en remercie avec effusion : « Les détails que vous m'envoyez seront mis (incidemment) dans un livre que je fais et dont l'action se passe de 1840 à 1852. Bien que mon sujet soit purement d'analyse, je touche quelquefois aux événements de l'époque. Mes premiers plans sont inventés et mes fonds réels[1]. » Le rythme de son travail ne faiblit pas. Mais il a les nerfs à fleur de peau. Le moindre désagrément le révulse : « Je redoute plus le grincement d'une porte que la trahison d'un ami, confie-t-il à la princesse Mathilde. Il est vrai que je suis un malade, un écorché; ma grosse enveloppe de gendarme est menteuse. Vous voyez bien que je parle de moi comme une femmelette[2]. » À présent, il envisage de terminer son roman, en travaillant « comme trente mille nègres », au printemps de 1869. Encore deux ans à se colleter avec des personnages qui l'assomment. Il vient d'avoir quarante-six ans. Cela lui en fera quarante-huit au moment de la publication : « En regardant en arrière, je ne vois pas que j'aie gaspillé ma vie, et qu'ai-je fait, miséricorde! Il serait temps de pondre quelque chose de propre[3]. »

Avec l'âge, ses jugements sur la politique sont de plus en plus péremptoires. À la princesse Mathilde, il annonce : « Quant à la peur que fait la Prusse aux bons Français, j'avoue n'y rien comprendre et en être, pour ma part, humilié[4]. » Il applaudit au courage de Sainte-Beuve qui naguère, au Sénat, a réclamé avec éloquence la liberté totale de la presse. Sa bête noire, c'est M. Thiers : « Rugissons contre M. Thiers! écrit-il à George Sand. Peut-on voir un plus triomphant imbécile, un croûtard plus abject, un plus étroniforme bourgeois! Non, rien ne peut donner l'idée du vomissement que m'inspire ce vieux

1. Lettre du 8 octobre 1867.
2. Lettre d'octobre 1867.
3. Lettre à Jules Duplan du 15 décembre 1867.
4. Lettre de novembre 1867.

melon diplomatique, arrondissant sa bêtise sur le fumier de la bourgeoisie... Il me semble éternel comme la médiocrité! Il m'écrase[1]. »

Ses opinions violentes sont connues de ses concitoyens rouennais. Auprès d'eux, il passe pour une sorte d'anarchiste, ennemi de la morale, de la religion et de l'ordre public. Ils ne se doutent pas qu'il l'est surtout en paroles et que son véritable idéal, casanier, paisible, pantouflard, n'est pas tellement éloigné du leur. Par les beaux jours, ils vont se promener, à Croisset, sur les bords de la Seine et aperçoivent quelquefois, de loin, dans le jardin des Flaubert, une haute silhouette enveloppée d'une robe de chambre écarlate. C'est « l'homme rouge » qui affiche ses convictions! Ils le montrent du doigt à leurs enfants comme un épouvantail. S'ils savaient à quel point il est seul, fatigué et désorienté, ils auraient pitié de lui au lieu de le honnir et de le craindre.

1. Lettre du 18 décembre 1867.

XVI

L'ÉDUCATION SENTIMENTALE

L'année 1868 commence mal pour Flaubert. La petite fille de sa nièce Juliette meurt d'une pneumonie consécutive à une rougeole : « Tu n'imagines rien de lamentable comme cette jeune femme (la mère, elle-même malade), la tête sur son oreiller et répétant au milieu de ses larmes : " ma pauvre petite fille ", écrit-il à Jules Duplan. Le grand-père (mon frère) est complètement dévissé. Quant à ma mère, elle supporte cela (jusqu'à présent du moins) mieux que je ne l'aurais cru[1]. » Pour combattre ce venin de deuil, il ne voit qu'un antidote : Paris! Il s'y précipite mais, cette fois, dédaigne les dîners Magny « où l'on a intercalé des binettes odieuses[2] », pour se rendre, tous les mercredis, à ceux de la princesse Mathilde et y retrouver les Goncourt (surnommés les Bichon) et Théophile Gautier. Ces mondanités ne le détournent que momentanément de son manuscrit. Il en aborde la partie historique et s'inquiète : « J'ai bien du mal à emboîter mes personnages dans les événements politiques de 48, confesse-t-il à Jules Duplan. J'ai peur que les fonds ne dévorent les premiers plans; c'est là le défaut du genre historique. Les personnages de l'histoire sont plus intéressants que ceux de la fiction, surtout quand ceux-là ont des passions modérées; on s'intéresse moins à

1. Lettre du 24 janvier 1868.
2. Lettre à Jules Duplan du 14 mars 1868.

Frédéric qu'à Lamartine. Et puis, quoi choisir parmi les faits réels? Je suis perplexe; *c'est dur*[1]! » Et il affirme à Jules Michelet qu'en étudiant cette époque il s'est convaincu de l'influence néfaste du clergé catholique sur les événements. Mais il a besoin aussi d'observations faites sur le vif. Plus que jamais, il croit que rien ne vaut, pour un romancier, la vision directe des scènes qu'il souhaite décrire. Ayant à évoquer, dans *L'Éducation sentimentale*, les souffrances d'un enfant atteint du croup, il se rend à l'hôpital Sainte-Eugénie, se plante devant un petit malade de trois ans qui tousse et étouffe, au bord de l'asphyxie, interroge un interne et finit par murmurer : « J'en ai assez vu, je vous en prie, délivrez-le. » Alors seulement l'opération commence. Mais Flaubert décide de choisir pour son roman une issue rare du croup : l'expulsion spontanée de la fausse membrane. Il rentre chez lui horrifié de ce qu'il a vu et impatient de le raconter dans son livre. À présent, il le tient, son chapitre sur la maladie. « C'est abominable, écrit-il à Caroline en lui parlant de sa visite à l'hôpital; j'en sortais navré, mais l'art avant tout!... Heureusement que c'est fini; je puis maintenant faire ma description[2]. »

Son admiration du moment va à *Thérèse Raquin*, d'Émile Zola, « remarquable quoi qu'on dise », et aux *Châtiments* du père Hugo, dont il trouve les vers « hénaurmes » « bien que le fond du livre soit bête[3] ». À George Sand, qui insiste pour qu'il vienne enfin à Nohant, il répond : « Je serais *perdu* si je bougeais d'ici à la fin de mon roman. Votre ami est un bonhomme en cire : tout s'imprime dessus, s'y incruste, y entre. Revenu de chez vous je ne songerais plus qu'à vous, et aux vôtres, à votre maison, à vos paysages, aux mines des gens que j'aurais rencontrés, etc. Il me faut de grands efforts pour me recueillir... Voilà pourquoi, chère bon maître adoré, je me

1. Lettre du 14 mars 1868.
2. Lettre de mars 1868.
3. Lettre à Caroline de la fin mars 1868.

prive d'aller m'asseoir et rêver tout haut dans votre logis[1]. » Habitué au calme et au silence de la campagne, il supporte difficilement les bruits de la capitale. Il lui semble que la ville entière s'acharne contre lui pour l'empêcher de travailler ou simplement de dormir. « Rentré chez moi, dimanche, à onze heures et demie, écrit-il aux Goncourt, je me couche en me promettant de dormir profondément et je souffle ma bougie. Trois minutes après, éclats de trombone et battements de tambour! C'était une noce chez Bonvalet. Les fenêtres dudit gargotier étant complètement ouvertes (vu la chaleur de la nuit), je n'ai pas perdu un quadrille ni un cri!... À six heures du matin, re-maçons. À sept heures, je déménage pour aller loger au Grand Hôtel. À peine y étais-je qu'on se met à clouer une caisse dans l'appartement contigu. Bref, à neuf heures, j'en sors et vais à l'hôtel du Helder, où je trouve un abject cabinet, noir comme un tombeau. Mais le calme du sépulcre n'y régnait pas : cris de messieurs les voyageurs, roulements des voitures dans la rue, trimbalage de seaux en fer-blanc dans la cour... De quatre à six heures, avoir tâché de dormir chez Du Camp, rue du Rocher. Mais j'avais compté sans d'autres maçons qui édifient un mur contre son jardin. À six heures, je me transporte dans un bain, rue Saint-Lazare. Là, jeux d'enfants dans la cour et piano. À huit heures, je reviens rue du Helder, où mon domestique avait étalé sur mon lit tout ce qu'il me fallait pour aller, le soir, au bal des Tuileries. Mais je n'avais pas dîné et, pensant que la faim peut-être m'affaiblissait les nerfs, je vais au café de l'Opéra. À peine y étais-je entré qu'un monsieur dégueule à côté de moi[2]. »

Excédé, il retourne à Croisset pour y accueillir George Sand qui a promis sa visite. Elle arrive le 24 mai 1868 et note dans son agenda à cette date : « Flaubert m'attend à la gare et me force à aller pisser pour que je ne devienne

1. Lettre du 19 mars 1868.
2. Lettre du mois de mai 1868.

pas comme Sainte-Beuve. Il pleut à Rouen, comme toujours. Je trouve la maman moins sourde, mais plus de jambes, hélas! Je déjeune, je cause en marchant sous la charmille que la pluie ne perce pas. Je dors une heure et demie sur un fauteuil et Flaubert sur un divan. Nous recausons. On dîne avec la nièce et Mme Frankline[1]. Gustave me lit ensuite une farce religieuse. Je me couche à minuit. » Le lendemain, temps superbe. On en profite pour faire des excursions en voiture dans les environs. Le soir, en sortant de table, Flaubert lit à son amie quelques passages de *L'Éducation sentimentale*. « Trois cents pages excellentes et qui me charment », écrit-elle dans son carnet. On se couche à deux heures du matin.

Après le départ de George Sand, Flaubert retourne à ce qu'il appelle son « sacerdoce ». À mesure qu'il approche du dénouement de son roman, il en mesure mieux l'audace politique. Ne va-t-il pas mécontenter tout le monde en criant la vérité sur les événements de 48? « J'ai violemment bûché depuis six semaines, écrit-il à George Sand. Les patriotes ne me pardonneront pas ce livre, ni les réactionnaires non plus! Tant pis; j'écris les choses comme je les sens, c'est-à-dire comme je crois qu'elles existent. Est-ce bêtise de ma part[2]? » Au vrai, ses convictions politiques sont à la fois vagues et virulentes. La démocratie, fondée sur le suffrage universel, lui semble une aberration car la majorité des citoyens est composée d'imbéciles et il est dangereux de demander à ces minus leur opinion sur les affaires publiques. Du reste, à son avis, le peuple, flatté et floué, ne possède pas une once de ce pouvoir qu'il a délégué à ses représentants et demeure dans sa condition misérable. L'autocratie, qu'elle soit despotique ou paternaliste, lui paraît aussi condamnable. Il se moque de Napoléon III, de sa suffisance et de son faste. S'il apprécie la délicate hospitalité de la princesse Mathilde, il considère

1. Amie de Caroline Commanville.
2. Lettre du 5 juillet 1868.

son cousin « Badinguet » comme un fantoche à la fois odieux et comique. Démagogie et tyrannie se valent. Toute forme de gouvernement ne peut que susciter le mépris de l'artiste.

Ayant bien peiné à Croisset, Flaubert s'accorde des vacances, fait un voyage à Fontainebleau, toujours pour son roman, séjourne chez les Commanville, à Dieppe, mais surtout, passe une semaine mémorable, du 30 juillet au 6 août, chez la princesse Mathilde, à Saint-Gratien. Le château ne s'éveille qu'à onze heures. La princesse paraît à onze heures et demie, peu avant le déjeuner, et ses hôtes, à tour de rôle, lui baisent la main. « Elle est généralement, à ce moment, matinalement gaie, vive, avec un éveil de santé », notent les Goncourt. Après le déjeuner, on se réunit dans la véranda et c'est le grand moment de la causerie, au cours de laquelle la princesse charme son auditoire par des observations ironiques « à la Saint-Simon ». Vers une heure, elle se réfugie dans son atelier de peinture et y travaille jusqu'à cinq heures. Puis ce sont des randonnées en groupe dans la vallée de Montmorency, des promenades en barque sur le lac. Et toujours la conversation crépite. Chaque invité essaie de briller devant la maîtresse de maison qui règne sur son petit monde, congratulant les uns, blâmant les autres. Le dernier jour de la présence de Flaubert, elle lui fait une semonce acide au sujet de ses visites au salon de Jeanne de Tourbey. « Dans un sentiment de hauteur et de femme du monde, elle se plaignait ce matin, et presque spirituellement, d'avoir à partager avec de pareilles femmes la société, la pensée de ses amis », écrivent les Goncourt. Elle en veut à Flaubert de lui voler quelques minutes « pour aller les porter chez cette gueuse[1] ». Comme il paraît accablé par ce reproche, elle lui fait cadeau d'une statuette.

Il rentre à Croisset vers la mi-août, et aussitôt reprend sa quête de renseignements pour *L'Éducation sentimentale*.

1. Goncourt, *Journal*, 7 août 1868.

Jules Duplan est mis à contribution : « Trace-moi, en quelques lignes, l'intérieur d'un ménage d'ouvriers lyonnais... Les canuts ne travaillent-ils pas dans des appartements très bas de plafond?... Dans leur propre domicile?... Les enfants travaillent-ils aussi?... C'est l'ensouple qui donne des coups[1] ? » Ou bien : « J'avais fait un voyage de Fontainebleau avec retour par le chemin de fer, quand un doute m'a pris et je me suis convaincu, hélas! qu'en 1848 il n'y avait pas de chemin de fer de Paris à Fontainebleau. Cela me fait deux passages à démolir et à recommencer... J'ai donc besoin de savoir : comment, en juin 1848, on allait de Paris à Fontainebleau; peut-être y avait-il quelque tronçon de ligne déjà fait qui servait; quelles voitures prenait-on? Et où descendaient-elles à Paris[2]? » Ou encore, à Ernest Feydeau : « Tu serais bien aimable si tu pouvais répondre à ces deux questions : 1. Quels étaient, en juin 1848, les postes de la garde nationale dans les quartiers Mouffetard, Saint-Victor et Latin? 2. Dans la nuit du 25 au 26 juin (la nuit du dimanche à lundi), était-ce la garde nationale ou la ligne qui occupait la rive gauche de Paris[3]. » Un autre souci : son héros, originaire de Nogent, s'appelle Frédéric Moreau. Or, il y a peut-être encore des Moreau à Nogent. Tant pis pour eux. Il ne peut débaptiser son Frédéric en cours de route : « Un nom propre est une chose extrêmement importante dans un roman, une chose capitale, écrit Flaubert à son cousin Bonenfant. On ne peut pas plus changer un personnage de nom que de peau. C'est vouloir blanchir un nègre[4]. »

Tourgueniev vient le voir à Croisset, un dimanche : « Il y a peu d'hommes dont la compagnie soit meilleure et l'esprit plus séduisant », confie Flaubert à la princesse Mathilde. Et, de nouveau, c'est la solitude. Sa mère réside

1. Lettre de fin août-début septembre 1868.
2. Lettre à Jules Duplan d'octobre 1868.
3. Lettre du 27 octobre 1868.
4. Lettre de décembre 1868.

dans le pays de Caux, chez ses petites-filles. Enfermé dans sa tanière, il cravache. Une fois de plus, il refuse de se rendre à Nohant (où George Sand baptise ses petites-filles) et écrit à sa vieille amie pour la prier d'excuser cette dérobade : « Je travaille démesurément et suis, au fond, réjoui par la perspective de la fin qui commence à se montrer. Pour qu'elle arrive plus vite, j'ai pris la résolution de demeurer ici tout l'hiver, jusqu'à la fin de mars probablement... Je me remettrai au Beau quand je serai délivré de mes odieux bourgeois, et je ne suis pas près d'en reprendre[1]. » Une escapade à Paris pour fêter Noël en compagnie des Goncourt et discuter avec eux « sur les abaissements présents, les misères des caractères, la déchéance des lettrés[2] », et le voici de nouveau à Croisset, écrivant, le 1er janvier 1869, à George Sand : « On m'a trouvé, à Paris, " frais comme une jeune fille ", et les gens qui ignorent ma biographie ont attribué cette apparence de santé à l'air de la campagne. Voilà ce que c'est que les " idées reçues ". Chacun a son hygiène... Un homme qui n'a pas le sens commun ne doit pas vivre d'après les règles du sens commun. Quant à ma rage de travail, je la comparerai à un dartre. Je me gratte en criant. C'est à la fois un plaisir et un supplice. » Très vite, le besoin de nouveaux renseignements pour son livre le ramène dans la capitale. Dîner chez Jeanne de Tourbey avec Théophile Gautier, Girardin, les Goncourt. « Un vrai carnaval d'invités, notent ces derniers. On joue à de petits jeux d'esprits innocents et cochons[3]. » Tout autre est l'atmosphère chez la princesse Mathilde. Payant d'audace, Flaubert ose lui demander, à l'instigation de sa nièce, une faveur singulière : « Ernest Commanville, négociant à Dieppe, marchand de bois du Nord, propriétaire d'une scierie mécanique et de vastes terrains dans la même ville,

1. Lettre du 15 décembre 1868.
2. Goncourt, *Journal*, 24 décembre 1868.
3. Goncourt, *Journal*, 20 janvier 1869.

demande la place de vice-consul de Prusse à Dieppe. Le premier commis de sa maison parle toutes les langues du Nord[1]. » L'affaire traînera pendant quelques mois et Ernest Commanville finira par être bombardé vice-consul, non de Prusse, mais de Turquie, grâce à l'appui de la princesse. Elle veille jalousement sur sa petite cour d'écrivains et, un jour, surprenant George Sand qui dit « tu » à Flaubert alors que celui-ci la vouvoie, elle glisse un regard malicieux aux Goncourt. « Est-ce un *tu* d'amante ou de cabotine[2] ? » écrivent-ils dans leur *Journal*.

C'est à Paris, le dimanche 16 mai 1869, « à cinq heures moins quatre minutes » que Flaubert termine *L'Éducation sentimentale*. Aussitôt, il écrit à Jules Duplan : « Fini ! mon vieux ! Oui,. mon bouquin est fini !... Je suis à ma table depuis hier, huit heures du matin. La tête me pète. N'importe, j'ai un fier poids de moins sur l'estomac[3]. » Quelques jours plus tard, les Goncourt, qui lui rendent visite, observent avec désobligeance : « Nous voyons le manuscrit sur sa table à tapis vert, dans un carton fabriqué spécialement *ad hoc* et portant le titre auquel il s'entête : *L'Éducation sentimentale*, et en sous-titre : *L'Histoire d'un jeune homme*. Il va l'envoyer au copiste; car, avec une sorte de religion, il garde devers lui, depuis qu'il écrit, le monument immortel de sa copie chirographe. Ce garçon-là met une solennité un peu ridicule aux plus petites choses de sa pénible ponte... Décidément, chez mon ami, nous ne savons ce qu'il y a de plus gros, de la vanité ou de l'orgueil[4] ! »

La princesse Mathilde insiste auprès de Flaubert pour qu'il lui lise des fragments de son œuvre. Tout ensemble flatté et confus, il s'exécute, le 22 mai : les trois premiers chapitres suffiront, pense-t-il. « Là-dessus, écrit-il à Caro-

1. Lettre à la princesse Mathilde de 1869.
2. Goncourt, *Journal*, 12 mai 1869.
3. Lettre du 16 mai 1869.
4. Goncourt, *Journal*, 23 mai 1869.

line, enthousiasme de l'aréopage impossible à décrire, et il faut que tout y passe, ce qui va me demander (au milieu de mes autres occupations) quatre séances de quatre heures chacune[1]. » Cet encouragement, venu de la princesse, le transporte d'aise « Vous ne sauriez croire, lui avoue-t-il, à quel point était chatouillée " l'orgueilleuse faiblesse de mon cœur ", ainsi qu'eût dit le grand Racine[2]. » Et il précise, à l'intention de Caroline : « Ma dernière lecture chez la princesse a atteint les suprêmes limites de l'enthousiasme. Une bonne partie de ce succès doit revenir à la manière dont j'ai lu. Je ne sais pas ce que j'avais ce jour-là, mais j'ai débité le dernier chapitre d'une façon qui m'en a ébloui moi-même[3]. »

Au milieu de ce triomphe, il se trouve à court d'argent et décide de quitter son appartement du boulevard du Temple, qui lui coûte trop cher, pour un appartement plus petit, au numéro 4 de la rue Murillo (quatrième étage), avec vue sur le parc Monceau. Le loyer est de mille cinq cents francs par an. En attendant de déménager, il rentre à Croisset et, à peine évadé de *L'Éducation*, retourne à son ancien projet : *La Tentation de saint Antoine*. « J'ai repris une vieille *toquade*, un livre que j'ai déjà écrit deux fois et que je veux refaire à neuf. C'est une extravagance complète, mais qui m'amuse. Aussi suis-je perdu maintenant dans les Pères de l'Église comme si je me destinais à être prêtre[4] ! »

Tout en s'abîmant dans des lectures religieuses, il attend avec impatience que Louis Bouilhet soit revenu de Paris afin de corriger avec lui *L'Éducation sentimentale*, « phrase par phrase ». Il a une telle confiance dans le jugement de son ami que, sans son accord, il ne peut envisager l'idée d'une publication. C'est, entre eux, plus que de l'affection,

1. Lettre du 23 mai 1869.
2. Lettre de juin 1869.
3. Lettre du 9 juin 1869.
4. Lettre à la princesse Mathilde de juin 1869.

une liaison quasi télépathique des esprits et des cœurs. Ils ont si intensément besoin l'un de l'autre que, dit-on dans leur entourage, ils en arrivent à se ressembler. Enfin, Louis Bouilhet est de retour. Il a lu sa dernière pièce, *Mademoiselle Aïssé*, aux directeurs de l'Odéon qui lui ont demandé des changements importants dans le deuxième acte, ce qui le désole. Il est même si déprimé que Flaubert hésite à lui demander de travailler sur son manuscrit. « Mon pauvre Bouilhet m'embête, écrit-il à George Sand vers la fin du mois de juin 1869. Il est dans un tel état nerveux qu'on lui a conseillé de faire un petit voyage dans le midi de la France. Il est gagné par une hypocondrie invincible. Est-ce drôle! lui qui était si gai autrefois! » Le 7 juillet, il annonce à Caroline : « Monseigneur (Bouilhet) est parti pour Vichy, il y a huit jours; il ira ensuite au Mont-Dore. On ne sait pas au juste ce qu'il a. Sa terrible hypocondrie doit avoir une cause organique. Mais peut-être que non! Il m'a *navré* les deux dernières fois que je l'ai vu. Sa maladie, outre qu'elle m'afflige beaucoup pour lui, me gêne dans mes petites affaires personnelles, car nous devions ensemble revoir mon roman. Quand sera-t-il en état de s'occuper de cette besogne? »

Au début de juillet, la santé de Louis Bouilhet se dégrade sérieusement. Il souffre d'albuminurie. Flaubert lui rend visite à l'hôpital Sainte-Eugénie où on l'a transporté. Le malade doit lutter contre ses sœurs qui veulent lui imposer le secours d'un prêtre. Et, le 18 juillet 1869, c'est la fin. « J'ai à vous annoncer la mort de mon pauvre Bouilhet, écrit Flaubert à la princesse Mathilde. Je viens de mettre en terre une partie de moi-même, un vieil ami dont la perte est irréparable. » Et à Jules Duplan, quatre jours plus tard : « Ton pauvre géant a reçu une rude calotte dont il ne se remettra pas. Je me dis : " A quoi bon écrire maintenant, puisqu'il n'est plus là! " C'est fini, les bonnes gueulades, les enthousiasmes en commun, les œuvres futures rêvées ensemble... Il s'est formé une commission pour lui élever un monument... On m'a nommé président de cette commission. Je t'enverrai la première liste de sous-cripteurs. » Le lendemain, 23 juillet, c'est Maxime Du Camp qui reçoit de lui le récit des événements : « Aucun prêtre n'a mis le pied chez lui (Louis Bouilhet). La colère qu'il avait eue contre ses sœurs le soutenait encore samedi. Le dimanche, à cinq heures, il a été pris de délire et s'est mis à faire tout haut le scénario d'un drame du moyen âge sur l'Inquisition; il m'appelait pour me le montrer et il en était enthousiasmé. Puis un tremblement l'a saisi, il a balbutié : " Adieu! Adieu! " en se fourrant la tête sous le menton de Léonie[1], et il est mort très doucement... Moi et d'Osmoy, nous avons conduit le deuil; il y a eu un enterrement très nombreux. Deux mille personnes au moins! Préfet, procureur général, etc., toutes les herbes de Saint-Jean. Eh bien! croirais-tu qu'en suivant son cercueil je savourais très nettement le grotesque de la cérémonie? J'entendais les remarques qu'il me faisait là-dessus; il me parlait en moi, il me semblait qu'il était là à mes côtés, et que nous suivions ensemble le convoi d'un autre. Il faisait une chaleur atroce, un temps d'orage. J'étais trempé de sueur, et la montée du cimetière monumental m'a achevé... Je me suis appuyé sur la balustrade pour respirer. Le cercueil était sur les bâtons, au-dessus de la fosse. Les discours allaient commencer (il y en a eu trois); alors j'ai renâclé; mon frère et un inconnu m'ont emmené. »

Désormais, il se sent investi d'une mission sacrée : servir la mémoire de son ami. Grâce à son insistance, il obtient que *Mademoiselle Aïssé* soit jouée à l'Odéon et une autre pièce, *Le Cœur à droite*, au théâtre de Cluny. En outre, il compte faire publier les poésies inédites de Louis Bouilhet sous le titre *Dernières chansons*. Ce combat pour une ombre le retarde dans la correction de son propre roman. Il n'en prend pas moins le temps de lire quelques livres, parmi lesquels *Les Nouvelles moscovites* de Tourgueniev, dont la traduction vient de paraître et qui l'enchantent.

1. Léonie, maîtresse de Louis Bouilhet.

« Vous trouvez moyen de faire vrai sans banalité, d'être sentimental sans mièvrerie, et comique sans la moindre bassesse[1] », écrit-il à l'auteur. Enfin, il remet le manuscrit de *L'Éducation sentimentale* à Michel Lévy, mais celui-ci est réticent, les négociations traînent; George Sand intervient amicalement et, à la fin du mois d'août, le traité est conclu moyennant un forfait de huit mille francs par volume (l'édition originale en comportera deux).

À présent, il faut songer au déménagement. Rue Murillo, les tapissiers succèdent aux peintres. En voyant transporter ses meubles dans le nouvel appartement, Flaubert a un serrement de cœur. « Tu ne saurais croire le mouvement de tristesse qui m'a pris, lundi, quand j'ai vu partir mon grand fauteuil de cuir et mon divan, écrit-il à Caroline. Cela me fait de la peine de quitter mon boulevard du Temple, où je laisse des souvenirs très doux[2]. » Saura-t-il s'acclimater dans ce logis où Louis Bouilhet n'aura jamais mis les pieds? À chaque instant, le souvenir de son ami l'obsède. Et voici que les directeurs du théâtre de l'Odéon font des difficultés pour monter *Mademoiselle Aïssé* parce que Louis Bouilhet n'a pas eu le temps de remanier le deuxième acte avant sa mort. Peut-être faudra-t-il se contenter de publier la pièce en volume ou dans un journal? Quant au recueil de vers, Michel Lévy accepte de l'imprimer, mais sans rien payer en contrepartie. « Le succès matériel des œuvres posthumes de notre pauvre vieux me paraît très problématique[3] », constate Flaubert avec amertume. Le 13 octobre, autre mauvaise nouvelle : Sainte-Beuve est mort à une heure et demie de l'après-midi. Or, Flaubert arrive chez lui, par hasard, à une heure trente-cinq et trouve un cadavre encore tiède à la place de l'homme bien vivant avec qui il venait discuter. « Encore

1. Lettre de juillet 1869.
2. Lettre du 8 septembre 1869.
3. Lettre à Philippe Leparfait de septembre 1869. Philippe était le fils de Léonie Leparfait, adopté par Louis Bouilhet.

un de parti! écrit-il à Maxime Du Camp. La petite bande diminue! Les rares naufragés du radeau de la Méduse disparaissent. Avec qui causer de littérature maintenant[1]? » Et, à Caroline : « Je ne suis pas gai!... J'avais fait *L'Éducation sentimentale* en partie pour Sainte-Beuve. Il sera mort sans en connaître une ligne! Bouilhet n'en a pas entendu les deux derniers chapitres.... L'année 1869 aura été dure pour moi! Je vais donc encore me trimbaler dans les cimetières[2]. »

Le 17 novembre 1869, le roman paraît en librairie, et aussitôt les critiques le déchiquettent à belles dents. Le plus enragé est Barbey d'Aurevilly qui écrit dans *Le Constitutionnel* : « L'auteur de *L'Éducation sentimentale* doit avoir pour les œuvres qui sortent si lentement et si péniblement de lui cette maternité idolâtre qu'augmentent encore la durée et la difficulté de la gestation chez les mères... Le caractère principal du roman, si malheureusement nommé *L'Éducation sentimentale*, est avant tout la vulgarité, la vulgarité prise dans le ruisseau où elle se tient, et sous les pieds de tout le monde. » Le ton est donné : la plupart des autres journaux font chorus. « Votre vieux troubadour est fortement dénigré par les feuilles, écrit Flaubert à George Sand. Lisez *Le Constitutionnel* de lundi dernier, *Le Gaulois* de ce matin, c'est carré et net. On me traite de crétin et de canaille. L'article de Barbey d'Aurevilly est, en ce genre, un modèle, et celui du bon Sarcey, quoique moins violent, ne lui cède en rien. Ces messieurs réclament au nom de la morale et de l'idéal! J'ai eu aussi des éreintements dans *Le Figaro* et dans *Paris* par Cesena et Duranty. Je m'en fiche profondément! Ce qui n'empêche pas que je suis étonné par tant de haine et de mauvaise foi. »

En revanche, *La Tribune*, par la plume d'Émile Zola, *Le Pays* et *L'Opinion nationale* le soutiennent. Mais ces éloges mesurés sont couverts par les vociférations des adversaires.

1. Lettre du 13 octobre 1869.
2. Lettre du 14 octobre 1869.

« Quant aux amis, aux personnes qui ont reçu un exemplaire orné de ma griffe, elles ont peur de se compromettre et on me parle de tout autre chose, observe Flaubert dans la même lettre. Les braves sont rares... Les bourgeois de Rouen sont furieux contre moi. Ils trouvent qu'on devrait empêcher de publier des livres comme ça (textuel), que je donne la main aux Rouges, que je suis bien coupable d'attiser les passions révolutionnaires, etc.[1] » Alors qu'il prétend manquer tragiquement de défenseurs, George Sand lui consacre, dans *La Liberté*, un article généreux et clairvoyant. Elle y loue la subtilité du scénario « multiple comme la réalité vivante », l'habileté de la présentation des personnages, chacun affirmant, de scène en scène, de réplique en réplique, sa vraie nature, et la pudeur de l'écrivain qui n'apparaît jamais derrière ses héros. Flaubert reprend confiance. Que le public et la plupart des critiques dénigrent *L'Éducation sentimentale*, il l'accepte comme la rançon des qualités secrètes de l'œuvre. En son for intérieur, il a conscience d'avoir écrit ce qu'il voulait : un roman de la velléité et de l'échec. Dans aucun livre peut-être il n'a mis autant de lui-même. Son héros, Frédéric Moreau, est l'incarnation de ses désirs et de ses ambitions de jeunesse. Comme lui, Frédéric est amoureux d'une femme mariée qu'il respecte. Mme Arnoux, c'est Élisa Schlésinger, celle qu'il a rencontrée, enfant, sur la plage de Trouville, qu'il a retrouvée jeune homme à Paris et dont, tout en l'adorant, il n'a jamais osé faire sa maîtresse. Elle figure d'ailleurs dans le scénario de l'œuvre sous les lettres Sch. : « Mme Sch., moi. » À cette passion éthérée succède pour Frédéric une liaison charnelle avec Rosanette, qui est dessinée d'après Mme Sabatier, dite « la Présidente ». Chemin faisant, Flaubert évoque, avec une puissance et une précision fascinantes, les événements de 1848, à Paris. La troisième liaison, qui unit Frédéric à Mme Dambreuse, est tout animée par l'ambition. Pour

1. Lettre du 3 décembre 1869.

peindre cette dernière incarnation de son héros, Flaubert s'est souvenu de certains traits du caractère de Maxime Du Camp : le cynisme, l'arrivisme mondain... Ainsi Frédéric fait son « éducation sentimentale » à travers trois femmes : amour platonique, amour sensuel, amour intéressé. Au terme de ces différentes épreuves, il connaît l'amertume d'une vie manquée, absurde, sans signification véritable. Mais, dans l'avant-dernier chapitre, il retrouve Mme Arnoux, marquée par l'âge, et, devant ce fantôme aux cheveux blancs, il est déchiré entre le souvenir de ses désirs d'autrefois et une répulsion « comme l'effroi d'un inceste ». Frédéric et Mme Arnoux se séparent, déçus l'un par l'autre, mais riches de leur passé.

Avec ce livre, ce n'est pas seulement l'histoire d'un amour avorté que Flaubert a voulu décrire, mais l'humble drame de tout homme qui, en avançant dans la vie, est contraint de plier ses rêves à la réalité quotidienne. Les esprits les plus fougueux au départ ne peuvent être assurés qu'ils triompheront de la médiocrité ambiante. Cette philosophie pessimiste est traduite dans un style sec, dans des tons gris. Les figures sont moins hautes en couleur que dans *Madame Bovary*, qui présentait une galerie de types. Ici, la nuance est reine, les événements s'enchaînent avec une lenteur calculée, la finesse psychologique remplace les coups de théâtre. Et, par un prodigieux effort de mise en scène, au milieu de ce vaste tableau d'une société, chaque personnage apparaît dans ses rapports avec les événements historiques sans que jamais sa présence, à ce moment du récit, soit artificielle. Les gestes, les propos des êtres fictifs semblent aussi authentiques que ceux des véritables acteurs de l'époque. Ainsi *L'Éducation sentimentale*, outre sa valeur émotive, garde-t-elle, pour le lecteur, la qualité d'un document d'archives. Toujours guidé par son souci d'impartialité, l'auteur, en peignant les journées révolutionnaires, se montre également dur pour la folie du peuple déchaîné et pour l'égoïsme des bourgeois conservateurs. Cette froideur impassible ajoute à la force incantatoire de l'ouvrage. Moins éclatante que *Madame Bovary* ou *Salammbô*, *L'Éducation sentimentale* dégage une extraordinaire impression de sobriété, d'honnêteté et de profondeur psychologique.

Malgré ces qualités évidentes, les lecteurs, qui s'étaient jetés sur *Madame Bovary* et sur *Salammbô*, ne suivent pas. Même les confrères hésitent à féliciter l'auteur qui leur a fait l'hommage de son livre dédicacé. En vérité, les esprits ne sont pas préparés à apprécier un roman dont ni l'intrigue ni les personnages ne paraissent exceptionnels. La monotonie voulue du récit, l'absence de relief, la description minutieuse du ratage des ambitions et des espoirs, tout ce brouillard morne qui enveloppe la carrière sentimentale de Frédéric déroute les cerveaux de 1869. On trouve, dans l'ensemble, que le talent de l'auteur a baissé. Or, Flaubert n'a jamais été plus maître de ses moyens. Il est en avance d'un siècle sur son public.

Blessé par l'échec de son livre, il se console en pensant qu'il va s'amuser comme un sauvage hargneux et solitaire lorsqu'il se remettra à son *Saint Antoine*. Puis, ayant fêté ses quarante-huit ans, il consent à rejoindre George Sand à Nohant pour les fêtes de Noël. Il arrive le 23 décembre, à cinq heures et demie, par la diligence. Embrassades, dîner, causerie au coin du feu et coucher à une heure. Le lendemain, pluie et neige, on reste à la maison et Flaubert remet aux fillettes les étrennes qu'il leur a apportées : une poupée pour Aurore, un polichinelle pour Gabrielle. Après le déjeuner, conversation à bâtons rompus dans la chambre bleue de la maîtresse de maison. Le soir, toute la troupe, grossie de trois petits-neveux de George Sand, se rend au théâtre de marionnettes. À l'issue du spectacle, tombola. « Flaubert s'amuse comme un moutard, note George Sand. Arbre de Noël sur le théâtre. Cadeaux à tous. On fait un réveillon splendide. Je monte à trois heures... On déjeune à midi. Flaubert nous lit de trois à six heures et demie sa grande féerie (*Le Château des cœurs*) qui fait grand plaisir, mais n'est pas destinée à réussir. » Le lendemain, dimanche, on va se promener dans la neige, Flaubert visite la ferme, admire le bélier qui porte le même nom que lui, Gustave, et, au retour, « rit à se tordre » à un spectacle de marionnettes. Le 27 décembre, pour son dernier jour à Nohant, il s'habille en femme et danse le chachucha, soulevant l'hilarité de l'assistance. Il regrette de quitter cette joyeuse compagnie. Qu'est-ce donc qui l'y oblige? Rien. Sinon le désir de se retrouver seul devant une feuille de papier blanc.

Revenu à Paris, il remercie George Sand de son hospitalité : « Ce sont les meilleurs moments de l'an 1869 qui n'a pas été doux pour moi[1]. » Elle lui répond que tout le monde à Nohant l'« adore ». Mais elle ne peut s'empêcher de lui communiquer l'opinion de certains lecteurs sur *L'Éducation sentimentale* : « Les plus jeunes disent que *L'Éducation sentimentale* les a rendus tristes. Ils ne s'y sont pas reconnus, eux qui n'ont pas encore vécu. Mais ils ont des illusions et disent : Pourquoi cet homme si bon, si aimable, si gai, si simple, si sympathique veut-il nous décourager de vivre? C'est mal raisonné, ce qu'ils disent, mais, comme c'est instinctif, il faut peut-être en tenir compte[2]. » Aussitôt il se rebiffe : « À quoi bon faire des concessions? Pourquoi se forcer? Je suis bien résolu, au contraire, à écrire désormais pour mon agrément personnel, et sans nulle contrainte. Advienne que pourra! » Et il avoue : « En perdant mon pauvre Bouilhet, j'ai perdu mon *accoucheur*, celui qui voyait dans ma pensée plus clairement que moi-même. Sa mort m'a laissé un vide dont je m'aperçois chaque jour davantage[3]! » Alors qu'il se désole ainsi sur la disparition de son ami, un autre deuil le frappe : Jules Duplan meurt à son tour. « Tes malheurs me navrent, écrit George Sand à Flaubert. C'est trop, coup

1. Lettre du 3 janvier 1870.
2. Lettre du 9 janvier 1870.
3. Lettre du 12 janvier 1870.

sur coup[1]. » Il est de plus en plus fatigué et nerveux. « J'ai beau travailler, ça ne va pas! répond-il à George Sand. Tout m'irrite et me blesse; et comme je me contiens devant le monde, je suis pris de temps à autre par des crises de larmes où il me semble que je vais crever. Je sens enfin une chose toute nouvelle : les approches de la vieillesse[2]. » Cette « mélancolie noire », selon son expression, est aggravée par les soucis d'argent. Michel Lévy s'offre à lui prêter trois ou quatre mille francs sans intérêt, à condition qu'il lui réserve son prochain roman. Flaubert flaire le piège et refuse : « J'entends désormais être parfaitement libre[3] », déclare-t-il fièrement.

Ayant fini d'installer son appartement de la rue Murillo, il se réfugie à Croisset pour trier les papiers de Louis Bouilhet et rédiger une notice sur la vie et l'œuvre du défunt. Ce travail le rejette dans un passé de bonheur et il souffre sous l'effet d'une intolérable privation. Retrouvera-t-il un jour le courage d'entreprendre une œuvre nouvelle? « Je ne sens plus le besoin d'écrire, parce que j'écrivais spécialement pour un seul être qui n'est plus. Voilà le vrai! confie-t-il à George Sand. Et cependant je continuerai à écrire. Mais le goût n'y est plus, l'entraînement est parti. Il y a si peu de gens qui aiment ce que j'aime, qui s'inquiètent de ce qui me préoccupe!... Il me semble que je deviens un fossile, un être sans rapport avec la création environnante... Presque tous mes vieux amis sont mariés, officiels, pensent à leur petit commerce tout le long de l'année, à la chasse pendant les vacances et au whist après leur dîner. Je n'en connais pas un seul qui soit capable de passer avec moi un après-midi à lire un poète. Ils ont leurs affaires; moi, je n'ai pas d'affaires. Notez que je suis dans la même position sociale où je me trouvais à dix-huit ans. Ma nièce, que j'aime comme ma fille, n'habite pas avec moi, et ma

1. Lettre du 2 mars 1870.
2. Lettre du 15 mars 1870.
3. Lettre à George Sand du 29 avril 1870.

pauvre bonne femme de mère devient si vieille que toute conversation (en dehors de sa santé) est impossible avec elle[1]. »

De fait, Caroline est rarement à Croisset. Les Commanville voyagent beaucoup pour les affaires du mari, ou pour le plaisir. Ils ont acheté, entre-temps, un hôtel particulier à Paris, où une chambre est réservée à Mme Flaubert. Mais la pièce est très petite. La vieille dame ne va-t-elle pas s'en offenser? Elle est presque sourde et il faut parler fort pour qu'elle entende. Avec angoisse, Flaubert se dit qu'elle aussi le quittera un jour prochain. En attendant, c'est un autre de ses familiers qui disparaît : Jules de Goncourt, ayant perdu la raison, meurt le 20 juin 1870 dans les bras de son frère aîné, Edmond. Flaubert assiste à l'enterrement, le 22 juin, et, quelques jours après, écrit à Caroline : « Quel enterrement! J'en ai rarement vu de plus apitoyant. Dans quel état était le pauvre Edmond de Goncourt! Théo (Théophile Gautier), qu'on accuse d'être un homme sans cœur, pleurait à seaux. Moi, de mon côté, je n'étais pas bien crâne : cette cérémonie, jointe à la chaleur qu'il faisait, m'avait brisé. » Et il confie à George Sand : « De sept que nous étions au début des dîners Magny, nous ne sommes plus que trois! Je suis gorgé de cercueils comme un vieux cimetière! J'en ai assez franchement. Et au milieu de tout cela je continue à travailler. J'ai fini hier, vaille que vaille, la notice de mon pauvre Bouilhet. Je vais voir s'il n'y a pas moyen de recaler une comédie de lui, en pose (*Le Sexe faible*). Après quoi, je me mettrai à mon *Saint Antoine*[2]. » Ce *Saint Antoine*, il en a besoin, dit-il, comme de « quelque chose d'extravagant pour remonter mon pauvre bourrichon[3] ».

Or, à peine s'est-il replongé dans les visions fantastiques de son héros que les événements extérieurs l'en détournent.

1. Lettre de la fin mai 1870.
2. Lettre du 26 juin 1870.
3. Lettre à Caroline du 8 juillet 1870.

La tension entre la France et la Prusse s'aggrave de jour en jour. Bien que le roi Guillaume Ier ait renoncé à placer un souverain allemand sur le trône d'Espagne, les ministres de Napoléon III exigent des garanties pour l'avenir. Le roi Guillaume Ier refuse avec politesse, mais Bismarck, qui se sent le plus fort, communique à la presse une version des faits injurieuse pour l'ambassadeur français. Aux Tuileries, on juge qu'un tel affront ne peut rester impuni. Habilement travaillé par la propagande, le peuple s'enflamme. Le soir du 14 juillet, sur les boulevards de Paris, une foule énorme hurle : « À Berlin! » On chante *La Marseillaise* et *Le Chant du départ*. La mobilisation est décrétée des deux côtés de la frontière. Et, le 19 juillet 1870, la France déclare la guerre à la Prusse. Flaubert est consterné : « Je suis écœuré, navré par la bêtise de mes compatriotes, écrit-il à George Sand. L'irrémédiable barbarie de l'humanité m'emplit d'une tristesse noire. Cet enthousiasme, qui n'a pour mobile aucune idée, me donne envie de crever pour ne plus le voir. Le bon Français veut se battre : 1. parce qu'il se croit provoqué par la Prusse; 2. parce que l'état naturel de l'homme est la sauvagerie; 3. parce que la guerre contient en soi un élément mystique qui transporte les foules... L'effroyable boucherie qui se prépare n'a même pas un prétexte. C'est l'envie de se battre pour se battre... J'ai commencé *Saint Antoine*, et ça marcherait peut-être assez bien si je ne pensais pas à la guerre[1]! »

Pour échapper à l'absurdité criminelle du monde, il ne voit, comme toujours, qu'un seul remède : s'enterrer dans son trou, courber le dos et écrire, écrire...

1. Lettre du 20 juillet 1870.

XVII

LA GUERRE

Au début des hostilités, Flaubert se veut impartial. Il refuse de céder à la folie patriotique. Cette guerre, il la condamne au nom de la culture. Et, une fois de plus, il s'en prend au peuple et à ses représentants. « Le respect, le fétichisme qu'on a pour le suffrage universel me révolte plus que l'infaillibilité du pape, écrit-il à George Sand. Croyez-vous que si la France, au lieu d'être gouvernée en somme par la foule, était au pouvoir des mandarins nous en serions là? » Pour lui, le salut n'est pas dans le recours aux basses classes de la société, mais dans la liberté de décision accordée à une élite. En tout cas, il n'augure rien de bon de l'avenir. On entre « dans le noir ». « Nous étions peut-être trop habitués au confortable et à la tranquillité. Nous nous enfoncions dans la matière. Il faut revenir à la grande tradition, ne plus tenir à la vie, au bonheur, à l'argent, ni à rien[1]. »

Tout en se retranchant dans une philosophie hautaine, il lit avec fièvre les journaux. Le 7 août, le gouvernement annonce les graves défaites de Froeschwiller et de Forbach. L'opinion publique en est si bouleversée que, dès le 9 août, on convoque les Chambres. Le ministère d'Émile Ollivier est renversé et remplacé par un ministère de droite, celui du comte de Palikao. On s'attend, d'un jour à l'autre, à

1. Lettre du 3 août 1870.

une bataille devant Metz. Affolée par ces événements, Caroline rentre de Luchon, passe par Croisset, puis se rend à Londres. Entre-temps, Ernest Commanville décroche auprès de l'État une commande importante qui va relancer l'activité de sa scierie. En voilà un qui ne doit pas se plaindre de la guerre!

Avide de nouvelles, Flaubert ne tient plus en place et prend le train pour Paris. Il ne reste que trois jours dans la capitale, vite excédé par l'attitude de ses concitoyens, qui sont tiraillés entre l'illusion et le désespoir, le courage et la crainte, la honte et la fierté. « Quelle bêtise! Quelle lâcheté! Quelle ignorance! Quelle présomption! Mes compatriotes me donnent envie de vomir... Ce peuple mérite peut-être d'être châtié, et j'ai peur qu'il le soit[1]. » Ce jugement catégorique ne l'empêche pas de se révolter à l'idée que les bottes prussiennes foulent déjà le sol sacré de la France. Il ne peut se tenir au-dessus de la mêlée, comme il en avait d'abord eu la prétention. Malgré son âge et sa fatigue, il veut participer à la défense du pays. « Si le siège de Paris a lieu (ce que je crois maintenant), écrit-il à Caroline, je suis très résolu à ficher mon camp avec le fusil sur le dos. Cette idée-là me donne presque de la gaieté. Mieux vaut se battre que de se ronger d'ennui comme je fais[2]. »

Le 26 août, on amène quatre cents blessés à Rouen, et, le 30, les Bonenfant – les parents de Nogent-sur-Seine – débarquent à Croisset, fuyant l'avance de l'ennemi. La maison est pleine à craquer. Seize personnes sous le même toit. Flaubert est exaspéré par le bruit que font les nouveaux venus. Sa mère passe son temps à se disputer avec les domestiques. Et, le matin, il est réveillé par « ce pauvre Bonenfant qui a des crachements continuels ». Enfoui sous ses couvertures, il l'entend qui tousse dans le jardin. « Si une vie pareille devait se prolonger, je devien-

1. Lettre à George Sand du 17 août 1870.
2. Lettre du 26 août 1870.

drais fou ou idiot, annonce-t-il encore à sa nièce. J'ai des crampes d'estomac avec un mal de tête permanent. Songe que je n'ai personne, *absolument personne*, avec qui même causer. Ta grand-mère continue à gémir sur la faiblesse de ses jambes et sur sa surdité. C'est désolant !... La garde nationale de Croisset (chose bien importante) se réunit, enfin, dimanche prochain. J'ai indirectement des nouvelles du prince Napoléon : il s'est bien *enfui* ! Nous avions de jolis cocos pour nous gouverner [1]. »

Au début de septembre, il est engagé comme infirmier à l'Hôtel-Dieu de Rouen. Sa conviction, à présent, est que les Prussiens veulent « détruire Paris » et que, pour obtenir la reddition de la capitale, ils vont « ravager les provinces environnantes ». À Rouen, on se prépare à une résistance désespérée. En prévision des combats, Flaubert est nommé lieutenant d'une compagnie de la garde nationale. Il prend son rôle très au sérieux, exerce ses hommes au maniement d'armes et suit lui-même des cours d'art militaire à Rouen. Mais, s'il bombe le torse devant les autres, une fois seul, dans son cabinet, il s'effondre. Les nouvelles du front sont désastreuses. Le 1er septembre 1870, une armée française, commandée par Mac-Mahon et que l'empereur en personne accompagne, est écrasée sous les murs de Sedan. La capitulation, signée le lendemain, livre à l'ennemi quatre-vingt-trois mille hommes et un important matériel de guerre. Napoléon III lui-même remet son épée au vainqueur et est immédiatement transporté en Allemagne.

En apprenant cette formidable défaite, Paris se révolte. Réunie devant le Palais-Bourbon, une foule menaçante exige un changement de régime. La République est aussitôt proclamée à l'Hôtel de Ville. L'impératrice s'enfuit en Angleterre. Un gouvernement de la Défense nationale, formé en hâte, annonce la convocation des électeurs pour une Constituante. L'Empire a vécu. Une nouvelle ère commence sous le signe de la démocratie. Paris, en liesse,

1. Lettre du 31 août 1870.

veut croire à la résurrection de la patrie, face aux hordes ennemies. Mais Flaubert est sceptique. Il n'a aucun goût pour les principes républicains et doute que ce bouleversement politique puisse influer favorablement sur la conduite de la guerre. Alors que George Sand, ardente socialiste, exulte dans son coin, il lui écrit : « Nous voilà au fond de l'abîme!... Une paix honteuse ne sera peut-être pas acceptée... Je meurs de chagrin... Quelle maison que la mienne! Quatorze personnes qui gémissent et vous énervent. Je maudis les femmes, c'est par elles que nous périssons[1]... Par moments, j'ai peur de devenir fou. La figure de ma mère, quand je tourne les yeux sur elle, m'ôte toute énergie... Nous allons devenir une Pologne, puis une Espagne. Puis ce sera le tour de la Prusse qui sera mangée par la Russie. Quant à moi, je me regarde comme un homme fini. Ma cervelle ne se rétablira pas. On ne peut plus écrire quand on ne s'estime plus. Je ne demande plus qu'une chose, c'est à crever pour être tranquille[2]. »

Avec lassitude, il reprend son *Saint Antoine*, mais le travail se révèle vite impossible. Les Allemands se sont avancés jusqu'à Paris sans rencontrer de résistance. Flaubert a, dit-il, « sérieusement, bêtement, animalement », envie de se battre. « Le sang de mes aïeux les Natchez ou les Hurons bouillonne dans mes veines de lettré[3]... L'idée de faire la paix maintenant m'exaspère et j'aimerais mieux qu'on incendiât Paris (comme Moscou) que d'y voir entrer les Prussiens[4]. » La capitale, où sont concentrées des troupes importantes, se prépare à un siège de longue durée. Le gouvernement français proclame « la guerre à outrance », ce qui réjouit Flaubert. « Depuis dimanche, où

1. Allusion probable à l'impératrice Eugénie.
2. Lettre du 10 septembre 1870.
3. Flaubert prétendait volontiers qu'il avait du sang de Peau-Rouge dans les veines, cela sous prétexte qu'un de ses ancêtres maternels s'était rendu, au XVIIe siècle, au Canada, et y avait, sans doute, pris femme avant de rentrer en France.
4. Lettre de la seconde quinzaine de septembre 1870.

nous avons appris les conditions que la Prusse voudrait nous imposer rien que pour un armistice, il s'est fait un revirement dans l'esprit de tout le monde, écrit-il à Caroline. C'est maintenant un duel à mort. Il faut, suivant la vieille formule, " vaincre ou mourir ". Les hommes les plus capons sont devenus braves... Je commence aujourd'hui mes patrouilles de nuit. J'ai fait tantôt à " mes hommes " une allocution paternelle, où je leur ai annoncé que je passerais mon épée dans la bedaine du premier qui reculerait, en les engageant à me flanquer à moi-même des coups de fusil s'ils me voyaient fuir. Quelle drôle de chose que les cervelles, et surtout que la mienne[1] ! »

Avec la prolongation de la guerre, la pénurie s'installe dans le pays. Des pauvres affamés se répandent dans la campagne, piétinent devant le jardin de Croisset, secouent les grilles et poussent des cris menaçants. Flaubert s'achète un revolver. Il est persuadé que la garde nationale de Rouen aura tôt ou tard à se battre. La situation militaire s'aggrave de jour en jour. La capitulation de Metz a rendu disponible l'armée allemande qui assiégeait la ville. « Je n'ai pas de bonnes nouvelles à te donner, écrit Flaubert à sa nièce. Les Prussiens sont d'un côté à Vernon et de l'autre à Gournay. Rouen ne résistera pas... Quant à Paris, il résistera quelque temps encore; mais on dit que la viande ne va pas tarder à manquer, alors il faudra bien se rendre. Les élections pour la Constituante auront lieu le 16... Dans un mois, tout sera fini, c'est-à-dire que le premier acte du drame sera fini; le second sera la guerre civile... Quoi qu'il advienne, le monde auquel j'appartenais a vécu. Les latins sont finis ! Maintenant, c'est au tour des Saxons, qui seront dévorés par les Slaves[2]. »

Les Bonenfant et Mme Flaubert se sont transportés à Rouen, dans l'appartement vide des Commanville, quai du Havre, pensant y être plus en sécurité qu'à Croisset.

1. Lettre du 27 septembre 1870.
2. Lettre du 5 octobre 1870.

Flaubert salue le courage de Gambetta qui s'est envolé de Paris en ballon « au milieu des balles » pour rejoindre le gouvernement à Tours. Mais il craint que l'armée de la Loire ne soit pas de taille à repousser l'envahisseur. « Il n'y a jamais eu, dans l'histoire de France, rien de plus tragique et de plus grand que le siège de Paris, écrit-il à Caroline. Ce mot-là seul donne le vertige, et comme ça fera rêver les générations futures[1] ! » Les pauvres, de plus en plus nombreux, mendient du pain aux grilles de la maison. On leur donne à chacun, mais Flaubert fait fermer les volets en plein jour pour éviter de les voir. Il est également exaspéré par l'indiscipline de la milice de Croisset. Impossible de faire entendre raison à ces énergumènes qui refusent de se comporter en soldats. Le 23 octobre, il offre sa démission de lieutenant. La férocité des Allemands l'étonne : « Comme on nous hait ! et comme ils nous envient, ces cannibales-là ! Savez-vous qu'ils prennent plaisir à détruire les œuvres d'art, les objets de luxe quand ils en rencontrent ? Leur rêve est d'anéantir Paris, parce que Paris est beau[2]. » Ce qui l'inquiète plus encore que la guerre, ce sont les suites de cette terrible saignée : « Nous allons entrer dans une époque de ténèbres. On ne pensera plus qu'à l'art militaire. On sera très pauvre, très pratique ou très borné. Les élégances de toutes sortes y seront impossibles[3]. »

Après la reddition de Metz, l'armée assiégeante se dirige sur Compiègne, puis sur la Normandie pour occuper le cours inférieur de la Seine. La manœuvre est claire. Rouen n'échappera pas à la mainmise de l'ennemi. « Voilà six semaines que nous attendons de jour en jour la visite de messieurs les Prussiens, écrit Flaubert à George Sand. On tend l'oreille croyant entendre au loin le bruit du canon. Ils entourent la Seine-Inférieure dans un rayon de quinze à

1. Lettre du 13 octobre 1870.
2. Lettre à la princesse Mathilde du 23 octobre 1870.
3. Lettre à Caroline du 28 octobre 1870.

vingt lieues... Quelles horreurs! C'est à rougir d'être homme... Les phrases toutes faites ne manquent pas : " La France se relèvera! Il ne faut pas désespérer. C'est un châtiment salutaire! Nous étions vraiment trop immoraux! etc. " Oh! éternelle blague! Non, on ne se relève pas d'un coup pareil! Moi, je me sens atteint jusqu'à la moelle... La littérature me semble une chose vaine et inutile. Serai-je jamais en état d'en refaire?... Oh! si je pouvais m'enfuir dans un pays où l'on ne voie plus d'uniformes, où l'on n'entende pas le tambour, où l'on ne parle pas de massacre, où l'on ne soit pas obligé d'être citoyen! Mais la terre n'est plus habitable pour les pauvres mandarins[1]. »

Le 5 décembre, Rouen, renonçant à se défendre, est occupé par les Allemands. Flaubert quitte immédiatement Croisset et va habiter en ville, auprès de sa mère. Auparavant, il a fait enfouir par son domestique Émile, au fond du jardin, ses papiers les plus précieux, dont le manuscrit de sa *Tentation de saint Antoine*. Sept soldats, trois officiers et six chevaux sont installés dans sa maison. « Jusqu'à présent nous n'avons pas à nous plaindre de ces messieurs, mais quelle humiliation, quelle ruine, quelle misère! écrit-il à Caroline. Le temps qui n'est pas employé à faire des courses pour servir messieurs les Prussiens (hier, j'ai marché pendant trois heures pour leur avoir du foin et de la paille), on le passe à s'enquérir l'un de l'autre ou à pleurer dans son coin[2]. « À Rouen, il couche dans l'ancienne chambre de sa nièce et, de son lit, entend ronfler deux soldats allemands campés dans le cabinet de toilette voisin. Sa mère, de plus en plus lasse, ne peut marcher qu'en s'appuyant aux meubles. Elle réclame sa petite-fille, qui est toujours à Londres. Ernest Commanville insiste, lui aussi, pour que sa femme revienne. Achille fait maintenant partie du Conseil municipal, ce qui lui donne un surcroît de travail et de soucis. Justement, les troupes du prince de

1. Lettre du 27 novembre 1870.
2. Lettre du 18 décembre 1870.

Mecklembourg viennent relever celles de Manteuffel. Pour Flaubert, c'est « comme une seconde invasion ». Il se rend à Croisset, constate qu'il n'y a pas trop de dégâts, mais souffre de voir sur son lit des casques à pointe. « En quel état retrouverai-je mon pauvre cabinet, mes livres, mes notes, mes manuscrits ? mande-t-il à Caroline. Je n'ai pu mettre à l'abri que mes papiers relatifs à *Saint Antoine*. Émile a pourtant la clef de mon cabinet, mais ils la demandent et y entrent souvent pour prendre des livres... Nous touchons au commencement de la fin... Le pauvre Paris ne pourra pas résister longtemps à l'effroyable bombardement qu'il subit [1]. »

Entre-temps, le gouvernement, menacé dans Tours, s'est transporté à Bordeaux, les deux armées de la Loire ont été battues et l'armée du Nord, mise en déroute. Le 18 janvier 1871, le roi de Prusse est proclamé empereur d'Allemagne dans la galerie des Glaces du palais de Versailles. Et, le 28 du même mois, Paris, exténué, bombardé, affamé, se résigne à accepter les conditions du vainqueur. Un armistice est conclu en attendant la paix définitive. Toujours porté aux excès, Flaubert, abasourdi, en veut au pays entier de s'être laissé vaincre. « La capitulation de Paris, à laquelle on devait s'attendre pourtant, nous a plongés dans un état indescriptible ! écrit-il à sa nièce. C'est à se pendre de rage ! Je suis fâché que Paris n'ait pas brûlé jusqu'à la dernière maison, pour qu'il n'y ait plus qu'une grande place noire. La France est si bas, si déshonorée, si avilie, que je voudrais sa disparition complète. Mais j'espère que la guerre civile va nous tuer beaucoup de monde. Puissé-je être compris dans le nombre. Comme préparation à la chose, on va nommer des députés. Quelle amère ironie ! Bien entendu, je m'abstiendrai de voter. Je ne porte plus ma croix d'honneur, car le mot honneur n'est plus français, et je me considère si bien comme n'en étant plus un,

1. Lettre de janvier 1871.

que je vais demander à Tourgueniev (dès que je pourrai lui écrire) ce qu'il faut faire pour devenir russe[1]. »

Les élections pour l'Assemblée nationale se déroulent le 8 février. C'est la liste des partisans de la paix qui obtient la majorité. Le 12 février, Thiers est nommé chef du pouvoir exécutif de la République française et se voit chargé de conduire les pourparlers avec Bismarck. Le 1er mars, l'Assemblée nationale, réunie à Bordeaux, confirme la déchéance de Napoléon III et de sa dynastie, et accepte les conditions draconiennes posées par l'ennemi pour la signature de la paix : abandon à l'Allemagne de l'Alsace et d'une partie de la Lorraine, paiement d'une indemnité de cinq milliards de francs et entrée triomphale des Prussiens dans la capitale. En attendant, les soldats ont quitté Croisset. Mais Flaubert hésite à retourner dans sa maison. Depuis qu'elle a abrité l'ennemi, elle est pour lui comme souillée. Il voudrait jeter à l'eau tous les objets dont « ces messieurs », se sont servis. Il regrette de ne pouvoir abattre ces murs profanés : « Oh! quelle haine! quelle haine! Elle m'étouffe! Moi qui étais né si tendre, j'ai du fiel jusqu'à la gorge[2]. » Le 12 mars, le prince Frédéric-Charles passe ses troupes en revue à Rouen. Aussitôt, les habitants pavoisent leurs maisons avec des drapeaux noirs. Les magasins mettent des volets sur leur devanture avec de grands écriteaux : « Fermé pour cause de deuil national. » Cette insolence exaspère les Prussiens qui redoublent d'exigences dans leurs rapports avec la population civile.

Rentré à Croisset, Flaubert se rassérène un peu en constatant que son décor habituel n'a pas bougé, mais décide immédiatement de partir pour Bruxelles, en passant par Paris. Alexandre Dumas fils l'accompagne. Il faut être prudent, car « les Allemands se conduisent abominablement ». Les officiers « cassent des glaces en gants blancs », « se ruent sur le champagne », « vous volent votre montre

---

1. Lettre du 1er février 1871.
2. *Ibid.*

et vous envoient ensuite leur carte de visite[1] ». Flaubert juge ces « civilisés sauvages » plus horribles que des cannibales.

À Paris, la présence des Allemands lui paraît encore plus insupportable qu'à Rouen. « C'est fini. La honte est bue, mais pas digérée, écrit-il à la princesse Mathilde. Toute la journée j'ai vu les faisceaux des Prussiens briller au soleil dans l'avenue des Champs-Élysées et j'entendais leur musique, leur odieuse musique sonner sous l'Arc de Triomphe! L'homme qui dort aux Invalides devait s'en retourner de rage dans son tombeau[2]. » Il se dépêche de rejoindre Bruxelles, s'installe à l'hôtel Bellevue et retrouve avec émotion la princesse Mathilde qui s'est réfugiée en Belgique. Cependant, le 18 mars, Paris est bouleversé par une révolte spontanée. Ivre d'humiliation et de colère, une foule d'habitants, parmi lesquels des femmes, des enfants, cherche à empêcher la troupe régulière de s'emparer des canons de la garde nationale. L'insurrection gagnant en ampleur, Thiers ordonne aux ministres, aux fonctionnaires et à l'armée de quitter Paris pour Versailles. Un Comité central de la garde nationale prend la place du gouvernement et installe à Paris un pouvoir révolutionnaire. « Je regrette beaucoup d'être parti, écrit Flaubert à Caroline. Aujourd'hui on ne peut pas rentrer à Paris, et à la frontière française l'autorité républicaine vous cherche des chicanes. Donc, je m'embarque demain à Ostende pour Londres, d'où je compte revenir par Newhaven[3]. »

Ayant fait ce détour par l'Angleterre, ce qui lui permet de revoir Juliette Herbert, Flaubert rejoint Neuville, près de Dieppe, où il retrouve avec bonheur sa mère et sa nièce. Mais les nouvelles de Paris, livré aux fureurs de la populace, soulèvent son indignation : « Ces misérables-là déplacent la haine! On ne pense plus aux Prussiens. Encore

1. Lettre à George Sand du 11 mars 1871.
2. Lettre du 4 mars 1871.
3. Lettre du 21 mars 1871.

un peu et on va les aimer! Aucune honte ne nous manquera[1]. » Ou bien : « Voilà maintenant la Commune de Paris qui revient au pur moyen âge. C'est carré... Beaucoup de conservateurs qui, par amour de l'ordre, voulaient conserver la République vont regretter Badinguet et appellent dans leur cœur les Prussiens... Il me semble qu'on n'a jamais été plus bas[2]. » Dans la même lettre, il annonce à George Sand qu'il a l'intention de laisser sa mère et sa nièce à Neuville, où elles sont en sûreté, et de rentrer lui-même à Croisset : « C'est dur, mais il le faut. Je vais tâcher de reprendre mon pauvre *Saint Antoine* et d'oublier la France. »

Son premier soin, en retrouvant la maison de Croisset, enfin vide de ses occupants indésirables, est de dresser l'état des lieux. Avec soulagement, il constate que son cabinet de travail a été respecté et que les Prussiens n'ont emporté que de menus objets sans valeur : un nécessaire de toilette, un carton, un assortiment de pipes... Peu à peu, la tiédeur du nid le pénètre. Il se replonge avec délices dans ses habitudes de lecture, d'écriture et de rêverie, au milieu de ces meubles, de ces bibelots qui l'ont accompagné à travers toute son existence. « Contrairement à mon attente, je me trouve *très bien* à Croisset et je ne pense pas plus aux Prussiens que s'ils n'y étaient pas venus, écrit-il à Caroline. Il m'a semblé très doux de me retrouver au milieu de mon vieux cabinet et de revoir toutes mes petites affaires. Mes matelas ont été rebattus et je dors comme un loir. Dès samedi soir, je me suis remis au travail... Le jardin va devenir très beau : les bourgeons poussent; il y a des primevères partout. Quel calme! J'en suis tout étourdi[3]! » Des souvenirs lointains lui reviennent : Bouilhet arrivant le dimanche matin, son cahier de vers sous le bras, Caroline en tablier blanc courant sur le gazon devant

1. Lettre à Mme Roger des Genettes du 30 mars 1871.
2. Lettre à George Sand du 31 mars 1871.
3. Lettre du 5 avril 1871.

la maison... Il s'attendrit sur son passé et soudain le voici repris par la colère. Les folies de la Commune lui arrachent des cris de haine. Il fulmine parce que le gouvernement tarde à réagir contre les insurgés dont l'insolence n'a plus de limites : « Quels rétrogrades! écrit-il à George Sand. Quels sauvages! Comme ils ressemblent aux gens de la Ligue et aux maillotins! Pauvre France qui ne se dégagera jamais du moyen âge, qui se traîne encore sur l'idée gothique de la commune[1]. » Ou bien, à la même : « Je hais la démocratie (telle du moins qu'on l'entend en France), c'est-à-dire l'exaltation de la grâce au détriment de la justice, la négation du droit, en un mot l'antisociabilité. La Commune réhabilite les assassins, tout comme Jésus pardonnait aux larrons, et on pille les hôtels des riches... La seule chose raisonnable (j'en reviens toujours là), c'est un gouvernement de mandarins... Le peuple est un éternel mineur, et il sera toujours (dans la hiérarchie des éléments sociaux) au dernier rang puisqu'il est le nombre, la masse, l'illimité... Notre salut est maintenant dans une *aristocratie légitime*, j'entends par là une majorité qui se composera d'autre chose que de chiffres... Paris est complètement épileptique. C'est le résultat de la congestion que lui a donnée le siège[2]. »

Malgré son aversion pour le suffrage universel, il se rend à pied à Bapaume, le 30 avril, « pour déposer mon bulletin de vote ». Il plaint George Sand qui, stupéfaite par les événements de Paris, lui a écrit une lettre désespérée. « Elle s'aperçoit que sa vieille idole était creuse et sa foi républicaine me paraît complètement éteinte[3] », annonce-t-il à la princesse Mathilde.

Alors que les troupes versaillaises commencent à investir Paris, Mme Flaubert revient à Croisset, et son extrême fatigue, sa débilité mentale inquiètent Flaubert. « J'ai pour

1. Lettre du 24 avril 1871.
2. Lettre du 30 avril 1871.
3. Lettre du 3 mai 1871.

distraction unique de voir, de temps à autre, passer sous mes fenêtres messieurs les Prussiens faisant une promenade militaire, et comme occupation mon *Saint Antoine* auquel je travaille sans désemparer, écrit-il dans la même lettre. Cette œuvre extravagante m'empêche de songer aux horreurs de Paris. Quand nous trouvons le monde trop mauvais, il faut se réfugier dans un autre. » Là-dessus, il apprend la mort de Maurice Schlésinger et s'imagine un instant que sa chère Élisa, l'inspiratrice de *L'Éducation sentimentale*, reviendra vivre en France avec son fils. Mais elle le détrompe et il s'en attriste : « J'espérais que la fin de ma vie se passerait non loin de vous. Quant à vous voir en Allemagne, c'est un pays où, volontairement, je ne mettrai jamais les pieds. J'ai assez vu d'Allemands cette année pour souhaiter n'en revoir aucun et je n'admets pas qu'un Français qui se respecte daigne se trouver pendant même une minute avec aucun de ces messieurs, si charmants qu'ils puissent être. Ils ont nos pendules, notre argent et nos terres : qu'ils les gardent et qu'on n'en entende plus parler!... Ah, c'est que j'ai souffert depuis dix mois, horriblement – souffert à devenir fou et à me tuer! Je me suis remis au travail cependant; je tâche de me griser avec de l'encre, comme d'autres se grisent avec de l'eau-de-vie, afin d'oublier les malheurs publics et mes tristesses particulières[1]. »

À Paris, pendant ce temps-là, les troupes régulières entrent dans la ville par la porte de Saint-Cloud, mal défendue. Aussitôt, les rues se hérissent de barricades, les Communards incendient les édifices publics pour retarder l'avance des Versaillais. De part et d'autre, on fusille après un simulacre d'interrogatoire. Mais, au bout d'une semaine, les insurgés succombent. Les derniers combats se déroulent faubourg du Temple. À toutes les fenêtres, flottent maintenant des drapeaux tricolores. La répression est terrible. Déportations, exécutions. Flaubert respire.

1. Lettre du 22 mai 1871.

Cette stupide lutte fratricide a achevé de le démoraliser. Dès que les communications avec la capitale sont rétablies, il se rend à Paris pour constater les dégâts, rencontrer quelques amis et faire des recherches dans les bibliothèques. À la date du 10 juin 1871, Edmond de Goncourt note dans son *Journal* : « Dîner ce soir avec Flaubert, que je n'ai pas revu depuis la mort de mon frère. Il est venu chercher à Paris un renseignement pour sa *Tentation de saint Antoine*. Il est resté le même, littérateur avant tout. Ce cataclysme semble avoir passé sur lui sans le détacher un rien de la fabrication impassible de son bouquin. » Condamnation sommaire, car Flaubert a été profondément ébranlé par la guerre et par les désordres qui ont suivi la défaite. S'il a néanmoins poursuivi son œuvre, c'est pour survivre spirituellement au milieu du désastre. Ce qu'il voit, ce qu'il entend à Paris l'accable et l'écœure. « L'odeur des cadavres me dégoûte moins que les miasmes d'égoïsme s'exhalant par toutes les bouches, écrit-il à George Sand dès son retour à Croisset. La vue des ruines n'est rien auprès de l'immense bêtise parisienne. À de très rares exceptions près, tout le monde m'a paru fou à lier. Une moitié de la population a envie d'étrangler l'autre, qui lui porte le même intérêt. Cela se lit clairement dans les yeux des passants. Et les Prussiens n'existent plus. On les excuse et *on les admire*[1]. »

Ses impressions parisiennes sont si fortes qu'il éprouve de la difficulté à reprendre son travail. Il lui semble que la maison de Croisset a gardé l'odeur des bottes prussiennes. On retapisse les pièces où les soldats ont logé. Le papier a été choisi par Caroline. En outre, cent détails domestiques agacent Flaubert, qui s'en ouvre à sa nièce : « As-tu additionné toutes les notes à payer ? En as-tu payé quelques-unes ? Je ne sais pas ce que je dois faire. Quels sont les gages des deux bonnes[2] ? » Puis l'inspiration lui revient et

1. Lettre du 11 juin 1871.
2. Lettre du 14 juin 1871.

pendant quelques heures il oublie sa hargne, sa rancœur, son chagrin. Par moments même, abîmé dans les hallucinations de saint Antoine, il peut croire que la France n'a pas été vaincue. « Il m'a semblé doux de me retrouver chez moi, au milieu de mes livres, écrit-il à la princesse Mathilde, et je continue, comme autrefois, à tourner des phrases. Cela est aussi innocent et aussi utile que de tourner des ronds de serviettes[1]. » Et, à Mme Roger des Genettes : « Mon unique distraction est, deux fois par jour, de donner le bras à ma mère pour la traîner dans le jardin, après quoi je remonte près de saint Antoine... Le brave homme, après avoir eu la boule dérangée par le spectacle des hérésies, vient d'écouter le Bouddha et assiste maintenant aux prostitutions de Babylone. Je lui en prépare de plus fortes[2]. »

Cependant, dans un formidable élan de solidarité nationale, les Français souscrivent en masse à l'emprunt lancé par Thiers pour la libération anticipée du territoire. Flaubert, lui, a des soucis d'argent. C'est Ernest Commanville qui gère la fortune de Mme Flaubert. Et il ne semble guère réussir dans sa tâche. « Quant à moi, qui n'ai reçu depuis le mois de janvier que mille cinq cents francs de ta grand'mère, j'aurais besoin, dans une dizaine de jours, de trois mille francs[3] », annonce Flaubert à sa nièce. Il trouve certes un peu humiliant de mendier ainsi des secours auprès de la jeune femme. Mais, toute sa vie durant, il a été l'ennemi des chiffres. Un vieil enfant incapable de se conduire dans le monde des affaires. Dès qu'il quitte sa table de travail, il est perdu. Heureusement, autour de lui, la France paraît apaisée. « L'horizon politique me semble momentanément calme! écrit-il encore à Mme Roger des Genettes. Ah! si l'on pouvait s'habituer à ce qui est, c'est-à-dire à vivre sans principe, sans blague, sans for-

1. Lettre du 24 juin 1871.
2. Lettre de juillet 1871.
3. Lettre du 3-4 juillet 1871.

mule! Voilà, je crois, la première fois en histoire que pareille chose se présente. Est-ce le commencement du positivisme en politique? Espérons-le. »

Le 22 juillet 1871, les Prussiens évacuent la région de Rouen.

XVIII

VERS UN PEU PLUS DE SOLITUDE

Désormais, c'est saint Antoine qui commande la vie de Flaubert. Il travaille au manuscrit à Croisset et se rend à Paris pour des séances de lecture dans les bibliothèques. En ville, il voit peu de monde, contemple le parc Monceau des fenêtres de sa chambre, se couche tôt et se repose des tracasseries de sa mère qu'il adore mais qui le fatigue. Pour se distraire, il va à Versailles afin d'assister au procès des Communards par le Conseil de Guerre. La sévérité de la justice à l'égard des fauteurs de troubles lui paraît une manifestation du bon sens national. Il s'octroie également quelques séjours à Saint-Gratien, auprès de la princesse Mathilde qui est rentrée en France après la signature de la paix. Mais ce sont de brefs intermèdes. Déjà sa mère le réclame auprès d'elle. « Je trouve que ta grand-mère me talonne singulièrement pour revenir, écrit-il à Caroline le 9 août 1871. Il me semble qu'à mon âge j'ai bien le droit de faire, une fois par an, ce qui me plaît. La dernière fois que je suis venu ici, au mois de juin, je n'ai pas fait tout ce que je voulais faire, grâce à cette belle habitude que j'ai prise de fixer d'avance mon retour, comme si c'était bien important! » Malgré cette faible révolte filiale, il rentre sagement à Croisset, comme prévu, dans la deuxième quinzaine d'août, et constate que la guerre a vieilli sa mère de « cent ans ». Comme elle ne peut rester seule plus longtemps, il renonce à rejoindre Élisa Schlésinger, laquelle se trouve maintenant à Trouville pour régler la succession de son mari. Mais il supplie son amie de venir le voir à Croisset : « Venez donc, nous avons tant de choses à nous dire, de ces choses qui ne se disent pas, ou qui se disent trop mal, avec la plume. Qui vous en empêche? N'êtes-vous pas libre? Ma mère vous recevrait avec grand plaisir en souvenir du bon vieux temps[1]. » De plus en plus, il éprouve le besoin de se replonger dans un passé de tendresse. Ses amours et ses amitiés d'autrefois le consolent des horreurs de l'heure présente. C'est George Sand qui est le déversoir privilégié de ses fureurs politiques : « Nous pataugeons dans l'arrière-faix de la Révolution, qui a été un avortement, une chose ratée, un four quoi qu'on dise, lui écrit-il. Pour que la France se relève, il faut qu'elle passe de l'inspiration à la Science, qu'elle abandonne toute métaphysique, qu'elle entre dans la critique, c'est-à-dire dans l'examen des choses... Je défie qu'on me montre une différence essentielle entre ces deux termes : une république moderne et une monarchie constitutionnelle sont identiques. N'importe, on se chamaille là-dessus, on crie, on se bat. Quant au bon peuple, l'instruction " gratuite et obligatoire " l'achèvera... Le premier remède serait d'en finir avec le suffrage universel, la honte de l'esprit humain. Tel qu'il est constitué, un seul élément prévaut au détriment de tous les autres : le nombre domine l'esprit, la race et même l'argent, qui vaut mieux que le nombre[2]. » Ou bien : « Je crois que les pauvres haïssent les riches et que les riches ont peur des pauvres. Cela sera éternellement. Prêcher l'amour aux uns comme aux autres est inutile. Le plus pressé est d'instruire les riches, qui, en somme, sont les plus forts[3]. » Ou encore : « Je trouve qu'on aurait dû condamner aux galères toute la Commune

1. Lettre du 6 septembre 1871.
2. Lettre du 8 septembre 1871.
3. Lettre du 7 octobre 1871.

286

et forcer ces sanglants imbéciles à déblayer les ruines de Paris, la chaîne au cou, en simples forçats. Mais cela aurait blessé l'*humanité*. On est tendre pour les chiens enragés et point pour ceux qu'ils ont mordus. Cela ne changera pas, tant que le suffrage universel sera ce qu'il est... Dans une entreprise industrielle (société anonyme) chaque actionnaire vote en raison de son apport. Il en devrait être ainsi dans le gouvernement d'une nation. Je vaux bien vingt électeurs de Croisset. L'argent, l'esprit et la race même doivent être comptés, bref toutes les forces. Or, jusqu'à présent je n'en vois qu'une : le nombre[1]. »

Cette dernière lettre est datée de Paris, où Flaubert s'est rendu en hâte pour décider le théâtre de l'Odéon à monter la pièce de Louis Bouilhet, *Mademoiselle Aïssé*. L'affaire, cette fois, semble bien engagée. On envisage même une date : janvier 1872. Heureux d'avoir pu enfin servir la mémoire de son ami, Flaubert va reprendre le train pour Rouen, lorsqu'il rencontre Edmond de Goncourt. « Il a sous le bras, fermé à triple serrure, un portefeuille de ministre, dans lequel est enfermée sa *Tentation*, note celui-ci. En fiacre, il me parle de son livre, de toutes les épreuves qu'il fait subir au solitaire de la Thébaïde et dont il sort victorieux. Puis, à la rue d'Amsterdam, il me confie que la défaite finale du saint est due à la *cellule*, la cellule scientifique. Le curieux, c'est qu'il semble s'étonner de mon étonnement[2]. »

Flaubert rentre à Croisset, tout éclairé par l'annonce de la prochaine visite d'Élisa Schlésinger, venant de Trouville. Mais elle a eu sur place des discussions pénibles avec ses enfants, qui sont les seuls légataires de leur père défunt, et, en retrouvant Flaubert, n'a guère l'esprit aux réminiscences romantiques. S'il rêve à Trouville comme au paradis de ses amours adolescentes, elle n'y voit qu'un lieu de dispute

1. Lettre du 12 octobre 1871.
2. Goncourt, *Journal*, 18 octobre 1871.

et d'humiliation familiales. À peine est-elle repartie qu'il retourne à Paris pour s'occuper encore de *Mademoiselle Aïssé*. Le 1ᵉʳ décembre 1871, il lit la pièce aux acteurs de l'Odéon. Et, le soir même, il écrit à Philippe Leparfait : « La lecture aux acteurs a eu lieu tantôt au milieu du plus vif enthousiasme. Pleurs, applaudissements, etc. » Trois jours plus tard, il remet à l'imprimeur le manuscrit des *Dernières chansons* de Louis Bouilhet, avec, en sous-titre, *Poésies posthumes*. Il s'occupe aussi activement du monument qu'il voudrait faire ériger à la gloire de son ami, à Rouen : une fontaine avec un buste, au bas de la rue Verte. Il a déjà recueilli douze mille francs de souscription. Mais, le 8 décembre 1871, le Conseil municipal de Rouen rejette le projet, la notoriété de Louis Bouilhet ne lui semblant pas suffisante pour mériter un tel honneur. Fureur de Flaubert qui adresse au Conseil municipal une lettre cinglante aussitôt reproduite dans *Le Temps*. Il espère que le succès de *Mademoiselle Aïssé* le vengera de cet échec et que les Rouennais, devant l'engouement des Parisiens pour Louis Bouilhet, se mordront les doigts de lui avoir chicané leur estime.

Le 6 janvier 1872, à l'Odéon, la première représentation recueille les bravos d'un public amical. Flaubert est là, bien entendu, et applaudit à tout rompre. Il croit tenir la revanche de son ami. Mais, dès le lendemain, c'est le désastre. « Salle à peu près vide, écrit-il à George Sand. La presse s'est montrée, en général, stupide et ignoble. On m'a accusé d'avoir voulu faire une réclame en intercalant une tirade incendiaire. Je passe pour un Rouge. Vous voyez où on en est. La direction de l'Odéon n'a rien fait pour la pièce. Au contraire. Le jour de la première, c'est moi qui ai apporté de mes mains les accessoires du premier acte. Et, à la troisième représentation, je conduisais les figurants... Bref l'héritier de Bouilhet gagnera fort peu d'argent.

L'honneur est sauf, c'est tout[1]. » Cherchant à se consoler, il profite de son séjour à Paris pour lire à Tourgueniev cent quinze pages de son *Saint Antoine*. Le « bon Moscove » exulte d'admiration. « Quel auditeur ! soupire Flaubert. Et quel critique ! Il m'a ébloui par la profondeur et la netteté de son jugement. Ah ! si tous ceux qui se mêlent de juger les livres avaient pu l'entendre, quelle leçon ! Rien ne lui échappe... Il m'a donné pour *Saint Antoine* deux ou trois conseils de détail exquis[2]. » Entre-temps, il a écrit une *Préface* aux *Dernières chansons* de Louis Bouilhet. À sa grande surprise, cet hommage posthume lui vaut une lettre injurieuse de Louise Colet. « J'ai reçu d'elle une lettre anonyme, en vers, où elle me représente comme un charlatan qui bat de la grosse caisse sur la tombe de son ami, un pied-plat qui fait des turpitudes devant la critique après avoir " adulé César " ! écrit-il à George Sand. Triste exemple des passions, comme dirait Prudhomme[3]. » Il rend une visite de déférence à Victor Hugo, qu'il trouve « charmant », pas du tout « grand homme », pas du tout « pontife », s'enthousiasme pour *Tartarin de Tarascon*, d'Alphonse Daudet, qu'il considère comme un chef-d'œuvre, et se « fâche à mort » avec l'éditeur Michel Lévy qui a repris sa parole sur une avance promise pour les frais d'impression des *Dernières chansons*. Edmond de Goncourt, qui le rencontre lors de son séjour à Paris, constate : « Flaubert est si grincheux, si cassant, si irascible, si érupé, à propos de tout et de rien, que je crains que mon pauvre ami ne soit atteint de l'irritabilité maladive des maladies nerveuses à leur germe[4]. »

Un nouveau souci pour Flaubert : il doit absolument trouver une dame de compagnie à sa mère : « Il nous faudrait une personne pouvant faire la lecture et qui fût

1. Lettre du 21 janvier 1872.
2. Lettre à George Sand du 28 janvier 1872.
3. Lettre du 26 février 1872.
4. Goncourt, *Journal*, 17 janvier 1872.

très douce, confie-t-il à George Sand. On la chargerait aussi de tenir un peu le ménage. Cette dame n'aurait pas de grands soins corporels à lui donner, puisque ma mère garderait sa femme de chambre. Les principes religieux ne sont pas réclamés[1]. » Mme Flaubert tient à peine sur ses jambes et sa tête divague. Revenu à Croisset, Flaubert supporte de plus en plus mal les manies de sa mère. Elle ne pense qu'à manger pour se fortifier et fait avancer les heures des repas. « La maison est dans un tel état de délabrement, de saleté et les histoires de ménage si compliquées que depuis mon arrivée je n'ai pu rien faire, écrit Flaubert à Caroline. Toutes ces occupations-là, et surtout le tête-à-tête lamentable de ta grand-mère me cassent bras et jambes. Je sens que je ne pourrais pas écrire, car j'ai peine à comprendre ce que je lis. Mon rêve est d'aller vivre dans un couvent en Italie, pour ne plus me mêler de rien... Quand donc me foutra-t-on la paix? Quand n'aurai-je plus à m'occuper des éternels autres? Je passe tour à tour du rugissement à l'accablement[2]. » Il attend avec impatience l'arrivée de la dame de compagnie qu'on a enfin engagée et qui doit se présenter au début du mois d'avril.

Or, le 6 avril 1872, Mme Flaubert s'éteint après une agonie de trente-trois heures. Bien que préparé à l'événement, Flaubert en ressent le choc jusque dans ses racines. C'est son enfance qui lui est brutalement arrachée. Le voici seul au monde. Il en informe ses amis intimes, Maxime Du Camp, Edmond de Goncourt, Laure de Maupassant, George Sand... Tous reçoivent son cri de désespoir : « Ma mère vient de mourir. Depuis lundi je n'ai pas fermé l'œil. Je suis brisé[3]. »

Le Journal de Rouen consacre un article à la défunte : « Madame veuve Flaubert avait un esprit très distingué.

1. Lettre du début mars 1872.
2. Lettre du 28 mars 1872.
3. Lettre à Maxime Du Camp du 6 avril 1872.

Elle était parente de M. Laumonier, le célèbre chirurgien auquel avait succédé M. Flaubert comme chirurgien-chef de l'hospice général. Elle était petite-fille, femme et mère de médecin. La douleur de la famille de Madame Flaubert sera vivement partagée à Rouen. Tous ceux dont le père et le fils ont allégé les souffrances, tous les gens qui ont connu leur dévouement pour les humbles se réuniront dans un même sentiment de respect et d'affection. L'inhumation aura lieu demain mardi, à Croisset, à dix heures du matin. »

Après l'enterrement, Flaubert doit subir l'épreuve de l'inventaire des biens laissés par sa mère. « C'est sinistre! écrit-il à Edmond de Goncourt. Il m'a semblé que ma mère se re-mourait et que nous la volions[1]. » Selon les dernières volontés de la défunte, la maison de Croisset revient à sa petite-fille, Caroline, mais Flaubert y garde son logement. En compensation, il reçoit une ferme à Deauville dont les revenus l'aideront à vivre. Débarrassé de ces odieuses formalités administratives, il tente de s'habituer à son nouvel état d'orphelin quinquagénaire. « Aujourd'hui enfin, je recommence à entendre les oiseaux chanter et à voir les feuilles verdir, confie-t-il à George Sand. Le soleil ne m'irrite plus, ce qui est un bon signe. Si je pouvais reprendre goût au travail, je serais sauvé. » Et il ajoute : « Aurai-je la force de vivre absolument tout seul dans la solitude? J'en doute. Je deviens vieux. Caroline ne peut maintenant habiter ici. Elle a déjà deux logis et la maison de Croisset est dispendieuse. Je crois que j'abandonnerai le logement de Paris. Rien ne m'appelle plus à Paris. Tous mes amis sont morts et le dernier, le pauvre Théo, n'en a pas pour longtemps, j'en ai peur! Ah! c'est dur de refaire peau neuve à cinquante ans! Je me suis aperçu, depuis quinze jours, que ma pauvre bonne femme de maman était

1. Lettre du 19 avril 1872.

l'être que j'ai le plus aimé. C'est comme si l'on m'avait arraché une partie des entrailles[1]. »

Lorsque, tous les détails de la succession ayant été réglés, Caroline repart de Croisset pour Dieppe, Flaubert a un moment de panique devant le vide soudain de son existence. Mais il se ressaisit et écrit aussitôt à sa nièce : « J'ai eu le cœur bien gros en te voyant partir, et je me suis senti encore moins gai, le soir, quand je me suis mis à table. Mais il faut être philosophe. Je me suis remis à travailler. À force d'entêtement, j'arriverai à reprendre goût au pauvre *Saint Antoine*[2]. » Et quelques jours plus tard, à la même : « Tu n'imagines pas comme *ton* Croisset est calme et beau! Il y a une douceur infinie dans tout et comme un grand apaisement qui sort du silence. Le souvenir de ma pauvre vieille ne me quitte pas et flotte autour de moi comme une vapeur et m'enveloppe[3]. » Le plus pénible, pour lui, ce sont les repas solitaires, servis par Émile. Tout dans cette maison lui parle de la morte. Il est en visite chez elle. Il se retient pour ne pas interpeller une ombre : « Les repas en tête à tête avec moi-même, devant cette table vide, sont durs, écrit-il encore à Caroline. Enfin, ce soir, pour la première fois, j'ai eu un dessert sans larmes. Je me ferai peut-être à cette vie solitaire et farouche. Je ne vois pas d'ailleurs que j'aie le moyen d'en mener une autre. Je me force à travailler tant que je peux. Mais ma pauvre cervelle est rétive. Je fais très peu de besogne et de la médiocre[4]. » Cependant, le partage des meubles de la succession pose de nouveaux problèmes. À son habitude, Flaubert cède sur tous les points, par esprit de sacrifice et par fatigue. « Quel ennui! confie-t-il à la princesse Mathilde. Mon incapacité en matières d'argent, ou plutôt la répulsion qu'elles me causent est arrivée chez

1. Lettre du 16 avril 1872.
2. Lettre du 25 avril 1872.
3. Lettre du 29 avril 1872.
4. Lettre du 5 mai 1872.

moi à un tel point que cela frise l'imbécillité ou la démence. Je parle très sérieusement : j'aime mieux me laisser dépouiller jusqu'aux os que de me défendre, non par désintéressement, mais par la rage d'ennui que me donne un pareil travail[1]. »

Tout en rechignant et en pestant, il poursuit la rédaction de son *Saint Antoine*. « C'est, dit-il, l'œuvre de toute ma vie, puisque la première idée m'en est venue en 1845, à Gênes, devant un tableau de Breughel, et depuis ce temps-là je n'ai cessé d'y songer et de faire des lectures afférentes. » Mais il précise aussitôt que, dégoûté des éditeurs, il ne songe pas à publier ce livre singulier : « J'attendrai des jours meilleurs; s'ils n'arrivent jamais, j'en suis consolé d'avance. Il faut faire de l'art pour soi et non pour le public. Sans ma mère et sans mon pauvre Bouilhet, je n'aurais pas fait imprimer *Madame Bovary*. Je suis, en cela, aussi peu homme de lettres que possible[2]. » Refusant le qualificatif d'homme de lettres, il n'en suit pas moins avec intérêt la carrière de ses confrères qui, eux, s'obstinent à publier. *L'Année terrible,* de Victor Hugo, lui arrache un cri d'admiration : « Quelle mâchoire il vous a encore, ce vieux lion-là! Il sait haïr, ce qui est une vertu, laquelle manque à mon amie George Sand[3]. »

Le 12 juin, il est à Paris pour assister au mariage du fils d'Élisa Schlésinger : « J'ai des attendrissements et des colères de vieillard... Pendant la messe de mariage du petit Schlésinger, je me suis mis à pleurer comme un idiot[4]. » Il rencontre George Sand « pas changée du tout », se rend à Saint-Gratien pour saluer la princesse Mathilde et, le 21 juin, dîne chez Riche avec Edmond de Goncourt qui, le soir même, note dans son *Journal :* « Nous dînons, bien entendu, dans un cabinet parce que Flaubert ne veut pas

1. Lettre du 5 juin 1872.
2. Lettre à Mlle Leroyer de Chantepie du 5 juin 1872.
3. Lettre à Mme Roger des Genettes du 15 mai 1872.
4. Lettre à Caroline du 23 juin 1872.

de bruit, ne veut pas d'individus à côté de lui et qu'il veut encore, pour manger, ôter son habit et ses bottines. » Dès les hors-d'œuvre, il est question de Ronsard, car Flaubert a été invité à l'inauguration de la statue du poète, à Vendôme. Malgré son horreur des manifestations officielles, il a promis de se rendre à la cérémonie. Il le regrette aujourd'hui. En sortant du restaurant, Goncourt et lui tombent sur le publiciste Aubryet. Celui-ci leur annonce que l'important critique Saint-Victor fait partie des personnalités qui assisteront aux festivités vendômoises. Làdessus, Flaubert pique une colère froide : « Eh bien, je n'irai pas à Vendôme, s'écrie-t-il devant Edmond de Goncourt. Non, vraiment, la sensibilité est arrivée chez moi à un état maladif tel, je suis entamé à ce point, que l'idée d'avoir la figure d'un monsieur désagréable en chemin de fer, devant moi, ça m'est odieux, insupportable!... Tenez, entrons dans un café, je vais écrire à mon domestique que je reviens demain. » Dans le café, il poursuit : « Non, je ne suis plus susceptible de supporter un embêtement quelconque... Les notaires de Rouen me regardent comme un toqué! Vous concevez, pour les affaires du partage, je leur disais qu'ils prennent tout ce qu'ils veulent, mais qu'on ne me parle de rien. J'aime mieux être volé que d'être agacé. Et c'est comme cela pour tout, pour les éditeurs... L'action maintenant, j'ai pour l'action une paresse qui n'a pas de nom. Il n'y a absolument que l'action du travail qui me reste. » Ayant écrit et cacheté sa lettre au valet de chambre Émile, il soupire : « Je suis heureux comme un homme qui a fait une couillonnade! » Et il confesse à Edmond de Goncourt qu'il n'aspire plus qu'à la mort pour être « à tout jamais dépouillé de son moi ». Edmond de Goncourt, qui est dans les mêmes dispositions d'esprit, l'approuve et conclut : « Ah! la belle désorganisation physique que fait, même chez les plus forts, les plus solidement bâtis, la vie cérébrale. C'est positif, nous sommes tous malades, quasi fous et tous préparés pour le devenir complètement. »

Le 23 juin 1872, alors qu'on attend Flaubert à Vendôme devant la statue de Ronsard, il est de retour à Croisset. « Je n'ai pas été à Vendôme parce que je me sentais trop triste pour tolérer la foule, et surtout afin d'éviter la compagnie de mes chers confrères, écrit-il à la princesse Mathilde le 1er juillet 1872. J'aurais fait le voyage avec Saint-Victor; or, ce monsieur me déplaît profondément. » Et il annonce à sa correspondante qu'il vient de terminer *La Tentation de saint Antoine*. Ses nerfs sont si gravement dérangés qu'il consent à partir avec Caroline pour Bagnères-de-Luchon, où ils suivront la cure. Mais, loin de le calmer, ce séjour dans une ville d'eaux pleine de « bourgeois » lui est vite insupportable. Le médecin local attribue son irritabilité à l'abus du tabac. Il se résigne à fumer moins, prend des bains, avale des verres d'eau et attend avec impatience le moment de retrouver son cher Croisset.

Le 16 août, il a réintégré son antre avec un nouveau projet en tête. Il s'agit plutôt d'un projet très ancien qui refait surface. Oui, comme pour *L'Éducation sentimentale*, comme pour *La Tentation de Saint Antoine*, c'est un rêve de son adolescence qui le visite dans son âge mûr et lui rend le goût d'écrire. À croire que tout le suc de son œuvre lui a été donné dans sa jeunesse et que, fatigué, usé, désabusé, il ne fait qu'obéir aux joyeux démons d'autrefois. « Je vais commencer un livre qui va m'occuper pendant plusieurs années, écrit-il à Mme Roger des Genettes. Quand il sera fini, si les temps sont plus prospères, je le ferai paraître en même temps que *Saint Antoine*. C'est l'histoire de ces deux bonshommes qui copient une espèce d'encyclopédie critique en farce... Il faut être fou et triplement frénétique pour entreprendre un pareil bouquin[1]. » Il a déjà tracé le plan, qui lui paraît « superbe », et trouvé le titre : *Bouvard et Pécuchet*. Mais que de lectures en perspective (« chimie, médecine, agriculture... ») avant

1. Lettre du 18 août 1872.

d'aborder la rédaction! Pour se lancer dans cette « entreprise écrasante, épouvantable », il voudrait être tout à fait assuré de ses revenus. Or, il est obligé de mendier mille francs par mille francs auprès d'Ernest Commanville qui gère tant bien que mal sa fortune. « Rien ne m'embête plus que de lui demander perpétuellement de l'argent! avoue-t-il à Caroline. Mais comment faire? Il me tarde que tout soit arrangé, que je touche mes minces échéances à époques fixes, sans importuner, de temps à autre, ce brave Ernest[1]. » Heureusement, il a un nouvel ami, Edmond Laporte, estimable quadragénaire, qui habite sur l'autre rive de la Seine, à Grand-Couronne, et dont les visites le réconfortent et le divertissent. Laporte tient absolument à ce qu'il adopte un chien pour égayer sa solitude. Il lui en a réservé un, tout jeune, nommé Julio. Flaubert hésite. « J'ai vu chez Laporte, jeudi dernier, mon chien, qui n'est pas du tout frisé comme je m'y attendais, écrit-il encore à Caroline. C'est un simple lévrier, couleur gris de fer, mais qui sera très grand. J'hésite à le prendre, d'autant plus que maintenant j'ai peur de la rage. Cette sotte idée est un des symptômes de mon ramollissement. Je crois pourtant que je passerai par-dessus[2]. »

Plongé dans ses lectures pour la préparation de *Bouvard et Pécuchet*, il s'impose néanmoins un voyage à Paris afin de faire copier *La Tentation de saint Antoine*. Six jours plus tard, le travail est terminé. « La tête des copistes était inimaginable d'ahurissement et de fatigue, annonce-t-il gaiement à Caroline. Ils m'ont déclaré qu'ils en étaient malades et que c'était trop fort pour eux[3]. » L'éditeur Charpentier se propose pour racheter à Michel Lévy tous ses droits sur les œuvres de Flaubert. Or, celui-ci ignore les termes exacts du contrat qui le lie au « fils de Jacob » selon son expression. D'autre part, il voudrait que Charpentier

1. Lettre du 1ᵉʳ septembre 1872.
2. *Ibid.*
3. Lettre du 14 septembre 1872.

publiât aussi les œuvres complètes de Louis Bouilhet. Les tractations paraissent en bonne voie. Flaubert rentre à Croisset avec l'impression d'avoir été un négociateur habile. À peine est-il réinstallé que Laporte lui amène son chien, Julio. « Il me semble que je vais l'aimer beaucoup[1]! » s'écrie Flaubert. Et un peu plus tard : « Ma seule distraction est d'embrasser mon pauvre chien, à qui j'adresse des discours. Quel mortel heureux! Son calme et sa beauté vous rendent jaloux[2]. » Ou bien : « On m'a donné un chien, un lévrier. Je me promène avec lui en regardant les effets du soleil sur les feuilles qui jaunissent, en songeant à mes futurs livres, en ruminant le passé, car je suis maintenant un vieux. L'avenir pour moi n'a plus de rêves, et les jours d'autrefois commencent à osciller doucement dans une vapeur lumineuse. Sur ce fond-là, quelques figures aimées se détachent, de chers fantômes me tendent les bras. Mauvaise songerie et qu'il faut repousser, bien qu'elle soit délectable[3]. »

Parmi ces « chers fantômes », sa préférence va encore à celui d'Élisa Schlésinger. Elle a beau être à présent une vieille femme, il la voit toujours dans sa radieuse, son inaltérable jeunesse des jours heureux. Amoureux de l'amour qu'il a eu pour elle, il lui écrit : « Ma vieille amie, ma vieille tendresse, je ne peux pas voir votre écriture sans être remué... J'aimerais tant à vous recevoir chez moi, à vous faire coucher dans la chambre de ma mère!... L'avenir pour moi n'a plus de rêves, mais les jours d'autrefois se représentent comme baignés dans une vapeur d'or... Sur ce fond lumineux, la figure qui se détache le plus splendidement, c'est la vôtre! Oui, la vôtre! Ô, pauvre Trouville[4]! » Plus il trouve de goût à ressasser de lointains souvenirs, plus il prend en haine toutes les manifestations de l'actua-

1. Lettre à Caroline du 24 septembre 1872.
2. Lettre à Caroline du 27 septembre 1872.
3. Lettre à Mme Roger des Genettes du 5 octobre 1872.
4. Lettre du 5 octobre 1872.

lité. Son horreur des affaires publiques, de l'esprit bourgeois, des fausses gloires de l'art et de la littérature tourne
à la misanthropie. Il voudrait se venger de la stupidité et
de la laideur du monde qui l'entoure par une œuvre
explosive. *Bouvard et Pécuchet* sera, espère-t-il, cette
bombe. « Je médite une chose où j'exhalerai ma colère,
confie-t-il à Mme Roger des Genettes. Oui, je me débar-
rasserai enfin de ce qui m'étouffe. Je vomirai sur mes
contemporains le dégoût qu'ils m'inspirent, dussé-je m'en
casser la poitrine. Ce sera large et violent[1]. »

Au plus fort de sa colère, il apprend le décès, survenu le
23 octobre 1872, de son cher Théophile Gautier. Il s'y
attendait depuis longtemps, mais l'événement le consterne.
Désormais, parmi ses amis, il y a plus de morts que de
vivants. Il se demande par quelle injustice du destin il
échappe lui-même à tant de naufrages. « La mort de mon
pauvre vieux Théo, bien que prévue, m'a écrasé, et j'ai
passé hier une journée dont je me souviendrai, écrit-il à
Caroline. Je pensais continuellement à l'amour que mon
vieux Théo avait pour l'art, et je sentais comme une marée
d'immondices qui me submergeait. Car il est mort, j'en suis
sûr, d'une suffocation trop longue causée par la bêtise
moderne[2]. » Et, à Tourgueniev : « Je ne connais plus au
monde maintenant qu'un seul homme avec qui causer,
c'est vous... Théo est mort empoisonné par la charognerie
moderne. Les gens exclusivement artistes comme lui n'ont
que faire dans une société où la plèbe domine[3]. » À
George Sand enfin : « Moi, je vous dis qu'il est mort de la
" charognerie moderne ". C'était son mot; et il me l'a
répété cet hiver plusieurs fois : " Je crève de la Commune,
etc. " Il a eu deux haines : la haine des épiciers dans sa
jeunesse, celle-là lui a donné du talent; la haine du voyou
dans son âge mûr, cette dernière l'a tué. Il est mort de

1. Lettre du 5 octobre 1872.
2. Lettre du 25 octobre 1872.
3. Lettre d'octobre 1872.

colère rentrée et par la rage de ne pouvoir dire ce qu'il pensait... En résumé, je ne le plains pas, je l'envie. Car franchement la vie n'est pas drôle. » Et comme George Sand, inquiète de ses désespoirs en vase clos, lui suggère de prendre femme, il tombe des nues : « Quant à vivre avec une femme, à me marier comme vous me le conseillez, c'est un horizon que je trouve fantastique. Pourquoi? Je n'en sais rien. Mais c'est comme ça... L'être féminin n'a jamais été emboîté dans mon existence; et puis je ne suis pas assez riche; et puis, et puis... je suis trop vieux...; et puis trop propre pour infliger à perpétuité ma personne à une autre[1]. » Au vrai, serait-il cousu d'or qu'il reculerait, épouvanté, à la seule idée du mariage. Il ne tolère la présence d'une femme que de loin. La seule compagne de ses jours et de ses nuits, c'est l'imagination créatrice. Il n'a besoin pour vivre que de solitude, d'encre et de papier. Le travail d'écriture lui procure une satisfaction si complète qu'il n'éprouve même plus la nécessité de livrer au public le fruit de ses méditations. « Pourquoi publier par l'abominable temps qui court? demande-t-il à George Sand. Est-ce pour gagner de l'argent? Quelle dérision! Comme si l'argent était la récompense du travail et pouvait l'être! Cela sera quand on aura détruit la spéculation : d'ici là, non. Et puis comment mesurer le travail, comment estimer l'effort? Reste donc la valeur commerciale de l'œuvre. Il faudrait pour cela supprimer tout intermédiaire entre le producteur et l'acheteur, et quand même cette question en soi est insoluble. Car j'écris (je parle d'un auteur qui se respecte) non pour le lecteur d'aujourd'hui, mais pour tous les lecteurs qui pourront se présenter, tant que la langue vivra. Ma marchandise ne peut donc être consommée maintenant, car elle n'est pas faite exclusivement pour mes contemporains. Mon service reste donc indéfini et, par conséquent, impayable... Tout cela pour vous dire que, jusqu'à des temps meilleurs (auxquels je ne crois pas), je

1. Lettre du 28 octobre 1872.

garde *Saint Antoine* dans un bas d'armoire. Si je le fais paraître, j'aime mieux que ce soit en même temps qu'un autre livre tout différent. J'en travaille un maintenant qui pourra lui faire pendant. Conclusion : le plus sage est de se tenir tranquille[1]. »

Sa détermination sur ce point est telle qu'ayant recouvré, le 1ᵉʳ janvier 1873, ses droits sur *Madame Bovary* et sur *Salammbô* il ne songe même pas à rééditer ces deux livres[2]. « Quant à moi, écrit-il à Philippe Leparfait, je suis si dégoûté de toute publication que j'ai remercié Lachaud et Charpentier. Je pourrais maintenant vendre *Bovary* et *Salammbô*, mais le vomissement que me donnent de semblables pourparlers est trop fort ! Je ne désire qu'une chose, à savoir : crever. L'énergie me manque pour me casser la gueule. Je suis si indigné de *tout* que j'en ai parfois des battements de cœur à étouffer[3]. » En politique, après les démocrates, ce sont les conservateurs qui, à présent, le font sortir de ses gonds : « Je suis exaspéré contre la Droite, à me demander si les Communards n'avaient pas raison de vouloir brûler Paris, car les fous furieux sont moins abominables que les idiots. Leur règne, d'ailleurs, est toujours moins long[4]. »

Un peu de réconfort, dans ce tumulte de rancœurs, d'indignations et de regrets, lui est apporté, à Paris, par un nouveau venu, un jeune homme, le fils de Laure de Maupassant, le neveu de son grand ami Alfred Le Poittevin, mort en 1848. Âgé de vingt-trois ans, Guy de Maupassant est commis au ministère de la Marine. Il écrit des vers, il rêve d'une carrière littéraire, il admire éperdument Flaubert et celui-ci est touché d'une si juvénile et si naïve vénération. « Depuis un mois je voulais t'écrire pour te faire une déclaration de tendresse à l'endroit de ton fils,

1. Lettre du 4 décembre 1872.
2. Michel Lévy, d'après le contrat, conserve ses droits sur *L'Éducation sentimentale* pendant sept ans encore.
3. Lettre de janvier 1873.
4. Lettre à Mme Régnier de janvier 1873.

confie-t-il à Laure de Maupassant. Tu ne saurais croire comme je le trouve charmant, intelligent, bon enfant, sensé et spirituel, bref (pour employer un mot à la mode) sympathique! Malgré la différence de nos âges, je le regarde comme " un ami ", et puis il me rappelle tant mon pauvre Alfred! J'en suis même parfois effrayé, surtout lorsqu'il baisse la tête en récitant des vers. Quel homme c'était, celui-là! Il est resté, dans mon souvenir, en dehors de toute comparaison. Je ne passe pas un jour sans y rêver. D'ailleurs le passé, les morts (mes morts) m'obsèdent. Est-ce un signe de vieillesse? Je crois que oui... Mon époque et l'existence me pèsent sur les épaules horriblement. Je suis si dégoûté de tout, et particulièrement de la littérature militante, que j'ai renoncé à publier. Il ne fait plus bon vivre pour les gens de goût. Malgré cela, il faut encourager ton fils dans le goût qu'il a pour les vers, parce que c'est une noble passion, parce que les lettres consolent de bien des infortunes et parce qu'il aura peut-être du talent : qui sait? Il n'a pas jusqu'à présent assez produit pour que je me permette de tirer son horoscope poétique... Je voudrais lui voir entreprendre une œuvre de longue haleine, fût-elle détestable. Ce qu'il m'a montré vaut bien tout ce qu'on imprime chez les Parnassiens... Avec le temps, il gagnera de l'originalité, une manière individuelle de voir et de sentir (car tout est là). Pour ce qui est du résultat, du succès, qu'importe! Le principal en ce monde est de tenir son âme dans une région haute, loin des fanges bourgeoises et démocratiques. Le culte de l'art donne de l'orgueil; on n'en a jamais trop. Telle est ma morale[1]. »

Pendant son séjour à Paris, il rencontre aussi Tourgueniev et tous deux font le serment solennel de se rendre chez George Sand, à Nohant, le 12 avril, veille de Pâques. À la date fixée, Flaubert débarque seul chez son amie. Le lendemain, jour de Pâques, on se promène dans le parc, on

1. Lettre du 23 février 1873.

va voir les bêtes à la ferme et Flaubert fouille dans la bibliothèque « où il ne trouve rien qu'il ne connaisse ». Après le dîner, on danse. « Flaubert met une jupe et essaie le fandango, note George Sand dans son agenda. Il est bien drôle, mais il étouffe au bout de cinq minutes. Il est bien plus vieux que moi. Pourtant je le trouve moins gros et moins fatigué d'aspect. Toujours trop vivant par le cerveau au détriment du corps. » Le 14 avril est marqué par la lecture de *Saint Antoine* à la famille assemblée, de trois heures de l'après-midi à six heures du soir et de neuf heures du soir à minuit. « Splendide! » décrète George Sand. Le mardi 15, on se réunit au jardin pour causer. Et, le 16, le fils de George Sand, Maurice, emmène tout le monde dans la brande pour montrer une découverte géologique qu'il y a faite avec sa fille Aurore. On rentre pour s'habiller avant de passer à table. Et voici que Tourgueniev arrive à son tour. George Sand le trouve « ingambe et rajeuni ». Le 17, comme il pleut, toute la compagnie reste à la maison. George Sand bavarde agréablement avec Flaubert et Tourgueniev. « Après, écrit-elle, on saute, on danse, on chante, on crie, on casse la tête à Flaubert qui veut toujours tout empêcher pour parler littérature. Il est débordé. Tourgueniev aime le bruit et la gaieté; il est aussi enfant que nous. Il danse, il valse. Quel bon et brave homme de génie! » Le jour suivant, George Sand est quelque peu agacée par la voix claironnante de Flaubert qui tente toujours de dominer la conversation. « Causerie de Flaubert bien animée et drôle, note-t-elle, mais il n'y en a que pour lui, et Tourgueniev, qui est bien plus intéressant, a peine à placer un mot. Ce soir, c'est un assaut jusqu'à une heure. Enfin on se dit adieu. Ils partent demain. » Elle met sa voiture à leur disposition pour les conduire à Châteauroux où ils prendront le train. Et, dès qu'ils sont loin, elle confie à son agenda : « Je suis fatiguée, *courbaturée* de mon cher Flaubert. Je l'aime pourtant beaucoup et il est excellent, mais trop exubérant de personnalité. Il nous brise... On regrette Tourgueniev qu'on connaît moins, qu'on aime moins, mais qui a la grâce de la simplicité vraie et le charme de la bonhomie. »

Sans doute Flaubert a-t-il été, lui aussi, légèrement déçu par ce séjour dans l'ambiance familiale, remuante et bruyante de Nohant. À son avis, dès que la conversation s'écarte de la littérature, c'est du temps perdu pour l'esprit. Il repart avec, dans la tête, mille pensées profondes qu'il n'a pas eu l'occasion d'exprimer. Néanmoins, il écrit à George Sand : « Il n'y a que cinq jours depuis notre séparation et je m'ennuie de vous comme une bête. Je m'ennuie d'Aurore et de toute la maisonnée... On est si bien chez vous! Vous êtes si bons et si spirituels[1]. » Or, voici que George Sand se rend elle-même à Paris. Aussitôt, Flaubert organise pour elle, le 3 mai 1873, un dîner au restaurant, auquel il convie aussi Tourgueniev et Goncourt. Rendez-vous est pris à six heures et demie chez Magny. « J'y suis à l'heure dite, écrit George Sand à son fils Maurice. Arrive aussitôt Tourgueniev. Nous attendons un quart d'heure : arrive de Goncourt, tout effaré : " Nous ne dînons pas ici. Flaubert vous attend aux Frères Provençaux. – Pourquoi? – Il dit qu'il étouffe ici, que les cabinets sont trop petits, qu'il a passé la nuit, qu'il est fatigué. – Mais moi aussi je suis fatiguée. – Grondez-le, c'est un gros malappris, mais venez! " » Finalement, c'est au restaurant Véfour que le petit groupe retrouve Flaubert, assoupi sur un canapé. « Je le traite de cochon, poursuit George Sand. Il demande pardon, se met à genoux, les autres se tiennent les côtes de rire. Enfin on dîne fort mal, d'une cuisine que je déteste, dans un cabinet beaucoup plus petit que ceux de Magny. » Flaubert annonce à ses amis qu'il vient de lire le scénario de la pièce de Louis Bouilhet, *Le Sexe faible*, au directeur du Vaudeville, Carvalho, et que celui-ci, trans-

1. Lettre du 24 avril 1873.

porté d'enthousiasme, l'engage à réécrire cette œuvre pour qu'elle puisse être représentée dans les plus brefs délais. « Il beugle de joie, il est enchanté, il n'y a plus que cela dans l'univers, conclut George Sand. Il n'a pas déparlé et n'a pas laissé placer un mot à Tourgueniev, à Goncourt encore moins. Je me suis sauvée à dix heures. Je le reverrai demain, mais je lui dirai que je pars lundi. J'en ai assez de mon petit camarade. Je l'aime, mais il me fend la tête en quatre. Il n'aime pas le bruit, mais celui qu'il fait ne le gêne pas[1]. » Le même soir, Edmond de Goncourt, rentrant du restaurant, écrit dans son *Journal* : « Plus Flaubert avance en âge, plus il se provincialise. Puis vraiment, à retirer de mon ami le bœuf, l'animal travailleur et besognant, le fabricateur de bouquins à un mot par heure, on se trouve en tête à tête avec un être si ordinairement doué, si peu doté d'une originalité!... Par Dieu! cette ressemblance bourgeoise de sa cervelle avec la cervelle de tout le monde – ce dont il enrage, je suis sûr, au fond –, cette ressemblance, il la dissimule par des paradoxes truculents, des axiomes dépopulateurs, des beuglements révolutionnaires, un contre-pied brutal, mal élevé même, de toutes les idées reçues et acceptées... Le pauvre garçon a le sang qui se porte avec violence à la tête, quand il parle. Cela fait, je crois qu'avec un tiers de gasconnade, un tiers de logomachie, un tiers de congestion, mon ami Flaubert arrive à se griser presque sincèrement des contre-vérités qu'il débite. »

Inconscient de l'agacement que sa faconde, ses sophismes, ses éclats procurent à ses amis, Flaubert rentre à Croisset, le 17 mai, avec un grand projet en tête. Sa récente conversation avec Carvalho l'a littéralement enfiévré : il veut, toutes affaires cessantes, réécrire *Le Sexe faible* de Louis Bouilhet pour que la pièce de son ami voie enfin les feux de la rampe. Néanmoins, son premier soin, en

1. Lettre du 3 mai 1873.

arrivant, est de rendre visite à la chambre de sa mère. Devant ces meubles qui n'ont pas bougé, il éprouve le sentiment d'être lui-même un laissé-pour-compte. Ayant déballé ses valises, il écrit à Caroline : « Je n'ai rien de plus à te dire, ma chère Caro, si ce n'est que la maison me semble bien grande et vide ! et qu'il me tarde de revoir ma pauvre fille que sa Nounou bécote de loin[1]. »

1. Lettre du 18 mai 1873.

XIX

L'ILLUSION THÉÂTRALE

Cette fois, Flaubert est bel et bien gagné par l'obsession des planches. Plus question d'entamer la rédaction de *Bouvard et Pécuchet* qui « reste sous la remise ». Toute son attention est requise par *Le Sexe faible*, dont la première scène est terminée le 21 mai 1873. « Je vise comme style à l'idéal de la conversation naturelle, ce qui n'est pas très commode quand on veut donner au langage de la fermeté et du rythme, annonce-t-il, ce jour-là, à Caroline. Il y avait longtemps (un an bientôt) que je n'avais écrit, et faire des phrases me semble doux. » Et encore : « Ton vieux Cruchard[1], ta vieille Nounou, est perdu dans l'art dramatique. Hier, j'ai travaillé dix-huit heures (depuis six heures et demie du matin jusqu'à minuit!). C'est comme ça et je n'ai fait aucun somme dans la journée. Jeudi, j'avais travaillé quatorze heures. Monsieur a le bourrichon très monté. Je crois, du reste, qu'une pièce de théâtre (une fois que le plan est bien arrêté) doit s'écrire avec une sorte de fièvre. Ça presse davantage le mouvement; on corrige ensuite[2]. »

Lemerre lui ayant payé mille francs pour une édition elzévirienne de *Madame Bovary*, il s'empresse d'acheter

1. Surnom que Flaubert se donne dans sa correspondance avec ses amis et sa nièce.
2. Lettre du 24 mai 1873.

avec cet argent des rideaux de vitrage, des serviettes, des draps, une toile cirée, un garde-manger, car la maison de Croisset était, dit-il, « dans un délabrement qui serrait le cœur ». Dès la fin du mois de mai, il « bûche et surbûche » si bien *Le Sexe faible* qu'il envisage de boucler l'affaire en trois semaines. Il n'attache d'ailleurs pas de valeur esthétique à ce travail : « Quelle vilaine manière d'écrire que celle qui convient à la scène! note-t-il à l'intention de George Sand. Les ellipses, les suspensions, les interrogations et les répétitions doivent être prodiguées si l'on veut qu'il y ait du mouvement, et tout cela en soi est fort laid. Je me mets peut-être le doigt dans l'œil, mais je crois faire maintenant quelque chose de très rapide et facile à jouer[1]. » Et il confie à Mme Roger des Genettes que, s'il souhaite le succès de cette œuvre mineure, c'est pour deux raisons : « 1. gagner quelque mille francs; 2. contrarier plusieurs imbéciles[2]. »

Le 20 juin, il reçoit à Croisset la visite de l'éditeur Charpentier à qui, après quelque hésitation, il vend les droits de *Madame Bovary* et de *Salammbô*. Au début de juillet, c'est Carvalho qui le relance dans son ermitage. Flaubert lui lit *Le Sexe faible* et l'homme de théâtre applaudit : « Il m'en a paru très content, annonce Flaubert à George Sand. Il croit à un succès. Mais je me fie si peu aux lumières de tous ces malins-là que, moi, j'en doute. Je suis éreinté, et je dors maintenant dix heures par nuit, sans compter deux heures par jour. Ça repose ma pauvre cervelle[3]. » Pourtant, il ne peut se résigner à l'inaction intellectuelle. Comme George Sand lui parle du « plaisir de ne rien faire », il proteste : « Dès que je ne tiens plus un livre ou que je ne rêve pas d'en écrire un, il me prend un ennui à crier. La vie ne me semble tolérable que si on l'escamote. » Et il révèle à son amie que, mis en goût par

1. Lettre du 31 mai 1873.
2. Lettre du 18 juin 1873.
3. Lettre du 3 juillet 1873.

l'escrime des répliques théâtrales, il a l'intention maintenant d'écrire une pièce de son cru : « Comme j'avais pris l'habitude pendant six semaines de voir les choses théâtralement, de penser par le dialogue, ne voilà-t-il pas que je me suis mis à construire le plan d'une autre pièce, laquelle a pour titre : *Le Candidat*[1]. » Cette pièce, dans son esprit, doit être une satire des mœurs politiques. Il s'en prendra à tous les partis : aux amis du comte de Chambord, aux orléanistes, aux réactionnaires, aux républicains. Son héros, M. Rousselin, sera un bourgeois oisif, saisi par la fièvre électorale. « Je me ferai déchirer par la populace, bannir par le pouvoir, maudire par le clergé[2] », prophétise Flaubert. Et cette seule idée le fouette.

Au vrai, toute la France est, pour l'heure, suspendue à une tentative de « fusion », de réconciliation entre le comte de Chambord et le comte de Paris. Flaubert, lui, désire le maintien de la République pour échapper au « cauchemar » de la monarchie et du cléricalisme. La « fusion » lui semble « une sottise pratique et une ânerie historique ». Tout en fustigeant les politiciens de bas étage dans son *Candidat*, il fait quelques brefs voyages pour choisir le décor où il situera l'action de *Bouvard et Pécuchet*. Il croit avoir découvert la maison de ses deux bonshommes à Houdan. Rassuré, il cravache sa pièce. Une belle colère en apprenant que Michel Lévy, le traître, le faiseur, le « fils de Jacob », vient d'être décoré de la Légion d'honneur. Une courte tristesse à l'annonce de la mort d'Ernest Feydeau, le 29 octobre : « Tant mieux pour lui, du reste. » Un soulagement profond lorsque, par le refus du comte de Chambord de rentrer en France sans le drapeau blanc fleurdelisé, le projet d'une restauration monarchique échoue. Raison de plus pour donner du nerf au *Candidat*. Il espère terminer la pièce pour la fin de l'année. Après quoi, il reviendra aux « choses sérieuses », c'est-à-dire au

1. Lettre du 20 juillet 1873.
2. Lettre à Mme Roger des Genettes du 4 août 1873.

roman. « Le style théâtral commence à m'agacer. Ces petites phrases courtes, ce pétillement continu m'irrite à la manière de l'eau de Seltz, qui d'abord fait plaisir et qui ne tarde pas à nous sembler de l'eau pourrie », écrit-il à George Sand le 30 octobre 1873. Et, trois semaines plus tard, dans une lettre à Caroline, ce cri de victoire : « J'ai fini *Le Candidat!* Oui, Madame, et je crois que le cinquième acte n'est pas le plus mauvais. Mais je suis bien éreinté et je me soigne. Il était temps que je m'arrête ou arrêtasse. Le plancher des appartements commençait à remuer sous moi comme le pont d'un navire et j'avais en permanence une violente oppression. »

Entre-temps, l'Assemblée a voté une loi maintenant pour sept ans Mac-Mahon à la présidence de la République. « Je ne crois pas que cette solution hypocrite fasse du bien aux affaires, affirme Flaubert. Les mêmes gens qui, depuis deux ans, gémissent sur " le provisoire " viennent de le décréter pour sept ans... Ce qui me paraît sûr, c'est que la République va se constituer définitivement, par une transition lente[1]. » Mais, les passions paraissant calmées, il songe que le moment est venu pour *Le Candidat* de prendre son essor. Justement, Carvalho annonce sa visite à Croisset. Il arrive un samedi, à quatre heures. « Embrassade, suivant les us des gens de théâtre, écrit Flaubert à Caroline. À cinq heures moins dix minutes, a commencé la lecture du *Candidat* qu'il n'a interrompue que par des éloges. Ce qui l'a le plus frappé, c'est le cinquième acte, et, dans cet acte, une scène où Rousselin a des sentiments religieux, ou plutôt superstitieux. Nous avons dîné à huit heures et nous nous sommes couchés à deux. Le lendemain, nous avons repris la pièce, et alors ont commencé les critiques. Elles m'ont exaspéré, non pas qu'elles ne fussent, pour la plupart, très judicieuses, mais l'idée de retravailler le même sujet me causait un sentiment de révolte et de douleur indicible. » Jusqu'à deux heures du matin, il

1. Lettre du 22 novembre 1873.

défend son texte, la rage au ventre, admet quelques corrections de détail, accepte de fondre en un seul le quatrième et le cinquième acte, mais refuse d'ajouter des tirades violentes, notamment « contre les petits journaux de Paris ». « C'est en dehors de mon sujet! s'écrie-t-il. C'est anti-esthétique! Je n'en ferai rien[1]. » Et, le même jour, il annonce à Mme Roger des Genettes : « Aucun succès ne pourra me payer de l'embêtement, de l'irritation, de l'exaspération que m'a causés ledit sieur Carvalho par ses critiques. Notez qu'elles étaient raisonnables. Mais je suis trop nerveux pour renouveler de pareils exercices. Palpitations, tremblements, étreintes à la gorge, etc. Oh! rien n'y manque. Je préfère me livrer à des œuvres plus longues, plus sérieuses et plus calmes. »

En tout cas, la décision est prise : on ne parle plus du *Sexe faible*, dont la création est reportée *sine die*. Quant au *Candidat*, il est urgent de le mettre en répétition. Avec un sentiment complexe d'angoisse et de victoire, de crispation et d'orgueil, Flaubert se rend à Paris, au début du mois de décembre 1873, pour régler les détails de cette inquiétante entreprise. Le jeune Anatole France lui fait visite, à cette époque-là, dans son petit appartement de la rue Murillo. C'est Flaubert lui-même qui lui ouvre la porte. « De ma vie je n'avais rien vu de semblable, écrit Anatole France. Sa taille était haute, ses épaules larges; il était vaste, éclatant et sonore; il portait avec aisance une espèce de caban marron, vrai vêtement de pirate; des braies amples comme une jupe lui tombaient sur les talons. Chauve et chevelu, le front ridé, l'œil clair, les joues rouges, la moustache incolore et pendante, il réalisait tout ce que nous lisons des vieux chefs scandinaves dont le sang coulait dans ses veines, mais non point sans mélange... Il me tendit sa belle main de chef et d'artiste, me dit quelques bonnes paroles, et, dès lors, j'eus la douceur d'aimer l'homme que j'admirais. Gustave Flaubert était très bon. Il

1. Lettre du 2 décembre 1873.

avait une prodigieuse capacité d'enthousiasme et de sympathie. C'est pourquoi il était toujours furieux. Il s'en allait en guerre à tout propos, ayant sans cesse une injure à venger. Il en était de lui comme de Don Quichotte, qu'il estimait tant[1]. »

La date de la lecture du *Candidat* aux comédiens du Vaudeville est fixée au jeudi 11 décembre 1873. Flaubert se rend au théâtre avec une robuste assurance. « J'ai commencé la lecture, calme comme un dieu et tranquille comme Baptiste, écrit-il ce jour-là à Caroline. Pour se donner du ton, Monsieur s'était coulé dans le cornet une douzaine d'huîtres, un bon beefsteak et une demie de chambertin avec un verre d'eau-de-vie et un de chartreuse. J'ai lu *sur* le théâtre, à la lueur de deux carcels et devant mes vingt-six acteurs. Dès la seconde page, rires de l'auditoire et tout le premier acte a extrêmement amusé. L'effet a faibli au second acte. Mais le troisième (le salon de Flore) n'a été qu'un éclat de rire, on m'interrompait à chaque mot. Et le quatrième a enlevé tous les suffrages... En un mot, ils croient tous à un grand succès. » Autres bonnes nouvelles tombant à point pour le cinquante-deuxième anniversaire de sa naissance : Charpentier décide d'éditer *La Tentation de saint Antoine* qui paraîtra après le *Quatre-vingt-treize* de Victor Hugo pour éviter les effets néfastes de la concurrence, et, grâce à la diligence de Tourgueniev, une revue russe s'engage à publier une traduction dudit *Saint Antoine* qui rapportera trois mille francs à l'auteur. « Enfin, je crois que je vais devenir pratique! s'exclame Flaubert. Pourvu que je ne devienne pas idiot[2]! » Enthousiasmée par la lecture de *La Tentation* en manuscrit, Mme Charpentier le prie d'être le parrain de l'enfant qu'elle va mettre au monde et qu'elle veut appeler Antoine. « J'ai refusé d'infliger à ce jeune chrétien le nom d'un homme si agité, mais j'ai dû accepter l'honneur qu'on me

1. Anatole France, *La Vie littéraire*, Première série.
2. Lettre à Caroline du 15 décembre 1873.

faisait, écrit Flaubert à George Sand. Voyez-vous ma vieille trombine près des fonts baptismaux, à côté du poupon, de la nourrice et des parents[1] ? »

La censure ayant accordé son visa, plus rien ne s'oppose à la représentation du *Candidat* et les répétitions vont bon train. Le 6 février 1874, Flaubert signe le dernier bon à tirer de *La Tentation de saint Antoine*. Comme d'habitude, il éprouve un serrement de cœur à l'idée de livrer au jugement du public une œuvre qu'il a nourrie si longtemps, en secret, dans la solitude. Il s'agit pour lui à la fois d'une provocation et d'une profanation, d'un combat dérisoire et d'un abandon d'enfant. « C'est fini, je n'y pense plus, confie-t-il à George Sand. *Saint Antoine* est réduit, pour moi, à l'état de souvenir. Cependant je ne vous cache point que j'ai eu un quart d'heure de grande tristesse lorsque j'ai contemplé la première épreuve. Il en coûte de se séparer d'un vieux compagnon[2]. »

Un moment d'inquiétude lorsque Carvalho quitte la direction du Vaudeville, mais son successeur, Cormon, est, lui aussi, « plein de zèle » et les acteurs se révèlent excellents, chacun dans son genre. La perspective d'un succès au théâtre atténue la déception de Flaubert lorsqu'il apprend que la censure du tsar a interdit l'édition de la traduction russe de *Saint Antoine* et que même la publication du texte français par *La Revue de Saint-Pétersbourg* s'est heurtée à un refus des autorités de ce pays. Le voici privé d'un revenu de quelques milliers de francs. Les recettes du Vaudeville compenseront-elles ce manque à gagner ? La date de la première est fixée au 11 mars 1874. Les demandes de places affluent. Flaubert est grippé : « Je tousse, je mouche, je crache et j'éternue sans discontinuer, avec accompagnement de fièvre la nuit, écrit-il à Mme Roger des Genettes. De plus, un joli bouton fleurit au milieu de mon front entre deux plaques rouges. Bref, je deviens

1. Lettre du 30 décembre 1873.
2. Lettre du 7 février 1874.

313

extrêmement laid et je me dégoûte moi-même. Avec tout cela, l'appétit se maintient et l'humeur est gaillarde. Je crois que je me conduirai bien le jour de la première[1]. »

Bien entendu, ce soir-là, tous les amis sont dans la salle, prêts à applaudir. Or, ils assistent à un désastre. Edmond de Goncourt raconte : « Hier, c'était funèbre, l'espèce de glace tombant peu à peu, à la représentation du *Candidat*, dans cette salle enfiévrée de sympathie, dans cette salle attendant de bonne foi des tirades sublimes, des traits d'esprit surnaturels, des mots engendreurs de batailles, et se trouvant en face du néant, du néant, du néant! D'abord ç'a été, sur toutes les figures, une tristesse apitoyée; puis, longtemps contenue par le respect pour la personne et le talent de Flaubert, la déception des spectateurs a pris sa vengeance, dans une sorte de chutement gouailleur, une moquerie sourieuse de tout le pathétique de la chose... Et l'étonnement mal comprimé augmentait à chaque instant devant les manques de goût, les manques de tact, les manques d'invention. Car la pièce n'est qu'une pâle contre-épreuve de Prudhomme... Après la représentation, je vais serrer la main de Flaubert dans les coulisses... Il n'y a plus sur les planches un seul acteur, une seule actrice. C'est une désertion, une fuite autour de l'auteur. On voit les machinistes, qui n'ont pas terminé leur service, se hâter avec des mouvements hagards, les yeux fixés sur la porte de sortie. Dans les escaliers dégringole, silencieuse, la troupe des figurants. C'est à la fois triste et un peu fantastique, comme une débandade, une déroute dans un diorama à l'heure crépusculaire. En m'apercevant, Flaubert a un sursaut, comme s'il se réveillait, comme s'il voulait rappeler à lui sa figure officielle d'homme fort : " Eh bien, voilà! " me dit-il avec de grands mouvements de bras colères et un rire méprisant, qui joue mal le *Je m'en fous*[2]. »

1. Lettre du 18 février 1874.
2. Goncourt, *Journal*, 12 mars 1874.

Le lendemain de la représentation, Flaubert confirme à George Sand la totale déconfiture du *Candidat* : « Pour un four, c'en est un! Ceux qui veulent me flatter prétendent que la pièce remontera devant le vrai public, mais je n'en crois rien. Mieux que personne je connais les défauts de ma pièce.... Il faut dire aussi que la salle était détestable. Tous gandins et boursiers qui ne comprenaient pas le sens matériel des mots. On a pris en blague des choses poétiques... Les conservateurs ont été fâchés de ce que je n'attaquais pas les républicains. De même les communards eussent souhaité quelques injures aux légitimistes... Je n'ai même pas vu le chef de claque. On dirait que l'administration du Vaudeville s'est arrangée pour me faire tomber. Son rêve est accompli... Les bravos de quelques dévoués étaient étouffés tout de suite par des " chut ". Quand on a prononcé mon nom à la fin, il y a eu des applaudissements (pour l'homme, mais non pour l'œuvre) avec accompagnement de deux jolis coups de sifflet partant du paradis. » Et, plastronnant sous l'offense, il ajoute : « Quant à Cruchard, il est calme, très calme. Il avait très bien dîné avant la représentation, et après il a encore mieux soupé. Menu : deux douzaines d'Ostende, une bouteille de champagne frappé, trois tranches de roastbeef, une salade de truffes, café et pousse-café[1]. » Trois jours plus tard, il retire sa pièce sur cinq mille francs de location : « Tant pis! Je ne veux pas qu'on siffle mes acteurs, déclare-t-il encore à George Sand. Le soir de la seconde, quand j'ai vu Delannoy rentrer dans la coulisse avec les yeux humides, je me suis trouvé criminel et me suis dit : " Assez. " Tous les partis m'éreintent! *Le Figaro* et *Le Rappel*, c'est complet!... Enfin je m'en bats l'œil profondément. Voilà le vrai. Mais j'avoue que je regrette les " milles " francs que j'aurais pu gagner. Mon petit pot au lait est brisé. Je voulais renouveler le mobilier de Croisset. Bernique[2]! »

1. Lettre du 12 mars 1874.
2. Lettre du 15 mars 1874.

Heureusement, *La Tentation de saint Antoine*, dès sa publication, prend un bon départ. Le premier tirage, de deux mille exemplaires, est épuisé en quelques jours, un deuxième est aussitôt mis en route et l'éditeur cherche du papier pour le troisième. En vérité, ce fantastique poème en prose déroute le public, tout ensemble accablé par l'avalanche des visions qui hantent saint Antoine et stupéfait par la richesse d'invention de l'auteur. Car saint Antoine, c'est Flaubert en quête de la vérité fondamentale et incapable de choisir entre une foi qu'il dénigre et une science qui ne le satisfait pas pleinement. Son héros, comme lui-même, est séduit tantôt par un scepticisme radical, tantôt par une confiance instinctive dans les forces qui régissent la création. Et le drame du déchirement intellectuel et moral est exprimé dans un dialogue dont le chatoiement donne le vertige. Mais la critique contemporaine, une fois de plus, s'insurge contre une œuvre qui échappe aux règles de la production courante. Certains chroniqueurs littéraires avouent ne « rien comprendre » à cette œuvre hybride. D'autres se disent « épouvantés ». Barbey d'Aurevilly, l'adversaire irréductible, déclare que les lecteurs de *La Tentation* éprouveront « des souffrances et des obstructions » comparables à celles que Flaubert a dû éprouver « après avoir avalé cette dangereuse érudition, qui a tué en lui toute idée, tout sentiment, toute initiative ». « La punition de tout cela, poursuit-il, c'est l'ennui, un ennui implacable, un ennui qui n'est pas français, un ennui allemand, l'ennui du second *Faust* de Goethe, par exemple... » Edmond de Goncourt lui-même note dans son *Journal*, à la date du 1er avril : « Lu *La Tentation de saint Antoine*. De l'imagination faite avec des notes. De l'originalité toujours réminiscente de Goethe. » Chaque jour apporte à Flaubert son lot d'articles venimeux. « Les injures s'accumulent, écrit-il à George Sand. C'est un concerto, une symphonie où tous s'acharnent dans leurs instruments. J'ai été éreinté depuis *Le Figaro* jusqu'à *La Revue des Deux Mondes*, en passant par *La Gazette de*

France et *Le Constitutionnel*. Et *ils* n'ont pas fini. Barbey d'Aurevilly m'a injurié personnellement, et le bon Saint-René Taillandier, qui me déclare " illisible ", m'attribue des mots ridicules... Ce qui m'étonne, c'est qu'il y a sous plusieurs de ces critiques une haine contre moi, contre mon individu, un parti pris de dénigrement dont je cherche la cause. Je ne me sens pas blessé, mais cette avalanche de sottises m'attriste. »

À cette déception, à cet écœurement, il ne connaît, comme toujours, qu'un seul remède, le travail : « Je vais me mettre, cet été, à un autre livre du même tonneau. Après quoi je reviendrai au roman pur et simple. J'en ai, en tête, deux ou trois que je voudrais bien écrire avant de crever. Présentement, je passe mes jours à la bibliothèque, où j'amasse des notes... Au mois de juillet, j'irai me décongestionner sur le haut d'une montagne, en Suisse, obéissant au conseil du docteur Hardy, lequel m'appelle " une femme hystérique ", mot que je trouve profond[1]. » Il lui semble que Victor Hugo, avec son *Quatre-vingt-treize*, est mieux traité que lui avec sa *Tentation*. Et pourtant, ce dernier roman du vieux maître paraît à Flaubert très inégal : « Quels bonshommes en pain d'épice que ses bonshommes ! Tous parlent comme des acteurs. Le don de faire des êtres humains manque à ce génie. S'il avait eu ce don-là, Hugo aurait dépassé Shakespeare[2]. » En revanche, il admire fort *La Conquête de Plassans*, de Zola : « Vous êtes un gaillard ! Et votre dernier livre est un crâne bouquin[3] », lui écrit-il.

Malgré le mauvais accueil des journaux, *La Tentation* continue à se vendre. Le 12 mai, Charpentier propose une nouvelle édition du livre, in-octavo, avec un tirage de deux mille cinq cents exemplaires. Les lecteurs seraient-ils plus clairvoyants que les critiques ? En revanche, après le fiasco

1. Lettre du 1er mai 1874.
2. Lettre à Mme Roger des Genettes du 1er mai 1874.
3. Lettre à Émile Zola du 3 juin 1874.

du *Candidat*, la direction du Vaudeville renonce à monter *Le Sexe faible*. Flaubert essaie en vain d'intéresser d'autres théâtres à la pièce. Au vrai, il n'a plus grand espoir de ce côté-là. Sa fièvre théâtrale est retombée. Cap sur *Bouvard et Pécuchet*. Ses précédentes investigations géographiques ne lui ayant pas suffi, il se rend en Basse-Normandie pour découvrir l'endroit idéal où il placera ses « deux bonshommes ». « J'ai besoin d'un sot endroit au milieu d'une belle contrée, et que dans cette contrée on puisse faire des promenades géologiques et archéologiques, écrit-il à Mme Roger des Genettes. Demain soir j'irai donc coucher à Alençon, puis je rayonnerai tout à l'entour jusqu'à Caen. Ah! quel bouquin! C'est lui qui m'épuise d'avance, je me sens accablé par les difficultés de cette œuvre, pour laquelle j'ai déjà lu et résumé deux cent quatre-vingt-quatorze volumes [1]. »

Le petit voyage, en compagnie d'Edmond Laporte, est une réussite. « Je placerai *Bouvard et Pécuchet* entre la vallée de l'Orne et la vallée d'Auge, sur un plateau stupide, entre Caen et Falaise, décide Flaubert. Nous nous sommes trimbalés en guimbarde, nous avons mangé dans des cabarets de campagne et couché dans des auberges classiques. J'ai initié mon compagnon à l'eau-de-vie de cidre et il en a remporté une bouteille chez lui. On n'est pas meilleur garçon ni plus attentionné [2]. » Sur le chemin du retour, il passe par Paris et reçoit la visite d'Émile Zola. Celui-ci, en le voyant, est déçu : « J'allais chercher l'homme de ses livres, écrira-t-il, et je tombais sur un terrible vieillard, esprit paradoxal, romantique impénitent, qui m'étourdissait pendant des heures sous un déluge de théories stupéfiantes. Le soir, je rentrais malade chez moi, moulu, ahuri, en me disant que l'homme était, chez Flaubert, inférieur à l'écrivain. » Flaubert, lui, est persuadé

1. Lettre du 17 juin 1874.
2. Lettre à Caroline du 24 juin 1874.

d'avoir séduit son interlocuteur. Il n'a d'ailleurs que peu de temps à accorder à ses amis. La Suisse l'attend.

Obéissant aux prescriptions de son médecin, il se rend à Kaltbad Rigi, dont l'air pur doit lui remettre les idées en place. Là, il est écrasé par un « immense ennui ». « Je ne suis pas l'homme de la nature, confie-t-il à George Sand, et je ne comprends rien aux pays qui n'ont pas d'histoire. Je donnerais tous les glaciers pour le musée du Vatican. C'est là qu'on rêve[1]. » Et, à Tourgueniev : « Les Alpes sont en disproportion avec notre individu. C'est trop grand pour nous être utile... Et puis mes compagnons, mon cher vieux, ces messieurs les étrangers qui habitent l'hôtel! tous Allemands ou Anglais, munis de bâtons et de lorgnettes. Hier, j'ai été tenté d'embrasser trois veaux que j'ai rencontrés dans un herbage, par humanité et besoin d'expansion[2]. » Au milieu de ce désert d'oisiveté touristique, une bonne nouvelle : *Le Sexe faible* a enchanté le directeur du théâtre de Cluny qui songerait à monter la pièce. « Je vais derechef m'exposer aux injures de la populace et des folliculaires, annonce Flaubert à George Sand. Mais je me souviens de l'enthousiasme de Carvalho, suivi d'un refroidissement absolu... C'est une chose étrange combien les imbéciles trouvent de plaisir à patauger dans l'œuvre d'un autre, à ronger, corriger, faire le pion[3]. »

De retour à Croisset, après un passage à Lausanne, à Genève, à Paris et à Dieppe, il apprend que Julie, sa vieille servante, est à l'hôpital. Son frère, Achille, l'a récemment opérée. « Julie y verra de ses deux yeux, à ce que m'a prétendu l'interne d'Achille, écrit Flaubert à Caroline. Elle en a un qui est toujours enflammé. C'est pourquoi on la garde à l'Hôtel-Dieu, où elle paraît s'affaiblir bien qu'elle ne soit pas malade. Je ne suis pas gai. Mais pas du tout...

1. Lettre du 3 juillet 1874.
2. Lettre du 2 juillet 1874.
3. Lettre du 14 juillet 1874.

C'est peut-être que je suis trop plein de mon sujet et que la bêtise de mes deux bonshommes m'envahit[1]. »

Le 6 août 1874, il se met enfin sérieusement à la rédaction de *Bouvard et Pécuchet* et, à la demande de sa nièce, lui livre la première phrase du roman : « Comme il faisait une chaleur de 33°, le boulevard Bourdon se trouvait absolument désert. » « Maintenant tu ne sauras rien de plus d'ici longtemps, ajoute-t-il. Je patauge, je rature, je me désespère[2]. »

À la fin du mois d'août, il est de nouveau à Paris pour s'occuper du *Sexe faible*. Il en profite pour recevoir quelques amis, le dimanche, rue Murillo, vêtu d'une robe de chambre brune, le teint enflammé, la voix tonitruante. Le 2 septembre, il suit l'enterrement de la mère de François Coppée. « Le pauvre garçon faisait mal à voir, raconte-t-il à Caroline. Je l'ai presque porté pour descendre la grande avenue du cimetière Montmartre. Dès qu'il m'a vu, il s'est presque accroché à moi, bien que nous ne soyons pas intimes. C'est là (à cet enterrement) que j'ai vu mon ennemi Barbey d'Aurevilly : il est gigantesque[3]. » Et Juliette Adam note dans ses *Souvenirs* : « Le bon géant s'est redressé de toute sa taille et Barbey de toute sa hauteur. On s'est demandé si les deux coqs n'allaient pas se jeter l'un sur l'autre. » Mais la solennité du lieu leur en impose. Ils se contentent de se fusiller du regard.

Le 26 septembre, revenu à Croisset, Flaubert écrit à George Sand : « Tout le monde me blâme de me faire jouer dans un pareil boui-boui (le théâtre de Cluny). Mais puisque les autres ne veulent pas de cette pièce et que je tiens à ce qu'elle soit représentée pour faire gagner à l'héritier de Bouilhet quelques sous, je suis bien obligé d'en passer par là... Une fois qu'on est sur ce terrain-là, les conditions ordinaires sont changées. Si on a eu le malheur

1. Lettre d'août 1874.
2. Lettre du 6 août 1874.
3. Lettre du 4 septembre 1874.

(léger) de ne pas réussir, vos amis se détournent de vous. On est très déconsidéré. On ne vous salue plus! Je vous jure ma parole d'honneur que cela m'est arrivé pour *Le Candidat*... Au reste, je m'en bats l'œil profondément et le sort du *Sexe faible* m'inquiète moins que la plus petite des phrases de mon roman[1]. »

Cette affirmation ne l'empêche pas de se précipiter de nouveau à Paris, au mois de novembre, pour conférer avec Weinschenk, le directeur du Cluny. « Ce trimbalage régulier de Paris à Croisset et de Croisset à Paris me devient lourd[2] », avoue-t-il à Caroline. En fin de compte, il est tellement déçu par les acteurs et les conditions de lancement qu'on lui propose qu'il bat en retraite. « J'ai retiré ma pièce (ou plutôt notre pièce) de Cluny, écrit-il à Philippe Leparfait. Le personnel que m'offrait Weinschenk était impossible. Je me préparais une chute carabinée. Zola, Daudet, Catulle Mendès et Charpentier, auxquels je l'avais lue, étaient désespérés de me voir jouer sur de pareils tréteaux... Mais, comme je ne lâche pas le morceau, *Le Sexe faible* est actuellement au Gymnase. J'attends la réponse de Montigny[3]. »

À un dîner chez la princesse Mathilde, le 2 décembre, Edmond de Goncourt, assis à côté de Flaubert, lui glisse à l'oreille : « Je vous fais mon compliment d'avoir retiré votre pièce. Quand on a eu un échec..., il faut, pour la revanche, être sûr d'être joué par de vrais acteurs. » Flaubert paraît embarrassé et, au bout d'un moment, murmure : « Je suis au Gymnase maintenant... Il y a cinq robes dans ma pièce et, là, les femmes peuvent en acheter. » À la mi-décembre, toujours aucune nouvelle du Gymnase. L'espoir d'une création du *Sexe faible* au théâtre est abandonné. Une satisfaction pourtant : harcelé depuis huit mois par Flaubert, Renan se résigne à écrire un

1. Lettre du 26 septembre 1874.
2. Lettre du 14 novembre 1874.
3. Lettre de novembre 1874.

article élogieux sur *La Tentation de saint Antoine*. Quant au nouveau roman, il avance cahin-caha, selon le rythme habituel. « Je travaille le plus que je puis, afin de ne pas songer à moi, confie Flaubert à George Sand. Mais comme j'ai entrepris un livre absurde par les difficultés d'exécution, le sentiment de mon impuissance ajoute à mon chagrin. » Et il avoue : « Je deviens trop bête, j'assomme tout le monde. Bref, votre Cruchard est devenu un intolérable coco à force d'être intolérant. Et comme je n'y peux rien du tout, je dois, par considération pour les autres, leur épargner les expansions de ma bile. Depuis six mois principalement, je ne sais pas ce que j'ai, mais je me sens profondément malade, sans pouvoir rien préciser de plus[1]. » Par moments, attelé à l'histoire de ces deux esprits médiocres, qui passent en revue les données de toutes les sciences, il se demande s'il aura la force de poursuivre jusqu'au bout l'inventaire de l'imbécillité humaine. Tantôt il s'exalte dans un élan de fureur contre le monde qui l'entoure et tantôt il est saisi d'un pressentiment funèbre devant l'énormité et l'inanité de sa tâche. Brusquement, un doute atroce le traverse et il écrit à son éditeur Charpentier : « *Bouvard et Pécuchet* me conduisent tout doucement, ou plutôt durement vers le séjour des ombres. J'en crèverai[2]. »

1. Lettre de la fin décembre 1874.
2. Lettre de décembre 1874.

XX

LES TROIS CONTES

Chaque jour apporte à Flaubert une nouvelle raison de se désespérer. Son délabrement physique et son désarroi moral sont tels que sa correspondance n'est plus qu'un long gémissement. « Il se passe dans mon individu des choses anormales, écrit-il à George Sand. Mon affaissement psychique doit tenir à quelque cause cachée. Je me sens vieux, usé, écœuré de tout. Et les autres m'ennuient comme moi-même. Cependant je travaille, mais sans enthousiasme et comme on fait un pensum, et c'est peut-être le travail qui me rend malade, car j'ai entrepris un livre insensé. Je me perds dans mes souvenirs d'enfance comme un vieillard... Je n'attends plus rien de la vie qu'une suite de feuilles de papier à barbouiller de noir. Il me semble que je traverse une solitude sans fin, pour aller je ne sais où. Et c'est moi qui suis tout à la fois le désert, le voyageur et le chameau [1]. » Et à Mme Roger des Genettes : « Moi, je vais *pire*. Ce que j'ai, je n'en sais rien, et on n'en sait rien, le mot " névrose " exprimant à la fois un ensemble de phénomènes variés et l'ignorance de messieurs les médecins. On me conseille de me reposer, mais à quoi bon se reposer ? de me distraire, d'éviter la solitude, etc., un tas de choses impraticables. Je ne crois qu'à un seul remède : le temps... Il est probable que j'ai la tête fortement abîmée,

1. Lettre du 27 mars 1875.

à en juger d'après mes sommeils, car je dors toutes les nuits dix à douze heures. Est-ce un commencement de ramollissement? *Bouvard et Pécuchet* m'emplissent à un tel point que je suis devenu eux! Leur bêtise est mienne et j'en crève. Voilà peut-être l'explication. Il faut être maudit pour avoir l'idée de pareils bouquins! J'ai enfin terminé le premier chapitre et préparé le second, qui comprendra la chimie, la médecine et la géologie, tout cela devant tenir en trente pages! et avec des personnages secondaires, car il faut un semblant d'action, une espèce d'histoire continue pour que la chose n'ait pas l'air d'une dissertation philosophique. Ce qui me désespère, c'est que je ne crois plus à mon livre[1]. » À Paris, les amis de Flaubert s'étonnent de son hypocondrie grandissante. Il leur confie que souvent, après des heures passées à écrire, penché sur ses papiers, il éprouve, en redressant la tête, « la peur de retrouver quelqu'un derrière lui[2] ». Parfois, un flot de larmes l'étouffe, sans motif apparent. « En sortant de chez Flaubert, note Edmond de Goncourt, Zola et moi nous nous entretenons de l'état de notre ami, état, il vient de l'avouer, qui, à la suite de noires mélancolies, éclate dans des accès de larmes. Et, tout en causant des raisons littéraires qui sont la cause de cet état et qui nous tuent les uns après les autres, nous nous étonnons du manque de rayonnement autour de cet homme célèbre. Il est célèbre, et il a du talent, et il est très bon garçon, et il est très accueillant : pourquoi donc, à l'exception de Tourgueniev, de Daudet, de Zola, de moi, à ces dimanches ouverts à tout le monde, n'y a-t-il personne? Pourquoi[3]? »

Flaubert, qui a quitté la rue Murillo, loge maintenant dans un appartement contigu à celui que les Commanville ont loué au cinquième étage d'un immeuble du faubourg Saint-Honoré, au coin du boulevard de la Reine-Hortense

1. Lettre d'avril 1875.
2. Goncourt, *Journal*, 25 avril 1875.
3. Goncourt, *Journal*, 18 avril 1875.

(aujourd'hui avenue Hoche). C'est là qu'il reçoit ses visiteurs familiers, le dimanche. Quand Edmond de Goncourt lui apprend la mort de Michel Lévy, il remet à sa boutonnière l'insigne de la Légion d'honneur qu'il ne portait plus depuis que l'éditeur avait été lui-même décoré. « Non, je ne me suis pas réjoui de la mort de Michel Lévy, écrit-il à George Sand, et même j'envie cette mort si douce. N'importe! cet homme-là m'a fait beaucoup de mal. Il m'a blessé profondément. Il est vrai que je suis doué d'une sensibilité absurde; ce qui érafle les autres me déchire. » Et il conclut : « Une goutte errante, des douleurs qui se promènent partout, une invincible mélancolie, le sentiment de l'inutilité universelle et de grands doutes sur le livre que je fais, voilà ce que j'ai! Ajoutez à cela des inquiétudes d'argent avec des retours mélancoliques sur le passé... Ah! j'ai mangé mon pain blanc le premier et la vieillesse ne s'annonce pas sous des couleurs folichonnes[1]. » Le moindre contretemps, l'incident le plus banal sont interprétés par lui comme des signes néfastes. Il se rend compte de ce dérèglement de son esprit et confie à sa nièce : « Hier, en sortant de chez toi (à Paris), la grande porte *n'a pas voulu* se fermer derrière moi. Quelque chose retenait le battant; j'avais beau tirer, il résistait : c'était ta concierge qui voulait sortir en même temps que moi. N'importe! Cette cause toute simple ne m'a pas empêché de voir dans le phénomène une espèce de symbolisme. Le passé me retenait[2]. »

Cependant il a, depuis peu, une raison bien réelle de s'inquiéter. Ernest Commanville, qui gère son patrimoine, s'est livré à des spéculations hasardeuses. Son industrie consiste à débiter, dans sa scierie de Dieppe, des bois qu'il achète en Suède, en Russie, en Europe centrale. Or, ces bois, il a pris l'habitude de les revendre avant d'avoir payé ses fournisseurs. En 1875, une brusque baisse des cours

1. Lettre du 10 mai 1875.
2. Lettre du 10 mai 1875.

déséquilibre sa comptabilité et le met au bord de la faillite. « Si ton mari se tirait d'affaire, écrit Flaubert dans la même lettre à sa nièce, si je le revoyais gagnant de l'argent et confiant dans l'avenir comme autrefois, si je me faisais avec Deauville dix mille livres de rente de façon à pouvoir ne plus redouter la misère pour deux, et si Bouvard et Pécuchet me satisfaisaient, je crois que je ne me plaindrais plus de la vie. » Il suffit qu'un orage éclate au-dessus de Croisset pour que, réfugié dans son cabinet, il craigne un cataclysme. En apprenant le montant du déficit d'Ernest Commanville, il est pris de vertige : un million cinq cent mille francs. Où trouver une pareille somme? Acculée à la ruine, Caroline ne va-t-elle pas être obligée de vendre Croisset, dont elle est propriétaire, pour rembourser les créanciers de son mari? « J'ai passé ma vie à priver mon cœur des pâtures les plus légitimes, écrit Flaubert à sa nièce. J'ai mené une existence laborieuse et austère. Eh bien! je n'en peux plus! Je me sens à bout. Les larmes rentrées m'étouffent et je lâche l'écluse. Et puis, l'idée de n'avoir plus un toit à moi, un *home*, m'est intolérable. Je regarde maintenant Croisset avec l'œil d'une mère qui regarde son enfant phtisique en se disant : " Combien durera-t-il encore? " et je ne peux m'habituer à l'idée d'une séparation définitive[1]. » Croisset tient à lui par tant de fibres sensibles, que, pense-t-il, si on lui arrachait cette coquille protectrice, il en mourrait. Il contemple ces murs, ces meubles imprégnés des souvenirs de sa mère, et la question se pose à lui avec une intensité tragique : à quoi bon survivre? Pourtant, il ne peut exiger de Caroline qu'elle renonce à la vente. Le bonheur de sa nièce justifie amplement cet abandon. « Ce qui me navre, pauvre Caro, c'est ta ruine! Ta ruine présente et l'avenir. Déchoir n'est pas drôle! Tous les grands mots de résignation et de sacrifice ne me consolent pas du tout, mais pas du tout!...

1. Lettre du 9 juillet 1875.

Je ne parle pas du déménagement. Fais comme tu voudras. Tout sera bien fait[1]. »

De lettre en lettre, son inquiétude se précise. Quand la faillite sera-t-elle prononcée? Comment vivront-ils tous, ensuite? « Me dis-tu bien toute la vérité? demande-t-il à sa nièce. Pardonne-moi, mais je suis devenu soupçonneux. J'ai peur que tu ne ménages ma sensibilité et que tu ne veuilles m'apprendre le désastre par transitions... Combien de temps encore Ernest peut-il tenir? Il me semble que la catastrophe finale va arriver et je l'attends de minute en minute... Ah! j'en avale des coupes d'amertume! Et toi aussi, pauvre loulou que j'avais rêvée plus heureuse[2]. » À contrecœur il informe quelques amis de sa déconfiture. Le 30 juillet, il avoue à Tourgueniev : « Mon neveu Commanville est absolument ruiné! Et moi-même je vais me trouver très entamé. Ce qui me désespère là-dedans, c'est la position de ma pauvre nièce. Mon cœur (paternel) souffre cruellement. Des jours bien tristes s'annoncent : gêne d'argent, humiliation, existence bouleversée. C'est complet et ma cervelle est anéantie. Je ne m'en relèverai pas, mon cher ami. Je suis attaqué dans les moelles. » Et, le 13 août, à Émile Zola : « Mon neveu est complètement ruiné et moi, par contrecoup, fortement endommagé... Mon existence est maintenant bouleversée. J'aurai toujours de quoi vivre, mais dans d'autres conditions. Quant à la littérature, je suis incapable d'aucun travail. » Pour désintéresser les créanciers les plus coriaces, il vend sa ferme de Deauville : deux cent mille francs. Puis, excédé d'humiliation et de tristesse, il se rend à Concarneau pour se reposer. Bien qu'il se soit promis de n'y rien faire, une semaine après son installation à l'hôtel Sergent il rêve d'écrire un petit conte, la légende de saint Julien l'Hospitalier, « pour voir si je peux faire encore une phrase, ce dont je doute ».

Le 1ᵉʳ octobre 1875, le pire est évité, « l'honneur est

1. *Ibid.*
2. Lettre du 12 juillet 1875.

327

sauf », la faillite d'Ernest Commanville est transformée en liquidation judiciaire. « Mon chagrin est moins aigu..., j'ai le cœur moins serré », écrit Flaubert à Tourgueniev. Mais sa position matérielle reste préoccupante. Les biens de Caroline étant préservés par le régime dotal, elle engage une partie de ses revenus pour payer une dette de cinquante mille francs, opération qui nécessite la garantie de deux amis de Flaubert : Raoul-Duval et Edmond Laporte. On emprunte encore, à droite à gauche, pour désintéresser quelques créanciers. George Sand, alarmée, offre de racheter Croisset en laissant la jouissance des lieux à son vieux troubadour. Flaubert remercie, mais refuse cette proposition généreuse et décrit ainsi la situation de la famille : « Mon neveu m'a mangé la moitié de ma fortune et, avec le reste, j'ai acheté à un de ses créanciers qui voulait le mettre en faillite une créance qui peut, après la liquidation, me redonner à peu près ce que j'ai risqué. D'ici là, nous pouvons vivre. Croisset appartient à ma nièce. Nous sommes bien décidés à ne le vendre qu'à la dernière extrémité. Cela vaut cent mille francs (soit cinq mille francs de rente) et ne rapporte rien du tout car l'entretien en est dispendieux... Ma nièce, qui est mariée sous le régime dotal, ne peut vendre aucune terre sans la remplacer immédiatement par un autre bien foncier ou meuble. Ainsi, dans le cas échéant, elle ne peut me donner Croisset. Pour secourir son mari, elle a engagé tous ses revenus, seul moyen qui fût à sa disposition. Vous voyez que la question est compliquée; car j'ai besoin pour vivre de six ou sept mille francs par an (au plus bas) *et* de Croisset... Ce sera un gros chagrin pour moi s'il faut quitter cette vieille maison où j'ai de si tendres souvenirs. Et votre bonne volonté sera impuissante, j'en ai peur. Comme rien ne presse maintenant, j'aime mieux n'y pas songer. J'écarte lâchement, ou plutôt je voudrais écarter de ma pensée toute idée d'avenir et d'affaires[1]! »

1. Lettre du 11 octobre 1875.

À Concarneau, il prend des bains de mer, se promène, observe les poissons du vivier dans le laboratoire de zoologie marine et, de temps à autre, écrit quelques lignes de son conte, inspiré par un vitrail de la cathédrale de Rouen. Son compagnon, Georges Pouchet, médecin et naturaliste, fait des expériences dans l'aquarium. L'hôtel est paisible, la nourriture, à base de fruits de mer, abondante. Mais il s'est mis à pleuvoir. « La pluie tombe à vrac et je reste au coin de mon feu, dans ma chambre d'auberge, à rêvasser pendant que mon compagnon (Georges Pouchet) dissèque des petites bêtes dans son laboratoire, écrit Flaubert à Mme Roger des Genettes. Il m'a montré l'intérieur de plusieurs poissons et mollusques; c'est curieux, mais insuffisant à ma félicité. Quelle bonne existence que celle des savants et comme je les envie[1] ! »

Au début de novembre, Georges Pouchet devant rentrer à Paris, Flaubert décide d'en faire autant. Malgré ses crises de larmes, sa fatigue, son dégoût, le séjour breton lui a été bénéfique. Il songe à reprendre ses réunions du dimanche avec quelques amis. Mais dorénavant, il veut que le jeune Guy de Maupassant, dont il apprécie le talent et la gentillesse, soit du nombre. « Il est bien convenu que vous déjeunez chez moi tous les dimanches de cet hiver », lui écrit-il d'une plume comminatoire.

Installé à Paris, dans son nouvel appartement du faubourg Saint-Honoré, il poursuit la rédaction de sa « petite bêtise moyenâgeuse qui n'aura pas plus de trente pages », tout en rêvant à un roman contemporain : « Mais je balance entre plusieurs embryons d'idées, écrit-il à George Sand. Je voudrais faire quelque chose de serré et de violent. Le fil du collier (c'est-à-dire le principal) me manque encore[2]. » Ses familiers du dimanche, Ivan Tourgueniev, Émile Zola, Alphonse Daudet, Edmond de Goncourt, Guy de Maupassant lui témoignent une affection,

1. Lettre d'octobre 1875.
2. Lettre du 11 décembre 1875.

une déférence et une fidélité qui le réconfortent. À cinquante-quatre ans, il peut se dire que, malgré bien des déboires, il bénéficie d'une flatteuse admiration auprès de certains de ses confrères. Cependant, George Sand lui reproche toujours de ne pas intervenir avec sa conviction personnelle dans ses romans. « Il me semble que ton école ne se préoccupe pas du fond des choses et qu'elle s'arrête trop à la surface, lui écrit-elle. À force de chercher la forme, elle fait trop bon marché du fond. Elle s'adresse aux lettrés. Mais il n'y a pas que les lettrés proprement dits. On est homme avant tout. On veut trouver l'homme au fond de toute histoire et de tout fait[1]. » Aussitôt, il se cabre : « Quant à mes manques de conviction, hélas! les convictions m'étouffent. J'éclate de colères et d'indignations rentrées. Mais dans l'idéal que j'ai de l'Art, je crois qu'on ne doit rien montrer des siennes et que l'artiste ne doit pas plus apparaître dans son œuvre que Dieu dans la nature. L'homme n'est rien, l'œuvre tout!... À propos de mes amis, vous ajoutez " mon école ". Mais je m'abîme le tempérament à tâcher de n'avoir pas d'école! À priori, je les repousse toutes. Ceux que je vois souvent et que vous désignez recherchent tout ce que je méprise et s'inquiètent médiocrement de ce qui me tourmente... Je recherche par-dessus tout la beauté, dont mes compagnons sont médiocrement en quête. Je les vois insensibles quand je suis ravagé d'admiration ou d'horreur. Des phrases me font pâmer, qui leur paraissent fort ordinaires... Enfin je tâche de bien penser pour bien écrire. Mais c'est bien écrire qui est mon but, je ne le cache pas[2]. »

Il revient à plusieurs reprises, dans ses lettres à George Sand, sur cette idée essentielle : « Quant à laisser voir mon opinion personnelle sur les gens que je mets en scène, non, non, mille fois non! Je ne m'en reconnais pas le droit. Si le lecteur ne tire pas d'un livre la moralité qui doit s'y

1. Lettre du 18 décembre 1875.
2. Lettre postérieure au 20 décembre 1875.

trouver, c'est que le lecteur est un imbécile ou que le livre est faux au point de vue de l'exactitude. Car, du moment qu'une chose est vraie, elle est bonne... Et notez que j'exècre ce qu'on est convenu d'appeler le *réalisme*, bien qu'on m'en fasse un des pontifes[1]. » Ou encore : « Ce souci de la beauté extérieure que vous me reprochez est pour moi une méthode. Quand je découvre une mauvaise assonance ou une répétition dans une de mes phrases, je suis sûr que je patauge dans le faux. À force de chercher, je trouve l'expression juste, qui était la seule et qui est, en même temps, l'harmonieuse. Le mot ne manque jamais quand on possède l'idée[2]. »

L'année 1876 commence sous des signes néfastes. La santé de Caroline inquiète Flaubert. Minée par les soucis, elle dépérit, elle est anémique au dernier degré, elle doit renoncer momentanément à la peinture. On lui conseille, comme à son oncle, l'hydrothérapie. Le 10 mars, il apprend la mort de Louise Colet, qui s'est éteinte deux jours auparavant. Il en est très ému, malgré la haine dont le poursuivait son ancienne maîtresse. Il revient, par la pensée, aux bons moments d'autrefois, aux voluptés juvéniles, aux colères amoureuses, et mesure mieux encore sa solitude et sa déficience d'aujourd'hui. « Vous avez très bien deviné l'effet complet que m'a produit la mort de ma pauvre Muse, écrit-il à Mme Roger des Genettes. Son souvenir ainsi ravivé m'a fait remonter le cours de ma vie. Mais votre ami est devenu plus stoïque depuis un an. J'ai piétiné sur tant de choses, afin de pouvoir vivre ! Bref, après tout un après-midi passé dans les jours disparus, j'ai voulu n'y plus songer et je me suis remis à la besogne[3]. »

Cette « besogne », c'est la rédaction d'une autre nouvelle, *Un cœur simple*. En effet, ayant terminé *La Légende*

1. Lettre du 6 février 1876.
2. Lettre du 14 mars 1876.
3. Lettre du 18 mars 1876.

de saint Julien l'Hospitalier, Flaubert ne peut se résigner à renouer avec *Bouvard et Pécuchet*. Les difficultés techniques de ce lourd roman le rebutent. Il préfère remettre à plus tard un travail aussi épuisant pour se consacrer à un conte dont la délicatesse et la sensibilité lui paraissent reposantes. Il le définira ainsi dans une lettre à Mme Roger des Genettes : « *L'Histoire d'un Cœur simple* est tout bonnement le récit d'une vie obscure, celle d'une pauvre fille de campagne, dévote mais mystique, dévouée sans exaltation et tendre comme du pain frais. Elle aime successivement un homme, les enfants de sa maîtresse, un neveu, un vieillard qu'elle soigne, puis son perroquet. Quand le perroquet est mort, elle le fait empailler et, en mourant à son tour, elle confond le perroquet avec le Saint-Esprit. Cela n'est nullement ironique comme vous le supposez, mais au contraire très sérieux et très triste. Je veux apitoyer, faire pleurer les âmes sensibles, en étant une moi-même[1]. » Pour camper le personnage de Félicité, cette servante humble et fidèle, il mêle des réminiscences de la Léonie de ses amis Barbey, à Trouville, aux traits de sa vieille Julie, qui le sert à Croisset. Retournant au monde nostalgique de son enfance, il ressuscite, sous d'autres noms, des oncles, des tantes, des relations de Honfleur ou de Pont-l'Évêque. La fillette et le garçon du conte, ce sont lui-même et sa sœur Caroline qu'il aimait tant. Le marquis de Grémanville, c'est son arrière-grand-oncle, Charles-François Fouet, plus connu sous le nom de conseiller de Crémanville. Même le perroquet, Loulou, a existé, dans la famille Barbey. Pour se replonger dans le paysage de son récit, Flaubert fait, en avril, un voyage à Pont-l'Évêque et à Honfleur. Au cours de ce pèlerinage, il revit intensément son âge tendre, visite les lieux où vécurent ses ancêtres maternels, mesure la profondeur douloureuse du passé et prend des notes. « Cette excursion m'a abreuvé de tristesse, car forcément j'y ai pris un bain de souvenirs, écrit-il à

1. Lettre du 19 juin 1876.

Mme Roger des Genettes. Suis-je vieux, mon Dieu! Suis-je vieux! » Mais il n'en est pas découragé pour autant car il annonce dans la même lettre : « Savez-vous ce que j'ai envie d'écrire après cela? L'histoire de saint Jean-Baptiste. La vacherie d'Hérode pour Hérodias m'excite. Ce n'est encore qu'à l'état de rêve, mais j'ai bien envie de creuser cette idée-là. Si je m'y mets, cela me ferait trois contes, de quoi publier à l'automne un volume assez drôle. Mais quand reprendrai-je mes deux bonshommes[1]? »

À la fin du mois de mai, il est de retour à Croisset et apprend la maladie de George Sand : une occlusion intestinale qui la fait atrocement souffrir. Il télégraphie à Maurice, le fils de la romancière, pour avoir des nouvelles. Le 8 juin 1876, George Sand a cessé de vivre. Flaubert, bouleversé, se précipite aux obsèques. « Cette perte-là s'ajoute à l'amas de toutes celles que j'ai faites depuis 1869, écrira-t-il à Mlle Leroyer de Chantepie. C'est mon pauvre Bouilhet qui a commencé la série; après lui sont partis Sainte-Beuve, Jules de Goncourt, Théophile Gautier, Feydeau, un intime moins illustre, mais non moins cher, qui s'appelait Jules Duplan, et je ne parle pas de ma mère que j'aimais tendrement[2]! » Et à la princesse Mathilde : « Cette mort de ma vieille amie m'a navré. Mon cœur devient une nécropole : comme le vide s'élargit! Il me semble que la terre se dépeuple[3]. » À Maurice Sand enfin : « Il m'a semblé que j'enterrais ma mère une seconde fois! Pauvre chère grande femme! Quel génie et quel cœur[4]! »

Il fait le voyage jusqu'à Nohant en compagnie du prince Napoléon, d'Alexandre Dumas fils et de Renan. Ce qui lui remonte le moral, c'est que George Sand, conformément à ses idées, « n'a reçu aucun prêtre et est morte parfaitement impénitente ». Mais l'entourage de la défunte a insisté

1. Lettre de la fin avril 1876.
2. Lettre du 17 juin 1876.
3. Lettre du 19 juin 1876.
4. Lettre du 25 juin 1876.

auprès de l'évêque de Bourges pour demander des obsèques catholiques. Après le service religieux, la procession funèbre se rend dans le petit cimetière du château où reposent déjà les grands-parents de George Sand et sa petite-fille, Jeanne Clésinger. La pluie tombe dru pendant l'enterrement. Les gens de la campagne pleurent autour de la fosse en marmottant des prières. Flaubert ne peut retenir ses sanglots en voyant le cercueil descendre dans le trou, puis en embrassant Aurore.

Le 13 juin, il est de nouveau à Croisset, et tout heureux de retrouver sa tanière après tant d'émotions. « Émile m'attendait, raconte-t-il à Caroline. Avant de défaire mes cantines, il a été me tirer une cruche de cidre que j'ai entièrement *vuidée*, à sa grande terreur, car il me répétait : " Mais Monsieur va se faire mal. " Elle ne m'a point fait de mal. Au dîner, j'ai revu avec plaisir la soupière d'argent et le vieux saucier. Le silence qui m'entourait me semblait doux et bienfaisant. Tout en mangeant, je regardais tes bergeries au-dessus des portes, ta petite chaise d'enfant, et je songeais à notre pauvre vieille, mais sans peine ou plutôt avec douceur. Je n'ai jamais eu de rentrée moins pénible[1]. »

Le lendemain de son arrivée, il reprend *Un cœur simple* avec un entrain qui l'étonne lui-même. « Les choses ne sont pas superbes, mais enfin elles sont tolérables, écrit-il à Mme Roger des Genettes. Je me suis remâté, j'ai envie d'écrire. J'espère en une période assez longue de paix. Il n'en faut pas demander plus aux dieux! Ainsi soit-il! Et pour vous dire la vérité, chère vieille amie, je jouis de me retrouver chez moi, comme un petit bourgeois, dans *mes* fauteuils, au milieu de *mes* livres, dans *mon* cabinet, en vue de *mon* jardin. Le soleil brille, les oiseaux roucoulent comme des amoureux, les bateaux glissent sans bruit sur la rivière toute plate, et mon conte avance. Je l'aurai fini

1. Lettre du 13 juin 1876.

probablement dans deux mois[1]. » Pour se fortifier et se donner du cœur à l'ouvrage, il s'impose des exercices physiques et nage chaque jour dans la Seine. En voulant « remonter la marée », il fait un mouvement violent qui se traduit par une douleur dans la hanche gauche. Cet incident le conduit à modérer ses « exercices natatoires », mais ne ralentit en rien sa besogne. « Quant à moi, je travaille avec violence, ne voyant personne, ne lisant aucun journal, et gueulant dans le silence du cabinet comme un énergumène, annonce-t-il à Guy de Maupassant. Je passe toute la journée et presque toute la nuit courbé sur ma table et j'admire assez régulièrement le lever de l'aurore. Avant mon dîner, vers sept heures, je batifole dans les ondes bourgeoises de la Seine. » Il voudrait que son jeune « disciple » fût, comme lui, tout entier requis par l'écriture au lieu de perdre son temps avec des femmes faciles. « Je vous engage à vous modérer, dans l'intérêt de la littérature, lui écrit-il dans la même lettre. Prendre garde! Tout dépend du but que l'on veut atteindre. Un homme qui s'est institué artiste n'a plus le droit de vivre comme les autres[2]. » Pourtant, de loin en loin, il lui vient un regret de n'avoir pas suivi la voie commune. Son domestique, Émile, ayant épousé Marguerite, la femme de chambre de Caroline, un garçon naît de leur union. L'enfant mourra d'ailleurs quelques jours plus tard. Mais, en apprenant la venue au monde du bébé, Flaubert est saisi d'une étrange tendresse : « Émile est dans le ravissement d'avoir un fils, joie que je comprends, que je trouvais autrefois très ridicule et que maintenant j'envie[3], écrit-il à Caroline.

Si les plaisirs de la vie familiale le font parfois rêver (signe de sénilité, pense-t-il), il est de plus en plus irrité par les mœurs de la presse parisienne. *La République des Lettres* ayant publié un article sur Renan plein d'allusions

1. Lettre du 19 juin 1876.
2. Lettre du 23 juillet 1876.
3. Lettre du 1er juillet 1876.

perfides à la personnalité de l'auteur de *La Vie de Jésus*, il demande à Catulle Mendès de rayer son nom de la liste des collaborateurs et de ne plus lui envoyer sa feuille. « Qu'on ne soit pas de l'opinion de Renan, très bien! écrit-il à Émile Zola. Moi aussi je ne suis pas de son opinion! Mais ne tenir aucun compte de tous ses travaux, lui reprocher les cheveux rouges qu'il n'a pas, et sa famille pauvre en l'appelant domestique des princes, voilà ce que je n'admets pas! Ma résolution est bien prise, j'abandonne avec joie et définitivement ces petits messieurs-là. Leur basse envie démocratique me soulève le cœur de dégoût[1]. » Et, à Guy de Maupassant : « Conclusions : s'écarter des journaux! La haine de ces boutiques-là est le commencement de l'amour du Beau. Elles sont par essence hostiles à toute personnalité un peu au-dessus des autres. L'originalité, sous quelque forme qu'elle se montre, les exaspère[2]. » Entre-temps, il a demandé au Dr. Pennetier, directeur du Muséum de Rouen, s'il peut lui prêter un perroquet empaillé. À présent, il écrit sous le regard d'un de ces volatiles au plumage émeraude et à l'œil de verre. « Depuis un mois, j'ai sur ma table un perroquet empaillé, afin de peindre d'après la nature, confie-t-il à Mme Roger des Genettes. Sa présence commence à me fatiguer. N'importe! je le garde afin de m'emplir l'âme de perroquet[3]. » Le 7 août, il peine sur les dernières pages du récit : « Je continue à hurler comme un gorille dans le silence du cabinet et même aujourd'hui j'ai dans le dos, ou plutôt dans les poumons, une douleur qui n'a pas d'autre cause, écrit-il à Caroline. À quelque jour, je me ferai éclater comme un obus; on retrouvera mes morceaux sur la table. Mais, avant tout, il faut finir ma *Félicité* d'une façon splendide[4]. » Au bout de trois jours, nouveau bulletin de

1. Lettre du 23 juillet 1876.
2. Lettre d'août 1876.
3. Lettre de la fin juillet 1876.
4. Lettre du 7 août 1876.

santé : « Mon ardeur à la besogne frise l'aliénation mentale. Avant-hier, j'ai fait une journée de dix-huit heures! Très souvent maintenant je travaille avant mon déjeuner; ou plutôt je ne m'arrête plus, car, même en nageant, je roule mes phrases, malgré moi. Faut-il te dire mon opinion? Je crois que (sans le savoir) j'avais été malade profondément et secrètement depuis la mort de note pauvre vieille. Si je me trompe, d'où vient cette espèce d'éclaircissement qui s'est fait en moi, depuis quelque temps? C'est comme si des brouillards se dissipaient. Physiquement, je me sens rajeuni. J'ai lâché la flanelle (comble de l'imprudence!) et actuellement je n'ai même pas de chemise[1]. » Enfin, le 17 août, il adresse à la même Caroline un chant de victoire : « Hier, à une heure de la nuit, j'ai terminé mon *Cœur simple*, et je le recopie. Maintenant, je m'aperçois de ma fatigue, je souffle, oppressé comme un gros bœuf qui a trop labouré. » Une copie du texte est destinée à Tourgueniev, qui, après avoir traduit *La Légende de saint Julien l'Hospitalier*, promet de s'atteler à l'adaptation en russe d'*Un cœur simple*.

Deux semaines plus tard, allégé d'un grand poids de travail, Flaubert est à Paris, où il rencontre ses amis habituels. Il leur raconte par le menu les affres de sa création, pendant deux mois, à raison de quinze heures par jour, dans la grosse chaleur de l'été, avec, comme seul délassement, un plongeon, le soir, dans la Seine. « Et le produit de ces neuf cents heures de travail est une nouvelle de trente pages[2] », conclut Edmond de Goncourt avec une ironie apitoyée. Un seul regret pour Flaubert : que George Sand soit morte sans avoir lu ce conte. Elle lui reprochait toujours la sécheresse clinique de son propos. Cette fois elle aurait été émue de constater son influence sur le style de « vieux troubadour ». Dommage!

Cependant, il est remonté à bloc. Loin de l'épuiser, son

1. Lettre du 10 août 1876.
2. Goncourt, *Journal*, 1er septembre 1876.

travail sur *Un cœur simple* l'a mis en appétit : « Maintenant que j'en ai fini avec *Félicité*, écrit-il à Caroline, *Hérodias* se présente et je *vois* (nettement, comme *je vois* la Seine) la surface de la mer Morte scintiller au soleil. Hérode et sa femme sont sur un balcon d'où l'on découvre les tuiles dorées du Temple. Il me tarde de m'y mettre et de piocher furieusement cet automne[1]. » Selon sa coutume, il commence par se livrer à d'immenses lectures historiques pour préparer le terrain. Il continue ses investigations à Paris, dans les bibliothèques. Le souci de la documentation le dévore. Mais il sacrifie aussi à quelques rites de l'amitié, se rend à la première de *Fromont jeune*, la pièce d'Alphonse Daudet, recommande Guy de Maupassant à Raoul-Duval pour une feuilleton dramatique au journal *La Nation*, réunit ses compagnons habituels afin de leur lire *Un cœur simple*, vend, grâce à Tourgueniev, ses deux contes à la revue russe *Le Messager de l'Europe*... La fréquentation de ses vieux camarades le revigore. Néanmoins, il refuse d'approuver le dernier roman d'Émile Zola : *L'Assommoir* : « Je trouve cela ignoble, absolument, écrit-il à la princesse Mathilde. Faire vrai ne me paraît pas être la première condition de l'art. Viser au beau est le principal, et l'atteindre si l'on peut[2]. » Même déception devant *Le Nabab*, d'Alphonse Daudet : « C'est disparate. Il ne s'agit pas seulement de voir, il faut arranger et fondre ce que l'on a vu. La réalité, selon moi, ne doit être qu'un tremplin... Ce matérialisme m'indigne... Après les réalistes, nous avons les naturalistes et les impressionnistes. Quel progrès! Tas de farceurs[3]! »

À ce moment, une douce figure du passé resurgit dans sa vie : la petite Anglaise, Gertrude Collier, devenue Mrs. Tennant. Revenu à Croisset, il lui écrit avec une émotion rétrospective : « Je m'ennuie de vous! Voilà tout

1. Lettre du 17 août 1876.
2. Lettre du 4 octobre 1876.
3. Lettre à Tourgueniev de novembre 1876.

ce que j'ai à vous dire. Le bon mouvement qui vous a poussée à me revoir, après tant d'années, doit avoir des suites. Ce serait de la cruauté maintenant que de recommencer votre oubli... Comment vous dire le plaisir que m'a fait votre visite, votre réapparition? Il m'a semblé que les années intermédiaires avaient disparu et que j'embrassais ma jeunesse. C'est le seul événement heureux qui me soit advenu depuis longtemps[1]. » Un autre « événement heureux » est la publication, par *La République des Lettres*, d'un article très élogieux sur lui, signé Guy de Valmont, pseudonyme provisoire de Guy de Maupassant. Touché au vif, Flaubert remercie son disciple : « Vous m'avez traité avec une tendresse filiale. Ma nièce est enthousiasmée de votre œuvre. Elle trouve que c'est ce qu'on a écrit de mieux sur son oncle. Moi, je le pense, mais je n'ose pas le dire[2]. » Cet encouragement arrive à point pour le déterminer dans son travail sur *Hérodias*. Il a déjà fait part de ses inquiétudes à Mme Roger des Genettes : « Cette histoire d'Hérodias, à mesure que le moment de l'écrire approche, m'inspire une vénette biblique. J'ai peur de retomber dans les effets produits par *Salammbô*, car mes personnages sont de la même race et c'est un peu le même milieu[3]. »

Dans les derniers jours du mois d'octobre, il en a fini avec ses notes et, au début du mois de novembre, il se lance dans la rédaction fébrile et ardue de ce conte, dont la complexité l'« écrase » et qui, dit-il, « pourrait bien être raté ». Un contretemps survient, alors qu'il est en plein bouillonnement créateur : « Mon domestique (Émile), que je croyais m'être dévoué, m'a quitté après dix ans de service et à propos de rien, écrit-il à la princesse Mathilde. Mais il faut être philosophe sur ces petites misères comme sur les grandes[4]. » Il trouve d'ailleurs très vite à remplacer

1. Lettre du 19 octobre 1876.
2. Lettre du 25 octobre 1876.
3. Lettre du 27 septembre 1876.
4. Lettre du 28 novembre 1876.

son valet de chambre par une Noémie qui se révèle être une perle : « Son service est très agréable. Elle est vive, économe et connaît toutes mes manies[1]. » Le voilà rasséréné. Son ami Laporte lui rend fréquemment visite à la campagne. Comme le brave garçon songe à « épouser une dame riche », Flaubert l'en dissuade avec autorité : le célibat est le seul état qui permette à un honnête homme de vivre selon les inclinations de son caractère sans tenir compte de l'opinion d'autrui. Pourtant, il reconnaît que, certains soirs, la solitude l'accable. Bien que quatre ans aient passé depuis la mort de sa mère, il est harcelé par son souvenir. Son obsession tourne au fétichisme. À tout propos, il fouille dans les armoires pour retrouver et palper les robes de la défunte. Il lui semble qu'il la rejoint à travers les vêtements qu'elle a si souvent portés. À cinquante-cinq ans, à demi chauve, la moustache tombante, l'œil globuleux, le souffle court, il rêve de se fondre à nouveau dans la chaleur et l'odeur maternelles. Un soir, ne pouvant remettre la main sur un châle et un chapeau de la morte, il s'affole, s'imagine que Caroline les a déplacés ou emportés, en son absence, et lui écrit : « Qu'as-tu fait du châle et du chapeau de jardin de ma pauvre maman? Je les ai cherchés dans le tiroir de la commode et ne les ai pas trouvés, car j'aime de temps à autre à revoir ces objets et à rêver dessus. Chez moi, rien ne s'efface[2]. » Six jours plus tard, Caroline n'ayant pas répondu, il revient à la charge : « Que sont devenus, où as-tu mis le châle et le chapeau de jardin de ma pauvre maman? J'aime à les voir et à les toucher de temps à autre. Je n'ai pas assez de plaisir dans le monde pour me refuser celui-là[3]! » Enfin, le 20 décembre, ce mea-culpa : « Je m'étais trompé : ce n'était pas le châle que je cherchais, mais un vieil éventail vert qui servait à maman dans notre voyage d'Italie. Il me semble

1. Lettre à Caroline du 9 décembre 1876.
2. Lettre du 9 décembre 1876.
3. Lettre du 15 décembre 1876.

que je l'avais mis à part, avec son chapeau, auquel j'ai été faire une visite dès que j'ai su sa place. » Cette même hantise du passé le pousse à écrire, le jour de Noël, à Gertrude Tennant : « Je vous remercie de détester le Trouville moderne. (Comme nous nous comprenons !) Pauvre Trouville ! la meilleure partie de ma jeunesse s'y est passée. Depuis que nous étions ensemble sur la plage, bien des flots ont roulé dessus. Mais aucune tempête, ma chère Gertrude, n'a effacé ces souvenir-là. La perspective du passé embellit-elle les choses ? Était-ce vraiment aussi beau, aussi bon ? Quel joli coin de la terre et de l'espèce humaine ça faisait, vous, vos sœurs, la mienne ! Ô abîme ! abîme ! Si vous étiez un vieux célibataire comme moi, vous comprendriez bien mieux. Mais non, vous me comprenez, je le sens. »

Malgré l'intensité de son travail sur *Hérodias*, il doute du résultat. « Il y manque je ne sais quoi, écrit-il à Caroline. Il est vrai que je n'y vois plus goutte. Mais pourquoi n'en suis-je pas *sûr*, comme je l'étais de mes deux autres contes ? Quel mal je me donne[1] ! » Pour se délasser de sa lutte quotidienne contre les embûches du vocabulaire et de la syntaxe, il lit les œuvres de ses confrères. La *Prière sur l'Acropole* de Renan, publiée par *La Revue des Deux Mondes*, déchaîne son enthousiasme. En revanche, il tique devant la *Correspondance* de Balzac. « Il en résulte que c'était un très brave homme et qu'on l'aurait aimé, déclare-t-il à Edmond de Goncourt. Mais quelle préoccupation de l'argent et quel peu d'amour de l'art ! Avez-vous remarqué qu'il n'en parle pas une fois ? Il cherchait la gloire, mais non le beau. Et il était catholique, légitimiste, propriétaire, ambitionnait la députation et l'Académie, avant tout ignorant comme une cruche, provincial jusque dans la moelle des os : le luxe l'épate. Sa plus grande admiration littéraire est pour Walter Scott. Au résumé, c'est pour moi un immense bonhomme, mais de second ordre. Sa fin est lamentable.

1. Lettre du 31 décembre 1876.

Quelle ironie du sort! Mourir au seuil du bonheur! » Et il conclut : « J'aime mieux la *Correspondance* de M. de Voltaire. L'ouverture du compas y est un peu plus large[1]. » Le Jour de l'an, « pour ne pas faite la bête », il se rend à Rouen et, parvenu au coin du jardin de sa maison natale, retient ses sanglots. Son frère le reçoit, l'air maussade. Après quoi, Flaubert fait une visite au cimetière. Mais sa mère est plus présente à Croisset que sous la dalle funèbre.

Autre motif de tristesse : le bon Laporte est, lui aussi, ruiné. En annonçant la chose à Flaubert, il a ce mot fraternel : « C'est un rapport de plus entre nous deux. » Heureusement, il ne songe pas à déménager. « Il (Laporte) est décidé, s'il ne trouve rien, à rester quand même à Couronne et à y vivoter n'importe comment pour ne pas quitter sa maison, ce que je comprends parfaitement, écrit Flaubert à Caroline. À un certain âge, le changement d'habitude, c'est la mort[2]. » Lui-même est si confortablement enfoncé dans sa retraite qu'il prend plaisir à écouter les récits de la vieille Julie, laquelle ne travaille plus beaucoup dans la maison, mais s'y prélasse encore, dernier témoin d'une époque radieuse. « En parlant du vieux temps, elle m'a rappelé une foule de choses, de portraits, d'images, qui m'ont dilaté le cœur. C'était comme un coup de vent frais[3]. » De plus en plus attiré par l'histoire de la famille, il recherche les portraits de ses ancêtres qui s'abîment dans le grenier et les accroche dans le corridor. Quant à la miniature du grand-père Fleuriot, « chef des armées vendéennes », elle trônera désormais au coin de sa cheminée. Tant pis si Caroline, qui n'a guère le goût de la généalogie, n'approuve pas cet arrangement! Il lui apprend en outre qu'il compte terminer bientôt son *Hérodias* et qu'il se prépare à partir pour Paris où il espère trouver

1. Lettre du 31 décembre 1876.
2. Lettre du 17 janvier 1877.
3. *Ibid.*

« bons vins, jolies liqueurs, aimables sociétés, argent de poche, figures hilares et joyeux devis ».

En prévision de ce séjour parisien, il se commande un costume de chambre, des pantoufles en velours, des cravates blanches, deux « éponges de géant », de l'eau de Cologne, de l'eau dentifrice, de la pommade, « ou plutôt de l'huile qui sent le foin (rue Saint-Honoré) », quatre paires de gants gris perle et deux de Suède à deux boutons. Et, le 1er février, il adresse à ses amis une carte d'invitation comique ainsi libellée : « Monsieur Gustave Flaubert a l'honneur de vous prévenir que ses salons seront ouverts à partir de dimanche prochain, 4 février 1877. Il espère votre visite. Les dames et les enfants sont admis. »

À peine arrivé, il satisfait à quelques mondanités, mais sans lâcher pour autant son manuscrit. Et, le 15 février, il peut annoncer à Mme Roger des Genettes : « Hier, à trois heures du matin, j'ai fini de recopier *Hérodias*. Encore une chose faite! Mon volume peut paraître le 16 avril. Il sera court, mais cocasse, je crois. J'ai travaillé cet hiver d'une façon frénétique; aussi suis-je arrivé à Paris dans un état lamentable. Maintenant, je me remets un peu. Pendant les huit derniers jours, j'avais dormi en tout dix heures (sic). Je me soutenais avec de l'eau froide et du café. »

Si, dans l'admirable *Cœur simple*, il a retrouvé la sobriété d'écriture de *Madame Bovary*, si dans *Saint Julien l'Hospitalier* il s'est souvenu du monde légendaire et religieux de *La Tentation de saint Antoine*, dans *Hérodias* il rejoint la férocité, la luxure et les couleurs barbares de *Salammbô*. Trois personnages principaux, fortement caractérisés : Hérode Antipas, lâche et cruel, qui tremble pour sa situation de tétrarque, Hérodias, son épouse, ambitieuse et perfide, qui ne recule devant aucun moyen pour assurer son pouvoir, Salomé, jeune fille gracieuse et impudique qui ne se doute pas de son ascendant sur les hommes et qui sert innocemment les desseins criminels de sa mère. La danse de cette vierge, inspirée des déhanchements lascifs de Kuschiuk Hanem devant Flaubert, décide du sort tragique de saint Jean-Baptiste. Le tour de force de l'auteur consiste à ressusciter, en quelques pages, un univers biblique d'une fascinante précision. Ainsi ces *Trois contes*, si différents par leur facture, témoignent d'une maîtrise absolue de l'inspiration et du verbe. L'économie prodigieuse du récit, l'évocation rapide et juste des personnages, la présence du décor décrit en quelques touches, tout, ici, offre l'image de la perfection. Une netteté et une pureté de diamant. Cependant, Flaubert n'est pas sûr de son fait. Comme d'habitude, il veut recueillir l'opinion de ses amis. La plupart sont favorables. Mais, à la suite d'une lecture d'*Hérodias* chez la princesse Mathilde, Edmond de Goncourt note avec aigreur dans son *Journal* : « Bien certainement il y a des tableaux colorés, des épithètes délicates, des choses très bien ; mais que d'ingéniosité de vaudeville là-dedans et que de petits sentiments modernes plaqués dans cette rutilante mosaïque de notes archaïques ! Ça me semble, en dépit des beuglements du liseur, les jeux innocents de l'archéologie et du romantisme[1]. » Flaubert, de son côté, est sévère pour ses amis. Ainsi, agacé par le succès de *L'Assommoir*, ne manque-t-il pas une occasion d'attaquer en public les professions de foi naturalistes dont Zola est prodigue. Celui-ci, nullement troublé, lui répond : « Vous, vous avez eu une petite fortune qui vous a permis de vous affranchir de beaucoup de choses... Moi qui ai gagné ma vie absolument avec ma plume, qui ai été obligé de passer par toutes sortes d'écritures honteuses, par le journalisme, j'en ai conservé, comment vous dirai-je cela ? un peu de *banquisme*... Oui, c'est vrai que je me moque comme vous de ce mot *naturalisme* ; et cependant je le répéterai sans cesse parce qu'il faut un baptême aux choses pour que le public les croie neuves[2]. »

En mars, les *Trois contes* sont entre les mains de l'imprimeur. Au préalable, *Un cœur simple* et *Hérodias*

1. Goncourt, *Journal*, 18 février 1877.
2. Goncourt, *Journal*, 19 février 1877.

doivent paraître séparément dans *Le Moniteur*, moyennant mille francs chacun. *La Légende de saint Julien l'Hospitalier* est réservée au *Bien public*. Signe encourageant, de jeunes auteurs, de plus en plus nombreux, envoient leurs ouvrages à Flaubert. Et Victor Hugo, « cet immense vieux », voudrait qu'il se présentât à l'Académie. « Il me fait une scie continuelle avec l'Académie française. Mais pas si bête! pas si bête[1] », ricane Flaubert. Les livres de ses amis le déçoivent. « Connaissez-vous *La Fille Élisa* (d'Edmond de Goncourt)? demande-t-il à Mme Roger des Genettes dans la même lettre. C'est sommaire et anémique, et *L'Assommoir*, à côté, paraît un chef-d'œuvre. Car enfin, il y a dans ces longues pages malpropres une puissance réelle et un tempérament incontestable. Venant après ces deux livres, je vais avoir l'air d'écrire pour les pensionnats de jeunes filles. » Libéré du souci de la correction des épreuves, il relit ses lettres de jeunesse et brûle la plupart de celles qu'il avait échangées avec Maxime Du Camp. Puis, dans un geste de générosité et de confiance, il fait cadeau à Edmond Laporte d'un manuscrit des *Trois contes* sous reliure de maroquin : « Vous m'avez vu écrire ces pages, mon cher vieux, acceptez-les et qu'elles vous rappellent votre géant Gustave Flaubert. »

Le 16 avril, six jeunes écrivains, Paul Alexis, Henry Céard, Léon Hennique, Guy de Maupassant, J.K. Huysmans, Octave Mirbeau, offrent un dîner au restaurant Trapp et proclament officiellement que Flaubert, Zola et Goncourt sont « les trois maîtres de l'heure présente ». « Voici l'armée nouvelle en train de se former », notre Edmond de Goncourt avec satisfaction. Or, Flaubert ne tient nullement à prendre la tête d'une « armée ». Il est trop individualiste pour accepter le rôle de guide spirituel. Réalisme, naturalisme, aucune de ces étiquettes ne correspond à sa conception du roman. Zola le fait rugir avec ses pseudo-théories littéraires. Solitaire dans sa vie, il veut

1. Lettre à Mme Roger des Genettes du 2 avril 1877.

l'être aussi dans son art. Ainsi, d'un bout à l'autre de ce repas destiné à le sacrer chef de file, il clame son refus de toutes les écoles.

Les *Trois contes* paraissent, le 24 avril 1877, chez l'éditeur Charpentier. À l'inverse de ce qui s'est produit pour *La Tentation de saint Antoine*, la presse est immédiatement enthousiaste. Édouard Drumont parle de « merveilles », Saint-Valry, dans *La Patrie*, « d'admirable combinaison d'exactitude et de poésie », Mme Alphonse Daudet (qui signe Karl Steen), dans le *Journal officiel*, d'un « triomphe unanime et mérité », et Théodore de Banville, dans *Le National*, de « trois chefs-d'œuvre absolus et parfaits, créés avec la puissance d'un poète sûr de son art et dont il ne faut parler qu'avec la respectueuse admiration due au génie ». Ce dernier va même jusqu'à conseiller aux membres de l'Académie française de se rendre, en corps, auprès de Gustave Flaubert « pour étendre sous ses pas un tapis de pourpre ». Seul Brunetière, dans *La Revue des Deux Mondes*, ose attaquer l'auteur, en affirmant que les *Trois contes* sont « ce qu'il a écrit de plus faible » et qu'il y voit « la marque d'une imagination qui tarit ». Cette remarque acerbe est couverte par les acclamations des « jeunes ».

L'accueil du public est plus réservé. D'ailleurs, le lancement du livre est gravement perturbé par les événements politiques. Tous les regards sont tournés vers le maréchal de Mac-Mahon qui vient d'adresser à Jules Simon, président du Conseil, une lettre désavouant ses tendances républicaines. Une crise est ouverte qui se termine par la constitution, le 16 mai, d'un gouvernement conservateur sous la présidence du duc de Broglie. Mais les esprits sont très agités. On parle d'une prochaine dissolution de la Chambre et de nouvelles élections. « Les folichonneries de notre Bayard moderne (Mac-Mahon) nuisent à tous les commerces! Celui de la littérature entre autres, écrit Flaubert à un ami. La librairie Charpentier, qui vend ordinairement trois cents volumes par jour, en a vendu samedi dernier cinq. Quant à mon pauvre bouquin, il est complètement rasé. Je n'ai plus qu'à me frotter le ventre[1]. » Or, Flaubert comptait sur une grosse vente pour se remettre à flot. Il a à peine de quoi vivre et les « affaires » de Commanville ne s'arrangent pas aussi aisément qu'on avait pu l'espérer. Aussi, malgré son prestige grandissant auprès des critiques et des écrivains de son temps, termine-t-il sa lettre sur une note mélancolique : « Le délabrement des affaires publiques s'ajoute à la tristesse de mes affaires personnelles. Tout est noir dans mon horizon. » Pour se consoler, comme toujours, une seule méthode : le travail. Bouvard et Pécuchet l'attendent à Croisset. Une fois de plus, il va tenter d'oublier le monde en leur compagnie.

1. Lettre du 21 mai 1877.

XXI

RETOUR À BOUVARD ET PÉCUCHET

La nouvelle saison de Croisset s'ouvre sur un chant d'allégresse. « Oui, mon loulou, écrit Flaubert à Caroline, j'ai eu grand plaisir à me retrouver dans mon pauvre vieux cabinet... Hier soir enfin, je me suis remis à *Bouvard et Pécuchet*. Il m'est venu plusieurs bonnes idées. Toute la médecine peut être faite en trois mois, si je ne suis pas dérangé. Les affaires me semblent en bonne voie, et peut-être allons-nous bientôt sortir de notre gêne et de notre inquiétude... Je te plains, pauvre chat, d'être à Paris. On est si bien à Croisset! Quelle paix! Et puis, plus de redingotes à mettre! plus d'escalier à monter [1]. » Et, un peu plus tard, à la même : « Depuis deux jours, j'ai fait une excellente besogne. Dans de certains moments, ce livre m'éblouit par son immense portée. Qu'en adviendra-t-il? Pourvu que je ne me trompe pas complètement et qu'au lieu d'être sublime il ne soit niais? Je crois que non, cependant! Quelque chose me dit que je suis dans le vrai! Mais c'est tout l'un ou tout l'autre. Je répète le mot : " Oh! je les aurai connues, les affres de la littérature " [2]. » Au mois de juillet 1877, Caroline le rejoint à Croisset. Elle s'y « livre à la peinture avec frénésie ». Ayant pris des leçons avec Bonnat, elle veut persévérer dans cette voie et,

1. Lettre du début juin 1877.
2. Lettre du 6 juin 1877.

peut-être, gagner sa vie avec son pinceau comme son oncle avec sa plume. Flaubert l'y encourage sans trop y croire. Malgré la présence de sa nièce dans la maison, il ne ralentit pas le rythme de son travail. « Ma vie (austère au fond) est calme et tranquille à la surface, confie-t-il à la princesse Mathilde. C'est une existence de moine et d'ouvrier. Tous les jours se ressemblent, les lectures succèdent aux lectures, mon papier blanc se couvre de noir, j'éteins ma lampe au milieu de la nuit, un peu avant le dîner je fais le triton dans la rivière, et ainsi de suite[1]. »

Une nouvelle cocasse le réjouit, dans sa retraite : il apprend que l'ex-avocat impérial Ernest Pinard, qui avait requis contre *Madame Bovary* pour atteinte à la morale et à la religion, est lui-même l'auteur de poésies lubriques. « Ça ne m'étonne pas, s'exclame Flaubert, rien n'étant plus immonde que les magistrats (leur obscénité géniale tient à l'habitude qu'ils ont de porter la robe)... Et quand je songe que Pinard s'indignait des descriptions de la *Bovary*[2]! » Les grosses chaleurs du mois d'août éveillent en lui des souvenirs vaguement lascifs et il écrit à sa chère Mme Brainne : « Comme nous sommes loin l'un de l'autre; à défaut de caresses, je vais vous faire des compliments, manière froide de caresser... Eh bien, je vous trouve belle, brune, intelligente, spirituelle, sensible. J'aime vos yeux, vos sourcils, votre bon rire, vos jolies jambes, vos mains, vos épaules, votre manière de causer, votre façon de vous habiller, vos cheveux noirs qui ont l'air toujours mouillés comme ceux d'une naïade sortant du bain, le bas de votre robe, le bout de votre pied, tout[3]... » Lorsque, vers le 20 août, sa nièce le quitte pour suivre une cure thermale à Eaux-Bonnes, il s'accorde quelques vacances et se rend à Saint-Gratien, auprès de la princesse Mathilde. Là, il se repose, se couche tôt, se lève tard, fait des siestes

1. Lettre du 27 juillet 1877.
2. Lettre à Mme Roger des Genettes d'août 1877.
3. Lettre d'août 1877.

prolongées l'après-midi et finit par s'ennuyer à périr. « Je ne m'amuse pas du tout à Saint-Gratien, mais pas du tout! avoue-t-il à Caroline. Je ne suis plus bon à rien, du moment qu'on me sort de mon cabinet[1]. » Pourtant, il ne rejoint pas encore Croisset. Paris l'attire, bien qu'il s'en défende. Depuis quelques mois, il entend mal, sa bouche est largement édentée, quand il parle, une légère salive blanchâtre, due à des remèdes au mercure, paraît aux commissures de ses lèvres. Il a conscience de ces défaillances physiques et n'en éprouve que plus de mépris envers ses semblables. « Est-ce moi qui deviens insociable, ou les autres qui bêtifient? dit-il. Je n'en sais rien. Mais la société du monde, actuellement, m'est intolérable[2]. » Néanmoins, il fait un effort pour assister aux obsèques de Thiers, perdu parmi la foule des notables. « J'ai vu l'enterrement de Thiers, écrit-il à Caroline. C'était quelque chose d'inouï et de splendide. Un million d'hommes sous la pluie, tête nue! De temps à autre on criait : " Vive la République ", puis " chut! chut! " pour n'amener aucune provocation[3]. » Et il précise, à l'intention de Mme Roger des Genettes : « Je n'aimais pas ce roi des Prudhommes; n'importe! Comparé aux autres qui l'entouraient, c'est un géant. Et puis il avait une vertu : le patriotisme. Personne n'a résumé comme lui la France[4]. » Les soucis de la politique le poursuivent : il craint qu'aux prochaines élections un grand nombre de bourgeois, par peur de Gambetta, ne votent pour « cet idiot de maréchal ». Sur le plan local, en tout cas, il n'a pas à se plaindre. Le Conseil municipal s'est laissé convaincre, après huit ans de démarches, et Louis Bouilhet aura sa fontaine et son buste adossés au mur de la nouvelle bibliothèque de Rouen.

Ragaillardi par cette victoire sur la stupidité administra-

1. Lettre du 2 septembre 1877.
2. Lettre à Caroline du 6 septembre 1877.
3. Lettre du 11 septembre 1877.
4. Lettre du 18 septembre 1877.

tive, Flaubert décide de partir pour un nouveau voyage en Basse-Normandie, avec Laporte, en vue de compléter la documentation de *Bouvard et Pécuchet*. Armé d'une canne de maquignon, coiffé d'un chapeau mou, le cou entouré d'un ample foulard rouge pour se garder des fraîcheurs brumeuses de septembre, il se sent rajeuni par la perspective de cette expédition amicale. On vole de ville en ville, de village en village, on visite châteaux, églises et cabarets, on goinfre, on boit, on rit, on prend des notes. « Nous nous levons à six heures du matin et nous nous couchons à neuf heures du soir, écrit Flaubert à sa nièce. Toute la journée se passe en courses, la plupart en petites voitures découvertes où le froid nous coupe le museau... Nous nous portons très bien et ne perdons pas notre temps. La seule débauche de la table est celle du poisson et des huîtres. Laporte est aux petits soins : quel bon garçon[1]! » Et, cinq jours plus tard, à la même : « C'est là le pays de Bouvard et Pécuchet... J'ai vu des choses qui me serviront beaucoup. Bref, ça va bien. J'ai bonne mine et un appétit qui effrayait Valère (surnom de Laporte). Mon seul accident a été le bris de mon lorgnon. »

Revenu à Croisset, il remet au net ses notes de voyage et s'ouvre à Émile Zola de son principal souci : « Ce sacré bouquin me fait vivre dans le tremblement. Il n'aura de signification que par son ensemble. Aucun *morceau*, rien de brillant, et toujours la même situation dont il faut varier les aspects. J'ai peur que ce ne soit embêtant à crever[2]. » Mais il est également inquiet pour l'avenir du pays. Et si Mac-Mahon l'emportait aux élections qui doivent se dérouler dans quelques jours, quelle catastrophe! Pourtant la province a l'air réticente. « Le Bayard des temps modernes, cet homme illustre par les piles qu'il a reçues, est l'objet de la réprobation universelle, affirme Flaubert

1. Lettre du 24 septembre 1877.
2. Lettre du 5 octobre 1877.

dans la même lettre. À Laigle (Orne), où j'étais avant-hier, on a couvert de merde les affiches de ses candidats. »

Aux élections générales du 14 octobre 1877, l'opposition républicaine obtient une majorité de cent vingt sièges. Mac-Mahon, bien que désavoué, demeure à son poste. « Le suffrage universel (jolie invention) en a fait de belles ! » s'exclame Flaubert. Après cette agitation politicienne, il se replonge avec fureur dans le travail, demande à Guy de Maupassant des renseignements précis sur certains aspects du littoral normand, lit encore, « à s'en perdre les yeux », des ouvrages scientifiques et historiques, supplie Laporte de l'aider à classer ses notes et conclut, à la veille de son cinquante-sixième anniversaire : « Quelle pioche ! Par moments, je me sens broyé sous la masse de ce livre. »

Rien de tel pour se requinquer qu'un séjour à Paris. Un de ses amis, Agénor Bardoux, député du Puy-de-Dôme, a été nommé ministre de l'Instruction publique dans le cabinet Dufaure, constitué le 14 décembre 1877. À plusieurs reprises, Flaubert déjeune au ministère, le ruban de la Légion d'honneur au revers de la veste. Mais, le 18 janvier 1878, il fait une rencontre plus importante. À un dîner chez Charpentier, où il se trouve avec Edmond de Goncourt, il lie conversation avec Gambetta : « Le dîner terminé, écrit Edmond de Goncourt, Flaubert emporte pour ainsi dire Gambetta dans un salon dont il referme la porte sur lui. Demain, il pourra dire : " Gambetta, c'est mon ami intime. " Elle est vraiment étonnante l'action qu'exerce sur cet homme toute notoriété, le besoin qu'il a de s'en approcher, de s'y frotter, de violer son intimité. » Sollicité par Mme Roger des Genettes de donner son avis sur le grand tribun républicain, Flaubert avoue, non sans une certaine fatuité, qu'un courant de sympathie s'est établi entre eux : « Gambetta (puisque vous me demandez mon opinion sur ledit sieur) m'a paru, au premier abord, grotesque, puis raisonnable, puis agréable et finalement charmant (le mot n'est pas trop fort). Nous avons causé seul à seul pendant vingt minutes et nous nous connaissons comme si nous nous étions vus cent fois. Ce qui me plaît en lui, c'est qu'il ne donne dans aucun poncif, et je le crois humain[1]. » En revanche, il n'a pas de mots assez durs pour dénoncer l'absurdité de la guerre d'Orient : « Je suis indigné contre l'Angleterre, indigné à en devenir Prussien! Car enfin, que veut-elle? Qui l'attaque? Cette prétention de défendre l'Islamisme (qui est en soi une monstruosité) m'exaspère. Je demande, au nom de l'humanité, à ce qu'on broie la Pierre-Noire pour en jeter les cendres au vent, à ce qu'on détruise La Mecque, et que l'on souille la tombe de Mahomet. Ce serait le moyen de démoraliser le Fanatisme[2]. »

À Paris, l'Exposition l'écœure, bien qu'il admire la vue générale du haut du Trocadéro. Convié aux fêtes du centenaire de Voltaire, il refuse de s'y rendre, malgré sa vénération pour l'auteur de *Candide*, par crainte de rencontrer des têtes déplaisantes. Son rêve, à présent, est d'écrire un roman dont l'action se déroulerait sous Napoléon III. « Je crois le sentir. Jusqu'à nouvel ordre cela s'appellera *Un ménage parisien*. Mais il faut que je me débarrasse de mes bonshommes[3]. » Et pour cela, il a besoin de la solitude de Croisset.

« Enfin, me voilà rentré dans mes Lares, écrit-il, le 29 mai 1878, à Caroline! Dieu merci, mais je tombe sur les bottes!... À onze heures et demie, je suis arrivé ici par un froid terrible. Mon déjeuner était prêt. Julio (le chien) a bondi devant moi et m'a accablé de caresses. D'une heure à trois heures, j'ai fait des rangements, puis dormi jusqu'à cinq heures. Présentement, je puis me remettre à l'ouvrage. » Enfoncé dans son travail, il s'étonne que Taine et Renan briguent un fauteuil à l'Académie française. « En quoi l'Académie peut-elle les honorer. Quand on est

1. Lettre du 1er mars 1878.
2. *Ibid.*
3. Lettre à Mme Roger des Genettes du 27 mai 1878.

quelqu'un, pourquoi vouloir être quelque chose[1] ? » Une tache lui est venue au front et, pour s'en débarrasser, il prend de la liqueur de Fowler « comme une jeune fille chlorotique » et du bicarbonate de soude. Toujours à court d'argent, il envie Émile Zola dont les livres se vendent si bien qu'il vient d'acheter une maison de campagne. Lui n'en finit pas de se débattre avec les explorations intellectuelles de ses deux imbéciles. Indubitablement, un tel livre n'a aucune chance d'être apprécié par le public. Pour un chapitre qu'il a en tête, il a besoin de la description de la salle à manger d'un curé. Il charge Laporte de se renseigner à ce sujet. Trouve-t-on là « un crucifix, une image pieuse, le buste du Saint-Père »? Laporte s'exécute. Bien que conseiller général, il est toujours et entièrement à la disposition de Flaubert. Grâce à lui, Caroline obtient la commande d'une copie des portraits de Corneille par Mignard et Lebrun. Ces toiles sont destinées à orner la maison natale, restaurée, du plus célèbre des écrivains rouennais, à Petit-Couronne. Un autre ami influent de Flaubert est le ministre de l'Instruction publique, Agénor Bardoux. Flaubert compte sur son appui pour qu'on joue enfin sa féerie, *Le Château des cœurs*, qui a été refusée par tous les directeurs de théâtre, et pour que la croix de la Légion d'honneur soit attribuée à Émile Zola. Comme le ministre n'obtempère pas immédiatement, Flaubert éclate : « Quant à mon camarade Bardoux, c'est un khon (orthographe chinoise). Je me promets de le lui dire[2]. »

Au mois d'août, le retour des grandes chaleurs le rend comme d'habitude attentif aux charmes des dames. À ces moments-là, c'est toujours la silhouette de Mme Brainne qui s'impose à son esprit enfiévré. « Je pense qu'il serait bien agréable de se baigner avec vous, dans quelque onde solitaire, lui écrit-il. Là-dessus, rêverie, tableaux poétiques, désirs, regrets et finalement tristesse... Je me figure (puis-

1. Lettre à la princesse Mathilde du 13 juin 1878.
2. Lettre à Émile Zola du 15 août 1878.

que vous êtes au bain) je me figure une grande salle de bains, voûtée, à la mauresque, avec une vasque au milieu. Vous apparaissez sur le bord, vêtue d'une grande chemise de soie jaune et, du bout de votre pied nu, vous tâtez l'eau. Crac! plus de chemise, nous nageons côte à côte, pas longtemps, car il y a dans un coin un bon divan où la chère belle se couche et au bruit de l'eau... votre Polycarpe et son amie passent un joli quart d'heure. » Il est plus cru lorsqu'il prêche l'abstinence à son disciple, Guy de Maupassant : « Vous vous plaignez du cul des femmes qui est monotone. Il y a un remède bien simple, c'est de ne pas vous en servir... Il faut, entendez-vous, jeune homme, il faut travailler plus que ça... Trop de putains, trop de canotage, trop d'exercice! Vous êtes né pour faire des vers, faites-en! Tout le reste est vain, à commencer par vos plaisirs et votre santé : foutez-vous cela dans la boule... Ce qui vous manque, ce sont les principes. On a beau dire, il en faut. Reste à savoir lesquels. Pour un artiste, il n'y en a qu'un : tout sacrifier à l'Art. La vie doit être considérée par lui comme un moyen, rien de plus, et la première personne dont il doit se foutre c'est de lui-même[1]. »

Tout en professant un robuste dédain pour les contingences matérielles, il souffre de la mévente de ses livres. Charpentier n'envisage pas de nouveaux tirages et l'édition de luxe de *Saint Julien*, prévue pour l'hiver, ne rapportera pas grand-chose à l'auteur. Pour réduire leurs dépenses, les Commanville sont contraints de rendre leur appartement de Paris et ne gardent, comme pied-à-terre, que le petit appartement de Flaubert. « C'est fini! écrit celui-ci. L'écriteau " à louer " est suspendu à la porte[2]. » Il espère pour Caroline une commande importante d'Agénor Bardoux et compte même pouvoir décrocher, grâce à ce ministre complaisant, une situation honorifique et lucrative pour Laporte. Mais il ne demande rien pour lui-même. Il aurait

1. Lettre du 15 août 1878.
2. Lettre à Caroline du 10 septembre 1878.

356

l'impression de déchoir en acceptant un autre gagne-pain que celui qui lui vient, bien irrégulièrement, de l'écriture. Son acharnement au travail agace Edmond de Goncourt qui note dans son *Journal* : « Ce n'est pas la quantité de temps, comme le croit Flaubert, qui fait la supériorité d'une œuvre, c'est la qualité de la fièvre qu'on se donne pour la faire. Qu'est-ce que fait une répétition ou une négligence de syntaxe, si la création est neuve, si la conception est originale, s'il y a, ici et là, une épithète ou un tour de phrase, qui vaille à lui seul cent pages d'une prose impeccable, qualité ordinaire[1]? » Cent fois cette question est agitée entre les deux hommes. Malgré les arguments de Goncourt, Flaubert défend, la bave aux lèvres, la nécessité d'une forme parfaite, seule capable d'assurer l'équilibre, la beauté et la pérennité de l'œuvre. Mais les discussions, dans ces dîners amicaux, prennent souvent une tournure moins élevée. « Ce soir, conversation sur les mauvaises odeurs des pieds, du nez, de la bouche, conversation dans laquelle se complaît et s'épanouit Flaubert, écrit Edmond de Goncourt. Flaubert, à condition de lui abandonner les premiers rôles et de se laisser enrhumer par les fenêtres qu'il ouvre à tout moment, est un très agréable camarade. Il a une bonne gaîté et un rire d'enfant qui sont contagieux; et dans le contact de la vie de tous les jours se développe en lui une grosse affectuosité, qui n'est pas sans charme[2]. »

En octobre, Flaubert, toujours tenaillé par le souci d'une documentation irréprochable, se rend à Étretat pour les besoins de *Bouvard et Pécuchet*. Il y rencontre sa vieille amie Laure de Maupassant, la mère de Guy, et s'inquiète de la voir usée, malade, à demi aveugle : « Elle ne peut plus supporter la lumière, elle est obligée de vivre dans les ténèbres. Le rayon d'une lampe la fait crier. C'est atroce!

1. Goncourt, *Journal*, 8 septembre 1878.
2. Goncourt, *Journal*, 19 et 21 septembre 1878.

Quelles pauvres machines que nous sommes[1]! » Les mauvaises nouvelles se succèdent : Charpentier retarde la publication de l'édition de luxe de *Saint Julien*; malgré les efforts d'Agénor Bardoux, *Le Château des cœurs* ne trouve pas de preneur; et la scierie de Commanville risque de se vendre dans de médiocres conditions, les acheteurs éventuels étant rares et réticents : « Quand on est au fond de l'abîme on n'a plus rien à craindre, écrit Flaubert à la princesse Mathilde. J'ai mal gouverné ma barque, par excès d'idéal; j'en suis puni, voilà tout le mystère[2]. » Et Edmond de Goncourt, inquiet du dénuement de son ami, note le 10 décembre : « Des détails navrants sur ce pauvre Flaubert. Sa ruine serait complète et les gens, pour lesquels il s'est ruiné par affection, lui reprocheraient les cigares qu'il fume, et sa nièce aurait dit : " C'est un homme singulier que mon oncle, il ne sait pas supporter l'adversité! " »

Au vrai, Caroline n'est nullement insensible à la détresse de son oncle. Mais elle est elle-même au bord de la dépression nerveuse. Ils sont embarqués, elle et lui, sur le même bateau qui donne de la bande. Par la faute d'Ernest Commanville. « J'ai du chagrin parce que je vois souffrir près de moi ceux que j'aime et que je suis dérangé dans mes travaux, confie encore Flaubert à la princesse Mathilde. La neige couvre la terre et les toits malgré le soleil. Je vis comme un ours dans sa tanière! Aucun bruit du dehors ne me parvient, et pour oublier mes misères je travaille avec acharnement. Aussi ai-je fait trois chapitres depuis quatre mois, ce qui, vu ma lenteur habituelle, est prodigieux[3]. » Pour le nouvel an, Mme Brainne, sa « chère belle », lui envoie une boîte de chocolats et il est tout ému de cette attention : « Vous m'aimez, je le sens, et je vous en remercie, du fond de l'âme. » Mais, dans la lettre accom-

1. Lettre à la princesse Mathilde du 30 octobre 1878.
2. Lettre de décembre 1878.
3. Lettre du 22 décembre 1878.

pagnant le cadeau, elle lui suggère de chercher un emploi honnête et rémunérateur. Aussitôt il proteste : « Je vous en prie, chère belle, ne me parlez plus d'une place ou situation quelconque! L'idée seule de cela m'ennuie et, pour lâcher le mot, m'humilie; comprenez-vous[1]! » Quelques jours plus tard, comme elle revient à la charge, il s'exprime avec plus de violence encore : « Quant à une place, à une fonction, ma chère amie, jamais! jamais! jamais! J'en ai refusé une que m'offrait mon ami Bardoux. C'est comme la croix d'officier dont il voulait même me faire cadeau. En mettant les choses au pire, on peut vivre dans une auberge avec mille cinq cents francs par an. C'est ce que je ferai plutôt que de toucher un centime du Budget... Et d'ailleurs, est-ce que je suis capable de remplir une place, quelle qu'elle soit? Dès le lendemain, je me ferais flanquer à la porte pour insolence et insubordination. Le malheur ne me tourne pas à la souplesse, au contraire! Je suis, plus que jamais, d'un idéalisme frénétique et résolu à crever de faim et de rage plutôt que de faire la moindre concession[2]. » Sa maxime est : « Les honneurs déshonorent, le titre dégrade, la fonction abrutit. » Cependant il avoue à Alphonse Daudet : « Ma vie est lourde. Il faut que je sois fort comme un bœuf pour n'en être pas crevé cent fois[3]. » Il regrette que son médecin, le Dr Fortin, se refuse à lui donner de l'opium, qui l'aiderait à dormir. Le soir, après le dîner, il appelle Julie, qui porte une vieille robe à damiers noirs ayant appartenu jadis à Mme Flaubert. Les yeux écarquillés, il s'imagine que c'est sa mère qui est revenue sur terre et qui vaque à ses menues occupations dans la maison. « Alors, je songe à la bonne femme, jusqu'à ce que les larmes me montent à la gorge, confie-t-il à Caroline. Voilà mes plaisirs[4]. » Le 21 janvier, la vente de la scierie

1. Lettre du 30 décembre 1878.
2. Lettre de janvier 1879.
3. Lettre du 3 janvier 1879.
4. Lettre du 16 janvier 1879.

ayant été remise, il écrit encore à sa nièce : « Nous ne pouvons rien dire, ni faire aucun projet, même à courte échéance, tant que la vente n'aura pas eu lieu! Il me tarde bien qu'elle soit terminée! Quand ce sera fini, j'aurai toujours quelques milliers de francs qui me permettront d'attendre la fin de *Bouvard et Pécuchet*. La gêne où je me trouve m'irrite de plus en plus et cette incertitude permanente me désespère. Malgré des efforts de volonté gigantesques, je sens que je succombe au chagrin. Ma santé serait bonne si je pouvais dormir. J'ai maintenant des insomnies persistantes; que je me couche tard ou de bonne heure, je ne puis m'endormir qu'à cinq heures du matin. Aussi ai-je mal à la tête tout l'après-midi... Inutile de se plaindre! Mais il est encore plus inutile de vivre! Quel avenir ai-je maintenant? À qui même parler? Je vis tout seul comme un méchant. » Il souhaiterait se rendre à Paris pour compléter sa documentation, mais les Commanville occupent son appartement et il est matériellement impossible d'y vivre à trois. « Au moins, ici, rien ne m'agace et là-bas il n'en serait pas de même », conclut-il.

Le 25 janvier, quatre jours après avoir expédié cette lettre, Flaubert glisse dans son jardin, sur le verglas, en allant ouvrir la grille, et se fracture la jambe. Son premier soin est de rassurer Caroline : « J'ai peur que *Le Nouvelliste* n'insère un entrefilet qui te donnerait de l'inquiétude : je me suis donné samedi, en glissant sur le verglas, une très forte entorse avec fêlure du péroné; mais je n'ai pas la jambe cassée. Fortin (que j'ai attendu quarante-huit heures) me soigne admirablement. Laporte vient me voir très souvent et couche ici. Suzanne[1] me soigne très bien. Je lis et je fume dans mon lit, qu'il me va falloir garder pendant six semaines... Quand je me serai fait faire une planche idoine pour écrire dans mon lit, je t'enverrai plus de détails[2]. » Le dévoué Laporte, malgré ses fonctions de

1. Jeune domestique de Flaubert.
2. Lettre du 27 janvier 1879.

conseiller général, veille sur lui, couche de temps à autre à Croisset et rédige même le courrier sous sa dictée. Attendri par tant de fidélité, Flaubert le surnomme « la Sœur ». De nombreux messages de sympathie arrivent à Croisset et il en est à la fois heureux et agacé : « Hier, j'ai reçu quinze lettres, ce matin douze, et il faut y répondre ou y faire répondre. Quelle dépense de timbres ! » Mais, ce qui le révolte le plus, c'est que *Le Figaro* ait publié une information sur son accident : « Villemessant a cru peut-être m'honorer, me faire plaisir et me servir. Loin de là ! Je suis hhhindigné ! Je n'aime pas à ce que le public sache rien de ma personne : Cache ta vie (maxime d'Épictète)[1] », écrit-il à Caroline.

Le gonflement de sa jambe ayant disparu, il espère pouvoir, dans une douzaine de jours, s'asseoir dans un fauteuil. On lui fera « une botte de dextrine ». Une fois la botte en place, il a des démangeaisons qui l'empêchent de dormir. Et, pendant ses insomnies, il ne songe qu'aux « maudites affaires ». « C'est si loin de la manière dont j'ai été élevé, confie-t-il à sa nièce. Quelle différence de milieux ! Mon pauvre bonhomme de père ne savait pas faire une addition, et jusqu'à sa mort je n'avais pas vu un papier timbré. Dans quel mépris nous vivions du commerce et des affaires d'argent ! Et quelle sécurité, quel bien-être[2] ! » Quand il ferme les yeux, la nuit, il a des cauchemars : « Je rampais sur le ventre et Paul (le concierge) m'insultait. Je voulais lui prêcher la religion (sic) et tout le monde m'avait abandonné. Mon impuissance me désespérait. J'y pense encore. La vue de la rivière, qui est splendide, me calme peu à peu[3]. »

Devant tant de misère, l'émotion est grande parmi ses amis. Quelques semaines auparavant, Taine avait eu une idée généreuse : ayant appris que l'académicien Silvestre de

1. Lettre du 30 janvier 1879.
2. Lettre de février 1879.
3. *Ibid.*

Sacy, conservateur à la bibliothèque Mazarine, était mourant, il avait songé à Flaubert pour le remplacer à ce poste, grâce à l'appui d'Agénor Bardoux, alors ministre de l'Instruction publique. Cette solution aurait fourni à Flaubert un traitement convenable et un agréable logement de fonction. Mais Flaubert hésita, renâcla et Agénor Bardoux ayant quitté le ministère en janvier, à la suite d'un changement de gouvernement, l'occasion parut s'éloigner. En février, les familiers de Flaubert décident de reprendre l'affaire en main. Ce ne sont que conciliabules secrets entre Ivan Tourgueniev, Edmond de Goncourt, Alphonse Daudet, Juliette Adam. On alerte Jules Ferry, le nouveau ministre de l'Instruction publique, et aussi Gambetta, président de la Chambre.

Le 3 février, Tourgueniev se rend à Croisset et adjure solennellement Flaubert de se montrer raisonnable : « Gambetta vous demande si vous voulez la place de M. de Sacy : huit mille francs et le logement. Répondez tout de suite. » Bouleversé, Flaubert passe une nuit blanche à peser le pour et le contre de la proposition. Au matin, brisé, écœuré, il dit à Tourgueniev : « Faites! » Tourgueniev repart, satisfait. Mais, à peine revenu à Paris, il déchante et envoie à son ami un télégramme affolé : « N'y pensez plus. Refus définitif. Lettre donne détails. – Tourgueniev. » En vérité, Gambetta n'a rien promis du tout. Ayant rencontré Tourgueniev chez Juliette Adam, il lui a même signifié qu'il était hostile à la nomination envisagée. *Le Figaro* du 15 février publie le récit ironique de cette entrevue entre le président de la Chambre et le romancier russe. À la lecture de l'article, Flaubert a une crise de désespoir. D'autant qu'il a appris, entre-temps, que la place était promise à son ami d'enfance, à Frédéric Baudry, bibliothécaire à l'Arsenal et gendre du bâtonnier Sénard, lequel a défendu jadis *Madame Bovary*. Ce dernier, député de la majorité républicaine, se dépense sans compter pour faire triompher le mari de sa fille. Il obtient gain de cause le 17 février. Cloué sur son lit de douleur,

Flaubert étouffe de honte et de rage. Non parce qu'un poste enviable vient de lui échapper (il est plutôt soulagé de n'avoir pas à se considérer comme un fonctionnaire), mais parce que ses amis, par leurs intrigues maladroites, ont révélé au monde sa détresse et son isolement. « On publie ma misère! écrit-il à sa nièce. Et ces misérables me plaignent, ils parlent de ma " bonté ". Que c'est dur! que c'est dur! Je n'en mérite pas tant! Maudit soit le jour où j'ai eu la fatale idée de mettre mon nom sur un livre! Sans ma mère et Bouilhet, je n'aurais jamais imprimé. Comme je le regrette maintenant! Je demande à ce qu'on m'oublie, à ce qu'on me foute la paix, à ce qu'on ne parle jamais de moi! Ma personne me devient odieuse. Quand donc serai-je crevé pour qu'on ne s'en occupe plus?... Mon cœur éclate de rage et je succombe sous le poids des avanies... Après tout, c'est bien! J'ai été lâche, j'ai manqué à mes principes (car moi aussi, j'en ai) et j'en suis puni... Toute la dignité de ma vie est perdue... Je me regarde comme un homme souillé... Souvent, d'ailleurs, il me semble que je ne pourrai plus écrire. On a tant frappé sur ma pauvre cervelle que le grand ressort est cassé. Je me sens fourbu, je ne demande qu'à dormir, et je ne peux pas dormir parce que j'ai sur la peau des démangeaisons abominables... De plus, j'ai mal aux dents, ou plutôt à la seule dent d'en haut qui me reste. Comique! comique! mais comique qui ne me fait pas rire.[1] »

Conscient des gaffes qui ont été commises dans cet imbroglio, Émile Zola écrit à Flaubert : « Nous avons tous été des maladroits... Ne soyez pas triste, je vous en prie de nouveau, soyez fier au contraire, vous êtes le meilleur de nous tous. Vous êtes notre maître et notre père. Nous ne voulons pas que vous vous fassiez du chagrin tout seul. Je vous jure que vous êtes aussi grand aujourd'hui qu'hier. Quant à votre vie, un peu troublée en ce moment, elle s'arrangera, soyez-en sûr : guérissez-vous vite et vous

1. Lettre du 22 février 1879.

verrez que tout ira bien[1]. » « Il n'est pas possible d'être un meilleur bougre que vous[2] », lui répond Flaubert.

Il peut enfin se lever, mais hésite à se servir de béquilles : il se croit trop lourd pour confier le poids de son corps à deux bouts de bois et préfère se mouvoir en s'appuyant du genou sur une chaise. Il lui faudra bien encore six semaines avant de se risquer à descendre un escalier. Et il n'ose rêver d'un séjour à Paris. D'ailleurs, il n'aurait pas assez d'argent pour payer le voyage.

Au mois de mars 1879, la scierie d'Ernest Commanville est vendue. Mais le produit de l'opération est si maigre qu'il suffit seulement à payer les créanciers privilégiés. Estimés ensemble à six cent mille francs, l'usine et le terrain n'en rapportent que deux cent mille. Et il y a d'autres créditeurs à désintéresser, parmi lesquels figurent Raoul-Duval et Laporte. « Ce n'est pas drôle, pauvre chérie! écrit Flaubert à Caroline. Mais ce pouvait être pire, et j'aime mieux ça! C'est fini, nous savons à quoi nous en tenir! Nous voilà au fond de l'abîme! Est-ce le fond? Il s'agit d'en sortir maintenant, c'est-à-dire de pouvoir subsister... Il y a une économie que nous pouvons réaliser, c'est que je n'habite plus du tout Paris. Le sacrifice en est fait dans mon cœur. Ce ne serait pas tous les jours gai; mais au moins, ici, je serais tranquille. Oh! la tranquillité! le repos! le repos absolu[3]! » Il a beau se mettre la tête à l'envers, il ne comprend rien à ces affaires de tractations immobilières. De toute évidence, les autres créanciers avaient des garanties et lui aucune. Il a fait aveuglément confiance à Ernest Commanville. Il en est récompensé par un dépouillement total. Mais pouvait-il se comporter autrement, alors qu'il s'agissait du bonheur de sa nièce?

À la fin de mars, on lui retire son second appareil et il fait quelques pas dans son cabinet. Apprenant qu'à Paris

1. Lettre du 17 février 1879.
2. Lettre du 18 février 1879.
3. Lettre du 11 mars 1879.

de bonnes âmes continuent à comploter pour lui obtenir une sinécure, il se fâche une fois de plus. « Je ne veux pas d'une aumône pareille, que je ne mérite pas d'ailleurs, écrit-il à un ami. Ceux qui m'ont ruiné ont le devoir de me nourrir, et non pas le gouvernement. Stupide, oui! Intéressé, non[1]! »

Toutefois, sous la pression de la nécessité, il se résigne à accepter, le cas échéant, une pension provisoire, dont il remboursera le montant dès qu'il sera rentré dans ses fonds. Une condition en tout cas : que la presse n'en fasse pas état. « Si *Le Figaro* s'en mêle ou que des amis m'en félicitent, je serai désespéré, écrit-il à Guy de Maupassant, car enfin il n'est pas drôle de vivre sur l'assistance publique[2]. » Et à Caroline : « J'ai tout lieu de croire qu'on va m'offrir une pension, et je l'accepterai, bien que j'en sois humilié jusqu'à la moelle des os (aussi je désire là-dessus le secret le plus absolu). Espérons que la presse ne s'en mêlera pas! Ma conscience me reproche cette pension (que je n'ai méritée nullement, quoi qu'on dise). Parce que j'ai mal entendu mes intérêts, ce n'est pas une raison pour que la patrie me nourrisse! Pour calmer ce scrupule, et vivre en paix avec moi-même, j'ai imaginé un moyen que je te communiquerai et que tu approuveras, j'en suis sûr... Si cela se fait comme je l'espère, je pourrai attendre la mort en paix... En résumé, j'aime mieux la vie la plus chétive, la plus solitaire et la plus triste, que d'avoir à penser à l'argent. Je renonce à tout pourvu que j'aie la paix, c'est-à-dire ma liberté d'esprit[3]. »

Quant aux brefs séjours qu'il compte faire à Paris, il assure sa nièce qu'il s'accommodera très bien d'un lit dans quelque coin de l'appartement qu'elle occupe; son médecin, l'ayant examiné, estime qu'il pourra entreprendre ce voyage au mois de mai. Aussitôt il annonce sa visite à la

1. Lettre de mars 1879.
2. Lettre du 12 mars 1879.
3. Lettre du 14 mars 1879.

princesse Mathilde et profite de l'occasion pour lui demander d'intervenir auprès des membres du jury du Salon en faveur des tableaux de Caroline : elle sera reçue sur la cimaise « à une place distinguée ». Se déplaçant clopin-clopant, dans la maison, il est très inquiet de la santé de son vieux chien, Julio, qui dépérit à vue d'œil. « On lui donne des lavements de vin et de bouillon et on va lui remettre des vésicatoires, écrit-il à Caroline. Le vétérinaire, maintenant, ne serait pas étonné s'il en réchappait. Avant-hier, ses extrémités étaient froides et nous le regardions, croyant qu'il allait mourir. C'est exactement comme une personne[1]. » Julio se rétablit, mais reste très faible. Flaubert le couve amoureusement.

Ce chien à bout de forces le fait penser à lui-même. Pourtant il s'astreint encore à prendre des notes, à les classer, à lire des livres de philosophie pour son *Bouvard et Pécuchet*. Et on vient le déranger avec des paperasses rédigées dans un style d'huissier ou de notaire. « Voici le reçu signé et paraphé, annonce-t-il à Caroline. Cet acte de commerçant, que j'accomplis régulièrement tous les mois sans en comprendre le sens pratique, m'exaspère de plus en plus. On ne refait pas son tempérament[2]. » Ses haines s'exacerbent dans la solitude. Apprenant la mort de Ville-messant, fondateur et directeur du *Figaro*, il exulte : « Son inventeur est crevé : tant mieux! Voilà le fond de mon opinion[3] », déclare-t-il à la princesse Mathilde. Et, à Caroline : « Ne vous préoccupez pas de mon arrivée à Paris. Le monde m'attire de moins en moins, et je ne sais quand je me résignerai à monter dans un wagon. L'idée même de franchir mon seuil m'est désagréable[4]. » À présent, il peut marcher, mais il lui faut porter une bande autour de la cheville. « De plus, je me suis fait arracher

1. Lettre du 6 avril 1879.
2. Lettre du 12 avril 1879.
3. Lettre du 16 avril 1879.
4. Lettre du 16 avril 1879.

une de mes dernières molaires. De plus, j'ai eu un lumbago. De plus, une blépharite. Et actuellement, depuis hier, je jouis d'un clou au beau milieu du visage[1]. »

Cette disgrâce physique ne l'empêche pas de recevoir à déjeuner, un dimanche, ses « deux anges », Mme Pasca et Mme Lapierre. À sa grande surprise, elles s'épanouissent après le repas, l'une sur son divan, l'autre dans un fauteuil. Il en profite pour s'installer à sa table et écrire « comme un petit père tranquille ». L'âge, pense-t-il, l'a rendu vertueux. À quelques jours de là, il va dîner chez Mme Lapierre, pour fêter la Saint-Polycarpe. Sa domestique, Suzanne, l'accompagne dans la voiture, pour le soigner en cas de malaise. « La voiture m'a extrêmement gêné, confie-t-il à Caroline. Le mouvement des roues, les cahots me faisaient mal dans le pied et le grand air m'étourdissait. Seul, je n'aurais pas continué. » Pour le recevoir gaiement, Lapierre s'est déguisé en Bédouin, Mme Lapierre en Kabyle et le chien de Mme Pasca a été affublé de rubans dans ses poils. Une guirlande de fleurs entoure l'assiette et le verre de l'illustre visiteur. Mme Pasca lit des vers à sa louange. On trinque au champagne. « Les amphitryons ont été bien aimables, mais... crevettes pas fraîches, note encore Flaubert. Tu sauras que je m'en gorge tous les jours (de crevettes), ne pouvant plus manger de viande. Fortin[2] m'appelle plus que jamais " une grosse fille hystérique ". » Et il conclut : « Je suis en train de corriger les épreuves de *Salammbô* pour Lemerre. Eh bien, franchement, j'aime encore mieux ça que *L'Assommoir*[3]. » Il déteste aussi *Les Sœurs Vatard*, de Huysmans, « un élève de Zola », mais trouve beaucoup de charme au *Chat maigre* d'Anatole France et aux *Frères Zemganno* d'Edmond de Goncourt : « Je suis enchanté de votre bouquin. Plusieurs fois je me suis retenu pour ne pas pleurer, et cette nuit j'en ai eu un

1. Lettre à Edmond de Goncourt du 24 avril 1879.
2. Médecin de Flaubert.
3. Lettre du 25 avril 1879.

cauchemar[1]. » Son travail a été retardé par sa maladie. Mais il rassure Charpentier : « Dans un an nous ne serons pas loin de la terminaison complète et, quand vous connaîtrez l'œuvre, vous verrez que j'ai été rapide[2]. »

Un soir, il décide de trier sa correspondance d'autrefois et de brûler les lettres qui ne sont pas dignes de passer à la postérité. Guy de Maupassant l'assiste dans cet autodafé nocturne. Paralysé de respect, il voit Flaubert parcourir du regard quelques pages anciennes, mettre les unes de côté et jeter les autres dans la cheminée avec un profond soupir. Les flammes bondissent, éclairant la silhouette lourde, le visage raviné au front chauve et les gros yeux humides. Flaubert s'attarde sur un billet de sa mère. « Il m'en lut des fragments, écrit Maupassant, je voyais dans ses yeux des larmes briller, puis couler sur ses joues... Quatre heures avaient sonné, il trouva tout à coup, au milieu des lettres, un mince paquet, noué avec un étroit ruban, et, l'ayant développé lentement, il découvrit un petit soulier de bal en soie et dedans une rose fanée, roulée, dans un mouchoir de femme, tout jaune, en son cadre de dentelle... Il baisa ces trois reliques avec des gémissements de peine, puis il les brûla et s'essuya les yeux. Puis il se leva : " C'était, dit-il, le tas de ce que je n'avais voulu ni classer ni détruire, c'est fait. Va te coucher. Merci. " »

Le 2 juin, ayant fait enfin le voyage de Paris, il apprend que, grâce à l'intervention de Victor Hugo auprès de Jules Ferry, il va obtenir un poste de conservateur hors cadre à la Mazarine, qui ne l'obligera à aucun travail, à aucun acte de présence, et lui rapportera trois mille francs par an. Cette fois, il est à quia et ne peut se montrer difficile. Avec fureur, avec honte, il capitule. « C'est fait! J'ai cédé! écrit-il à un ami. Mon intraitable orgueil avait résisté jusqu'ici. Mais, hélas! je suis à la veille de crever de faim, ou à peu près. Donc, j'accepte la place en question, trois

1. Lettre du 1er mai 1879.
2. Lettre de mai 1879.

mille francs par an, avec la promesse de ne me faire servir à quoi que ce soit, car vous comprenez qu'un séjour forcé à Paris me rendrait plus pauvre encore qu'auparavant[1]. »

À Paris, il a l'occasion de rencontrer son frère Achille, qu'il n'a plus vu depuis longtemps et qui est de passage dans la capitale. Affaibli par une attaque, Achille a pris sa retraite et vit une grande partie de l'année à Nice. Flaubert n'a que peu de sympathie pour sa belle-sœur, bourgeoise et dévote. Mais il garde une vive affection pour Achille. Il le croit riche et, au cours d'une entrevue, le met au courant de ses embarras financiers. D'emblée Achille lui promet son aide : trois mille francs par an. Mais il oublie aussitôt son offre. Il n'a plus sa tête à lui. « Un ramollissement irrémédiable », note Flaubert. Néanmoins, déjeunant, le 8 juin, avec Edmond de Goncourt, il lui fait part de l'amélioration survenue dans sa situation pécuniaire. « Il ajoute qu'il a vraiment souffert d'être forcé d'accepter cet argent et que, du reste, il a déjà pris ses dispositions pour qu'un jour il soit remboursé à l'État, écrit Edmond de Goncourt. Son frère, qui est très riche et mourant, doit lui faire trois mille livres de rentes; avec cela et ses gains de littérature il se trouvera sur ses pieds... Il est plus briqueté, plus coloré à la Jordaens que jamais; et une mèche de ses grands cheveux de la nuque, remontée sur son crâne dénudé, fait penser à son ascendance peau-rouge. » Deux jours plus tard, un dîner intime, chez les Charpentier, réunit Flaubert, Zola et Goncourt. Au cours du repas, Flaubert interpelle son hôte au sujet de l'édition de luxe de *Saint Julien l'Hospitalier*, pour laquelle il ne veut pas d'autre illustration que la reproduction du vitrail de la cathédrale de Rouen. « Mais, lui crie-t-on, avec votre vitrail seul, la publication n'a aucune chance de succès! Vous en vendrez vingt exemplaires... Puis, pourquoi vous butez-vous pour une chose que vous-même reconnaissez

1. Lettre du début juin 1879.

être absurde ? » Avec un geste théâtral, Flaubert réplique : « C'est absolument pour épater le bourgeois! »

Il profite de son séjour à Paris pour se rendre, chaque après-midi, à la Bibliothèque nationale, où il lit des montagnes de livres en prenant des notes. « Il n'y a plus que le travail qui m'amuse [1] », confie-t-il à Caroline. Même la sollicitude des gens à son égard le hérisse. Quand on s'avise de le plaindre pour sa jambe cassée, il coupe court à l'entretien avec humeur. « Oui, ma fracture me devient une scie, écrit-il à Mme Roger des Genettes. C'est comme la *Bovary*, dont je ne peux plus entendre parler; son nom seul m'exaspère. Comme si je n'avais pas fait autre chose!... La littérature devient de plus en plus difficile. Il fallait être fou pour entreprendre un livre comme celui que je fais [2]. »

Cet aveu de découragement ne l'empêche pas de rêver, dès à présent, à un autre livre. Un livre qui, par son éclat et son érudition, ferait oublier tous les précédents. « Sais-tu ce qui m'obsède maintenant? annonce-t-il à Caroline. L'envie d'écrire la bataille des Thermopyles. Ça me reprend [3]. » Une déception au milieu de ce nouveau projet : Laporte, « le bon Valère », « la Sœur », vient d'être nommé inspecteur divisionnaire du travail dans les manufactures, à Nevers. Son départ de Grand-Couronne privera Flaubert d'un ami dévoué qui animait, de temps à autre, la solitude de Croisset. Tant pis : il a l'habitude de cette débandade, autour de lui, de tous les êtres chers. Deuils et départs, il est voué à un perpétuel tête-à-tête avec lui-même.

À peine réinstallé dans sa maison du bord de la Seine, il harcèle Charpentier pour que celui-ci hâte la réédition de *L'Éducation sentimentale*, dont, d'après le contrat avec Michel Lévy, les droits lui reviendront le 10 août de cette année. « J'ai besoin que le susdit bouquin paraisse le plus

1. Lettre du 12 juin 1879.
2. Lettre du 13 juin 1879.
3. Lettre du 19 juin 1879.

promptement possible, écrit-il à Mme Charpentier. Cela est très sérieux. Ce roman a été étranglé à sa naissance par Troppmann et Pierre Bonaparte[1]. Il serait juste de le réhabiliter. C'est un four immérité[2]. »

Ainsi, malgré sa fatigue et son dégoût de la comédie littéraire, il est de plus en plus absorbé par des projets de publication, de correction, d'écriture. Quoi qu'il fasse, quoi qu'il dise, il ne peut s'évader de cet enfer d'encre et de papier où il s'est engagé dès son plus jeune âge et dont les affres et les joies sont devenues, à la longue, ses seules raisons de vivre.

---

1. Troppmann, assassin de la famille Kinck, à la Villette. Son procès fit grand bruit. Il fut guillotiné le 21 janvier 1870. Pierre Bonaparte, fils de Lucien. Le 10 janvier 1870, il tua d'un coup de revolver le journaliste Victor Noir, à la suite d'une polémique de presse. Une Haute Cour, siégeant à Tours, l'acquitta.

2. Lettre du 25 juin 1879.

XXII

LE MANUSCRIT INACHEVÉ

À Croisset, Flaubert souffre d'un été sans soleil, qui n'est bon « ni pour les légumes, ni pour les poires, ni pour les gens ». Mais le mauvais temps, qu'il feint de déplorer, l'incite à rester chez lui et à travailler avec un regain d'énergie. « J'ai repoussé tous les livres et j'écris, annonce-t-il, le 15 juillet 1879, à Mme Roger des Genettes, c'est-à-dire que je barbote dans l'encre sans discontinuer. Me voilà à la partie la plus rude (et qui peut être la plus haute) de mon infernal bouquin, c'est-à-dire à la métaphysique. Faire rire avec la théorie des idées innées! Voyez-vous le programme? » Il a d'autant moins le temps de rêver qu'il lui faut en outre corriger les épreuves de *Salammbô*, réédité chez Lemerre, et de *L'Éducation sentimentale*, en cours de réimpression chez Charpentier. Et Lemerre entend publier également les *Poésies* complètes de Louis Bouilhet.

Les rapports de l'auteur avec Charpentier sont si amicaux que celui-ci lui rend visite à la fin du mois d'août, avec sa femme et ses enfants, à Croisset. Aussitôt après les avoir reçus, avec joie et largesse, Flaubert bondit à Paris, son manuscrit dans sa valise. Le 3 septembre, il passe l'après-midi à relire « dans le silence du cabinet », les trois derniers chapitres qu'il a rédigés de *Bouvard et Pécuchet*. Il est agréablement surpris : « C'est très bien, très raide, très

fort et pas du tout ennuyeux. Voilà mon opinion[1]. »
Soulevé par un vent d'optimisme, il autorise du Locle à
écrire le livret d'opéra de *Salammbô* dont Reyer doit
composer la musique. Autre bonne nouvelle : *Le Château
des cœurs*, à défaut d'être représenté, sera publié, et
Caroline est pressentie pour une illustration de la pièce. Le
20 septembre, Edmond de Goncourt, rendant visite à son
vieil ami, le trouve en train de fermer sa malle. Flaubert se
prépare à quitter Paris pour Croisset. Il est au comble de
l'exaltation. « Oui, j'ai encore deux chapitres à écrire,
annonce-t-il d'une voix claironnante. Le premier sera fini
en janvier, le second, je l'aurai terminé à la fin de mars ou
d'avril... Mon volume paraîtra au commencement de
1881... Je me mets aussitôt à un volume de contes... Le
genre n'a pas grand succès, mais je suis tourmenté par
deux ou trois idées à forme courte. Après cela, je veux
essayer d'une tentative originale. Je veux prendre deux ou
trois familles rouennaises avant la Révolution et les mener
à ces temps-ci... Puis mon grand roman sur l'Empire...
Mais avant tout, j'ai besoin, mon vieux, de me débarrasser
d'une chose qui m'obsède... C'est ma bataille des Thermopyles... Je ferai un voyage en Grèce... Je vois dans ces
guerriers grecs une troupe dévouée à la mort, y allant
d'une manière gaie, ironique... Ce livre, il faut que ce soit
pour tous les peuples une *Marseillaise* d'un ordre
élevé[2] ! »

Ainsi rentre-t-il à Croisset dans une humeur euphorique
et active. Il ne tarde pas à s'assombrir par suite d'un grave
incident qui l'oppose à son cher Laporte : celui-ci avait, en
1875, accordé des garanties pour sauver Ernest Commanville de la faillite. Ces garanties ne suffisant plus, on le prie
de les renouveler. Or, les renseignements pris auprès des
banquiers sur Commanville sont détestables. D'après eux,
il continue à mener grand train et ne se soucie guère de

    1. Lettre à Caroline du 3 septembre 1879.
    2. Goncourt, *Journal*, 20 septembre 1879.

l'avenir. D'autre part, Laporte, ayant lui-même des soucis financiers, n'a plus les moyens de se porter garant. En outre, il est fonctionnaire (inspecteur du travail) et conseiller général. Il ne peut se permettre de risquer cette double situation dans une affaire louche. Il refuse, déclenchant la fureur des Commanville. Dominée par son mari, Caroline exige que Flaubert rompe toute relation avec celui qui fut son meilleur ami. Elle explique à son oncle que c'est par avarice et par ingratitude que Laporte se dérobe. Cette attitude, dit-elle, est plus offensante pour Flaubert que pour elle et son mari. Déchiré entre son amour pour Caroline et son affection pour « Valère », Flaubert finit par donner raison à sa nièce. Il a toute confiance en elle. Comment pourrait-il imaginer qu'elle et Ernest le trompent? « Voilà bien ce que je redoutais, mon bon géant, lui écrit tristement Laporte. On vous fait intervenir dans une discussion à laquelle vous auriez dû rester étranger... Si nous nous exposons nos griefs et nos raisons, qu'en résultera-t-il? Sachez bien, mon bon géant, que je vous aimerai toujours de tout cœur. » Cette lettre bouleverse Flaubert, d'autant que Laporte est revenu, pour quelques jours, à Grand-Couronne. Ne va-t-il pas vouloir le relancer à Croisset? « Cette attente est pour moi une véritable angoisse, écrit-il à Caroline. Que lui dire? Je suis perplexe et navré. Quand donc serai-je tranquille? Quand me foutra-t-on la paix définitivement? Cette histoire de Laporte m'emplit d'une telle amertume et gâte ma vie tellement que je n'ai pas eu la force de me réjouir d'un événement heureux qui m'arrive : Jules Ferry m'a écrit, hier, qu'il m'accordait une pension annuelle de trois mille francs, à partir du 1er juillet 1879. La lettre est ultra-aimable. Ce libre penseur a du bon. Je devrais être content? Pas du tout! car enfin, c'est une aumône (et je me sens humilié jusque dans les moelles). Quand pourrai-je la rendre, ou m'en passer[1]? »

1. Lettre du 8 octobre 1879.

Malgré ses réticences, il charge Guy de Maupassant de toucher l'argent à sa place, au ministère, et de le lui apporter à Croisset lors d'un prochain voyage. D'autre part, il implore Charpentier de lui faire parvenir le montant de ses droits sur la nouvelle édition de *L'Éducation sentimentale*. S'interrogeant sur les raisons du peu de succès de ce livre, il déclare à Mme Roger des Genettes : « C'est trop vrai et, esthétiquement parlant, il y manque la fausseté de la perspective. À force d'avoir bien combiné le plan, le plan disparaît. Toute œuvre d'art doit avoir un point, un sommet, faire la pyramide, ou bien la lumière doit frapper sur un point de la boule. » Et, toujours torturé par sa brouille avec Laporte, il confie à sa correspondante : « Un homme que je regardais comme mon ami intime vient de se montrer envers moi du plus plat égoïsme. Cette trahison m'a fait souffrir. Les coupes d'amertume ne sont pas ménagées à votre vieil ami[1]. »

Le 18 novembre, Georges Pouchet, « qui est un charmant homme, si instruit et si simple », lui rend visite et tous deux évoquent la possibilité d'une prochaine expédition en Grèce. « Nous avons rêvé ensemble le voyage aux Thermopyles, quand je serai quitte de *Bouvard et Pécuchet*, écrit Flaubert à Caroline. Mais à cette époque-là, c'est-à-dire dans dix-huit mois, Vieux ne sera-t-il pas trop vieux ? » Devenu hostile à tout bruit extérieur, il en arrive à être agacé de sa renommée, qui lui vaut de nombreuses lettres de jeunes écrivains en quête d'encouragements. « Vraiment, ma gloire m'encombre ! affirme-t-il encore à sa nièce. Cette semaine, voilà trois envois d'auteurs. Avec mes lectures (et mes ratures) je n'en peux plus. La théologie m'abrutit. Quel chapitre ! Il me paraît difficile d'avoir fini au jour de l'an. Les difficultés surgissent à chaque ligne. Depuis mardi soir, je n'ai vu personne, ce qui s'appelle pas un chat[2]. » Pour se distraire de son écriture, il

1. Lettre de la première quinzaine d'octobre 1879.
2. Lettre du 23 novembre 1879.

dénombre les bateaux qui passent devant ses fenêtres :
« J'en ai compté hier vingt-trois. Adieu, pauvre chérie.
Ta nounou t'embrasse. » Il partage à présent son
affection paternelle entre sa nièce Caroline et son disciple
Guy de Maupassant, dont il voudrait que la réussite fût
indiscutable. Il recommande le jeune écrivain à Juliette
Adam, qui vient de fonder *La Nouvelle Revue* : « Je lui
crois un grand avenir littéraire d'abord; et puis je l'aime
tendrement parce que c'est le neveu du plus intime ami
que j'aie eu, auquel il ressemble beaucoup du reste – un
ami mort il y a bientôt trente ans, celui à qui j'ai dédié
mon *Saint Antoine*[1]. » Sur les instances de Flaubert,
Guy de Maupassant envoie à Juliette Adam sa poésie :
La Vénus rustique. Elle est refusée et la directrice
de la revue conseille au jeune auteur de s'inspirer de
Theuriet, ce qui déchaîne la colère de Flaubert :
« Voilà bien les journaux! Theuriet donné pour modèle!
La vie est lourde et ce n'est pas d'aujourd'hui que je m'en
aperçois[2]. »

La neige de décembre recouvre la campagne engourdie.
Le monde des vivants s'éloigne. « Tant que je travaille, ça
va bien, raconte Flaubert à Caroline, mais les moments de
repos, les entractes de la littérature ne sont pas tous les
jours folâtres. Quel temps! quelle neige! quelle solitude!
quel silence! quel froid! Suzanne a fait un paletot à Julio
avec un de mes vieux pantalons. Il ne démarre pas du coin
du feu... Je continue très souvent à penser à mon ex-ami
Laporte. Voilà une histoire que je n'ai pas avalée facile-
ment[3]. » Et, à la princesse Mathilde : « Ici, il est
impossible de mettre le pied dehors. Pas un bateau sur
l'eau, pas un passant sur la route. C'est comme un
tombeau d'une entière blancheur, dans lequel on gîte,
enseveli. Je profite de cette radicale solitude pour avancer

1. Lettre du 25 novembre 1879.
2. Lettre à Guy de Maupassant du 3 décembre 1879.
3. Lettre du 6 décembre 1879.

mon interminable bouquin[1]. » Tourgueniev vient fêter avec lui ses cinquante-huit ans et reste deux jours à Croisset. On parle littérature jusqu'à une heure avancée de la nuit. « Il m'a redonné du cœur pour *Bouvard et Pécuchet*, ce dont j'ai grand besoin, car, franchement, je tombe sur les bottes, constate Flaubert. Ma pauvre cervelle n'en peut plus! Il faudra que je me repose! (depuis tant d'années je travaille sans relâche!) Mais quand sera-ce[2]? » Il fait si froid que Suzanne est constamment dans l'escalier, montant du bois et du coke pour la cheminée. « Ce matin, un brouillard à couper au couteau. Malgré mon grand âge je n'ai jamais vu un pareil hiver[3]. »

Soudain, entre Noël et le jour de l'an, c'est le dégel. Il pleut. Flaubert, frissonnant, se compare à un « fossile ». Le 31 décembre, il écrit à sa nièce : « Que 1880 te soit léger, ma chère fille! Bonne santé, triomphes au Salon, réussite des affaires!... On est noyé dans la boue. Il est très difficile *d'aller z'aux lieux* à cause des flaques d'eau et du verglas. Tantôt j'ai encore risqué de me casser une patte. Autre désagrément : les pauvres (la sonnette retentit à chaque moment, ce qui me trouble beaucoup). Du reste Suzanne les congédie avec une impassibilité charmante... Pour se remonter le moral, Monsieur se soigne sous le rapport de la gueule. Le caviar de Tourgueniev avec le beurre de la nièce sont la base de mes déjeuners, et Mme Brainne m'a envoyé (sans compter un pot de gingembre) une terrine de Strasbourg qui est à faire pousser des cris. » Présentant ses vœux à Guy de Maupassant, il espère que son « très aimé disciple » trouvera un bon sujet de drame susceptible de lui rapporter cent mille francs et conclut : « Les souhaits relatifs aux organes génitaux ne viennent qu'en dernier lieu, la nature y pourvoyant d'elle-

1. Lettre du 8 décembre 1879.
2. Lettre à Caroline du 16 décembre 1879.
3. Lettre à Caroline du 23 décembre 1879.

même[1]. » Il intervient auprès de Mme Charpentier pour que son mari publie le volume de vers du jeune auteur : « J'insiste. Ledit Maupassant a beaucoup, mais beaucoup de talent! C'est moi qui vous le dis et je crois m'y connaître... Si votre légitime ne cède pas à toutes ces raisons, je lui en garderai rancune, cela est certain[2]. » En revanche, il renonce à s'occuper des autres débutants qui sollicitent son aide : « Je suis débordé. Mes yeux ne suffisent plus à ma besogne, ni le temps non plus. Je suis obligé de répondre aux jeunes gens qui m'envoient leurs œuvres que maintenant je ne puis plus m'occuper d'eux, et je me fais, bien entendu, autant d'ennemis[3]. » Cependant il prend le temps de lire les trois volumes de *Guerre et paix* de Tolstoï, publiés par Hachette et que Tourgueniev vient de lui envoyer. Le voici délirant d'enthousiasme : « C'est un roman de premier ordre », écrit-il à Mme Roger des Genettes. Et, à Tourgueniev : « Quel peintre et quel psychologue! Les deux premiers (volumes) sont sublimes, mais le troisième dégringole affreusement. Il se répète et il philosophise. Enfin, on voit le monsieur, l'auteur et le Russe, tandis que jusque-là on n'avait vu que la nature et l'humanité. Il me semble qu'il a parfois des choses à la Shakespeare. Je poussais des cris d'admiration pendant cette lecture. Et elle est longue. Oui, c'est fort, bien fort! » À quelques jours de là, il a un autre sujet d'exaltation heureuse en lisant les épreuves d'un conte de Guy de Maupassant : « *Boule de Suif* est un chef-d'œuvre, annonce-t-il fièrement à Caroline. Je maintiens le mot : un chef-d'œuvre de composition, de comique et d'observation[4]. » Le même jour, il écrit à l'auteur : « Oui, jeune homme, ni plus ni moins, cela est d'un maître. C'est bien original de conception, entièrement bien compris et d'un

1. Lettre du 2 janvier 1880.
2. Lettre du 13 janvier 1880.
3. Lettre à Mme Roger des Genettes du 25 janvier 1880.
4. Lettre du 1er février 1880.

excellent style. Le paysage et les personnages se voient, et la psychologie est forte. Bref, je suis ravi... Ce petit conte restera, soyez-en sûr!... Non! vraiment je suis content! Je me suis amusé et j'admire! »

Pour le remercier de cette approbation sans réserve, Guy de Maupassant vient passer trois jours à Croisset. Il est remplacé par un autre admirateur de qualité : Jules Lemaître, professeur de rhétorique au Havre, qui lit *Madame Bovary* à ses élèves. Peu après, *La Vie moderne*, magazine que Bergerat dirige chez Charpentier, publie *Le Château des cœurs*, agrémenté de dessins qui désolent Flaubert. « Ma pauvre féerie est bien mal publiée, écrit-il à la princesse Mathilde. On coupe mes phrases par des illustrations enfantines. Cela me restera dans ma haine des journaux[1]. » Mais le même Charpentier vient de faire paraître *Nana*, d'Émile Zola. Et cette fois, oubliant toute jalousie littéraire, Flaubert jubile : « S'il fallait noter tout ce qui s'y trouve de rare et de fort, je ferais un commentaire à toutes les pages, écrit-il à l'auteur. Les caractères sont merveilleux de vérité. Les mots *nature* foisonnent; à la fin, la mort de Nana est michelangelesque!... Un livre énorme, mon bon! Nana tourne au mythe sans cesser d'être réelle. Cette création est babylonienne[2]. »

Il a d'autant plus de mérite à se réjouir ainsi du succès de Zola qu'il éprouve, en ce moment même, de graves inquiétudes au sujet de l'avenir de Guy de Maupassant. Celui-ci est menacé de poursuites, par le tribunal d'Étampes, parce que les « bonnes mœurs » sont outragées dans son poème *Le Mur*. À l'idée que son cher disciple va peut-être comparaître comme lui devant des juges imbéciles, Flaubert écume de rage. D'autant que le jeune homme est, depuis peu, attaché au ministère de l'Instruction publique et qu'un scandale risque de lui faire perdre sa situation. Résolu au combat, Flaubert dresse à l'intention

1. Lettre du 13 février 1880.
2. Lettre du 15 février 1880.

de Guy de Maupassant une liste de visites qu'il devrait faire auprès de personnages influents – sénateurs, conseillers d'État –, et écrit lui-même de nombreuses lettres pour aider à l'étouffement de l'affaire. Parmi tous ces protecteurs possibles, Raoul-Duval, conseiller municipal de Rouen, se montre le plus compréhensif. Il promet d'intervenir en haut lieu. « Grâce à Raoul-Duval, le procureur général arrêtera les choses et tu ne perdras pas ta place[1] », écrit Flaubert triomphalement à Guy de Maupassant. Et, deux jours plus tard, il précise : « Quand on écrit bien on a contre soi deux ennemis : premièrement, le public, parce que le style le contraint à penser, l'oblige à un travail; et deuxièmement, le gouvernement, parce qu'il sent en nous une force et que le pouvoir n'aime pas un autre pouvoir. Les gouvernements ont beau changer, monarchie, empire ou république, peu importe! L'esthétique officielle ne change pas. De par la vertu de leur place, les agents – administrateurs et magistrats – ont le monopole du goût... Ils savent comment on doit écrire, leur rhétorique est infaillible, et ils possèdent le moyen de vous convaincre... Pendant que ton avocat te fera signe de te contenir – un mot pourrait te perdre – tu sentiras derrière toi, vaguement, toute la gendarmerie, toute l'armée, toute la force publique pesant sur ton cerveau d'un poids incalculable; alors il te montera au cœur une haine que tu ne soupçonnes pas, avec des projets de vengeance, de suite arrêtés par orgueil. Mais encore une fois, ce n'est pas possible. Tu ne seras pas poursuivi. Tu ne seras pas condamné[2]. » En effet, les poursuites judiciaires seront bientôt abandonnées.

Mais déjà un autre motif d'indignation secoue Flaubert. Maxime Du Camp vient d'être élu à l'Académie française, au fauteuil de Saint-René Taillandier. « La nomination de Du Camp à l'Académie me plonge dans une rêverie sans

1. Lettre du 17 février 1880.
2. Lettre du 19 février 1880.

bornes et augmente mon dégoût de la capitale! écrit Flaubert à Caroline. Mes principes n'en sont que renforcés. Labiche et Du Camp, quels auteurs! Après tout, ils valent mieux que beaucoup de leurs collègues. Et je me répète cette maxime qui est de moi : " Les honneurs déshonorent, le titre dégrade, la fonction abrutit. " Commentaire : impossible de pousser plus loin l'orgueil[1]. » Et, à Maxime Du Camp, qui lui écrit pour lui annoncer son élection, il répond : « Pourquoi veux-tu que je sois irrité? Du moment que ça te fait plaisir, ça m'en fait. Mais je m'étonne, je m'épate, j'en demeure stupide, je me demande : dans quel but? Pourquoi? Te souviens-tu d'une charge faite autrefois à Croisset entre toi, moi et Bouilhet? C'était notre réception mutuelle à l'Académie française!... Ce qui m'amène à des réflexions curieuses. »

Le 8 mars, il apprend avec soulagement qu'Ernest Commanville a enfin réussi à trouver une affaire qu'il estime rentable. Il remonte une scierie et part pour Odessa chercher du bois. « Comme je suis content, ou plutôt heureux! écrit Flaubert à sa nièce. Je voudrais être à Paris pour m'en réjouir avec vous. C'est donc fini... Dans les premiers temps, ce ne sera peut-être pas encore magnifique. Mais enfin il y aura un flux métallique qui nous fera sortir de la gêne. Et l'avenir est bon. Hosannah[2]! » Déjà il organise sa cohabitation avec les Commanville dans l'appartement de Paris. La dernière fois qu'il s'y est rendu, il a trouvé les lieux encombrés par les vêtements et les meubles de Caroline. Il faut y mettre bon ordre. Il pose des conditions : « Je demande à être débarrassé de mon ennemi : le piano, et d'un autre ennemi qui me donne des coups au front : l'inepte suspension de la salle à manger. Elle est fort incommode quand on a quelque chose à faire sur la table... Débarrasse-moi aussi de tout le reste, ce sera plus simple! la machine à coudre, les plâtres, ta belle

1. Lettre du 28 février 1880.
2. Lettre du 8 mars 1880.

bibliothèque vitrée, ton bahut... Enfin mets cet excédent de mobilier chez Bedel (le garde-meuble) jusqu'à un nouvel emménagement. Mais arrange-toi pour que je sois un peu chez moi, et libre dans mes entournures[1]. »

Depuis quelque temps, il a un grand projet en tête : réunir à Croisset, le jour de Pâques, Zola, Goncourt, Daudet, Charpentier, Jules Lemaître et Guy de Maupassant pour « un petit balthazar champêtre ». Il leur offre quatre lits et la promesse de quelques heures de délicieuse camaraderie. Tous acceptent. Manquera seul à l'appel des amis le doux géant Tourgueniev, qui est retourné dans son inquiétante et lointaine Russie. En prévision de la fête, Suzanne « écure et récure à force ». « Jamais elle n'a plus travaillé », dit Flaubert. Lui-même, dans un regain de zèle, s'acharne sur son manuscrit : « Quel livre! Je suis à sec de tournures, de mots et d'effets. L'idée seule de la terminaison du bouquin me soutient, mais il y a des jours où j'en pleure de fatigue, puis je me relève, et trois minutes après je retombe comme un vieux cheval fourbu[2]. »

Le dimanche 28 mars 1880, jour de Pâques, Goncourt, Zola, Daudet et Charpentier débarquent du train à la gare de Rouen. Maupassant, qui les a précédés, les attend sur le quai pour les conduire en voiture à Croisset. « Nous voici reçus par Flaubert en chapeau calabrais, en veste ronde, avec son gros derrière dans son pantalon à plis et sa bonne tête affectueuse, écrit Edmond de Goncourt. C'est vraiment très beau, sa propriété, et je n'en avais gardé qu'un souvenir incomplet. Cette immense Seine sur laquelle les mâts de bateaux, qu'on ne voit pas, passent comme dans un fond de théâtre; ces beaux grands arbres aux formes tourmentées par les vents de la mer; ce parc en espalier, cette longue allée-terrasse en plein midi, cette allée péripatéticienne, en font un vrai logis d'homme de lettres, – le logis de Flaubert... Le dîner est très bon. Il y a une sauce à

1. Lettre du 14 mars 1880.
2. Lettre du 23 mars 1880.

la crème d'un turbot qui est une merveille. On boit beaucoup de vins de toutes sortes, et toute la soirée se passe à conter de grasses histoires, qui font éclater Flaubert en ces rires qui ont le pouffant des rires de l'enfance. Il se refuse à lire de son roman, il n'en peut plus, il est *esquinté*. Et l'on va se coucher en des chambres assez froides et peuplées de bustes de famille[1]. » Le lendemain, les invités se lèvent tard, passent leur matinée à bavarder paresseusement, déjeunent et repartent. La solitude se referme sur Flaubert.

Le 18 avril, il reçoit *Les Soirées de Médan*, livre collectif, avec une dédicace affectueuse de Zola, Céard, Huysmans, Hennique, Alexis et Maupassant. Ce recueil de nouvelles contient entre autres *L'Attaque du moulin* de Zola et *Boule de Suif* de Maupassant. Ayant lu l'ensemble, Flaubert décrète : « *Boule de Suif* écrase le volume, dont le titre est stupide[2]. » Son cher Guy, qu'il tutoie maintenant, lui a envoyé également son volume de vers. L'ouvrage est dédié « à Gustave Flaubert, à l'illustre et paternel ami que j'aime de toute ma tendresse, à l'irréprochable maître que j'admire avant tous. » Ému, Flaubert répond à l'auteur : « Mon jeune homme, tu as raison de m'aimer, car ton vieux te chérit... Ta dédicace a remué en moi tout un monde de souvenirs : ton oncle Alfred, ta grand-mère, ta mère, et le bonhomme, pendant quelque temps, a eu le cœur gros et une larme aux paupières[3]. » Pour un peu il croirait qu'en Guy de Maupassant s'incarne le fils qu'il a toujours refusé d'avoir.

D'autres amis s'efforcent de lui témoigner leur affection. Depuis sa jeunesse, il prétend que son vrai patron est saint Polycarpe, ce personnage du martyrologe qui avait coutume de dire : « Dans quel siècle vivons-nous, mon Dieu! » Aussi, comme l'année précédente, les Lapierre organisent,

1. Goncourt, *Journal*, 28 mars 1880.
2. Lettre à Guy de Maupassant de la fin avril 1880.
3. Lettre du 25 avril 1880.

le 27 avril, une fête burlesque en l'honneur de l'écrivain et de son protecteur mystique. « Les Lapierre se sont surpassés! annonce Flaubert à Caroline. J'ai reçu près de trente lettres envoyées de différentes parties du monde, et trois télégrammes pendant le dîner. L'archevêque de Rouen, des cardinaux italiens, des vidangeurs, la corporation des frotteurs d'appartements, un marchand d'objets de sainteté, etc., m'ont adressé leurs hommages. Comme cadeaux, on m'a donné une paire de chaussettes de soie, un foulard, trois bouquets, une couronne, un portrait (espagnol) de saint Polycarpe, une dent (relique du saint) et il va venir une caisse de fleurs de Nice!... J'oubliais un menu composé de plats, tous intitulés d'après mes œuvres... Véritablement, j'ai été touché de tout le mal qu'on avait pris pour me divertir. Je soupçonne mon disciple d'avoir fortement coopéré à ces farces aimables[1]. »

Après les frasques de la Saint-Polycarpe, il éprouve de la difficulté à reprendre son travail sur *Bouvard et Pécuchet*. « Quand finira mon livre? écrit-il dans la même lettre. Pour qu'il paraisse l'hiver prochain, je n'ai pas d'ici là une minute à perdre. Mais par moments, il me semble que je me liquéfie comme un vieux camembert, tant je me sens fatigué. » L'avenir de ce roman l'inquiète d'autant plus qu'il a perdu confiance en son éditeur. En effet, Charpentier a osé, dans sa revue *La Vie moderne*, arrêter net une scène de l'infortuné *Château des cœurs* pour insérer un article de sport. Du coup, Flaubert s'étrangle de fureur. « Je regarde cette publication comme une cochonnerie que vous m'avez faite, écrit-il à Charpentier. Vous m'avez trompé, voilà tout... La chose me reste sur le cœur. De toutes les avanies que j'ai endurées pour *Le Château des cœurs*, celle-là est la plus forte. On rejetait mon manuscrit; on me chiait par-dessus[2]. » Les soucis d'argent s'ajoutant à sa colère, il mande à Guy de Maupassant : « Si la maison

1. Lettre du 28 avril 1880.
2. Lettre du 2 mai 1880.

Charpentier ne me paie pas immédiatement ce qu'elle me doit et ne m'aboule pas une forte somme pour la féerie, *Bouvard et Pécuchet* iront ailleurs. » Et, le cœur serré, il constate : « Huit éditions des *Soirées de Médan*? Les *Trois contes* en ont eu quatre. Je vais être jaloux[1]. » Cela ne l'empêche pas d'écrire à Théodore de Banville : « Guy de Maupassant n'ose vous-demander un petit coup de trompette dans *Le National* pour son volume de vers. »

En vérité, le succès de son « disciple » lui importe plus que le sien. Il a dépassé le stade des ambitions littéraires. Quand il s'analyse, il est obligé de constater qu'il est un étrange animal, bourré de contradictions. Son exécration des bourgeois est d'autant plus vive qu'il se sent bourgeois jusqu'aux tripes avec son goût de l'ordre, du confort et des hiérarchies. Condamnant tous les gouvernements, il ne supporte pas pour autant les excès de la populace quand elle ose les narguer. Blotti dans son nid moelleux de Croisset, il rêve de voyages lointains et en a fait quelques-uns qui témoignent de son courage et de son endurance. Ennemi juré des prêtres, il est attiré par les problèmes religieux. Obsédé par la séduction féminine, il refuse de s'attacher à aucune femme. Révolutionnaire en art, il est conservateur dans l'existence courante. Assoiffé d'amitiés, il vit, la plupart du temps, à l'écart de tous. Et ces tiraillements continuels font de lui un homme profondément malheureux. Quand il se retourne sur son passé – ce qui lui arrive de plus en plus souvent –, il ne voit que travail, deuils et solitude. Ne s'est-il pas fourvoyé en oubliant de vivre pour mieux écrire? Mais non, l'amour de l'art excuse tout, justifie tout. Un destin sacrifié à la passion des lettres ne peut être un destin perdu. Il n'a pas gâché ses chances, puisqu'il a marché droit, depuis ses plus jeunes années, vers le but qu'il s'était fixé. Un instant accablé, il secoue son angoisse. Paris l'attend. Il est soudain impatient de s'y rendre. Il logera dans l'apparte-

1. Lettre du 3 mai 1880.

ment du faubourg Saint-Honoré et y terminera son *Bouvard et Pécuchet*. C'est avec joie qu'il songe aux retrouvailles avec ses amis, avec le cher Guy, avec Caroline. Elle s'est, depuis peu, entichée d'un prêtre, le père Didon, et entretient avec lui une correspondance édifiante. Flaubert reconnaît que cet ecclésiastique, qui est aussi le directeur de conscience de Mme Roger des Genettes, ne manque ni d'érudition ni d'élévation morale. La religion donne à Caroline la force de supporter ses revers. Sans la critiquer ouvertement, son oncle déplore qu'elle ne sache pas puiser le réconfort nécessaire dans la haute pratique du scepticisme. Il s'inquiète aussi des déboires de sa nièce dans sa carrière de peintre. De tout cela il a l'intention de parler avec elle, à Paris.

Le samedi 8 mai 1880, ses malles sont faites. Il compte partir le lendemain. Vers dix heures et demie du matin, il est pris d'un malaise au sortir d'un bain très chaud. Un nuage jaune d'or, bien connu de lui, trouble sa vue, envahit son cerveau. Le sang gonfle brusquement sa face. Inquiet, il appelle sa servante, et, comme elle ne vient pas assez vite, il lui crie par la fenêtre d'aller chercher le Dr Fortin. Il ajoute : « Je vais avoir, je crois, une espèce de syncope. C'est heureux que cela m'arrive aujourd'hui. Ça aurait été bien embêtant demain, dans le chemin de fer. » Quand elle est partie, il débouche une bouteille d'eau de Cologne et s'en frotte les tempes. Mais ses jambes se dérobent sous lui. Malgré le tumulte qui emplit sa tête, il tente de parler. Des sons inarticulés s'échappent de sa bouche : « Rouen... nous ne sommes pas loin de Rouen... Eylau, allez... cherchez avenue... je la connais... » Une lettre de Caroline, reçue le matin, lui apprenait que Victor Hugo allait probablement s'installer avenue d'Eylau. Mais peut-être voulait-il appeler au secours le Dr Hélot, médecin des hôpitaux de Rouen? Au bout d'un moment, il perd connaissance. Le Dr Fortin, de Croisset, étant absent, on court chercher à Rouen le Dr Tourneux. Celui-ci n'arrive qu'à midi. Flaubert est inerte. Le cœur a cessé de battre.

Le médecin hésite entre deux hypothèses : hémorragie cérébrale ou attaque d'apoplexie. Immédiatement prévenu, Guy de Maupassant débarque à Croisset peu après l'événement. « J'ai vu au dernier jour, étendu sur un large divan, un grand mort au cou gonflé, à la gorge rouge, terrifiant comme un colosse foudroyé », écrit-il. Un sculpteur prend un moulage de la face du mort. « Dans le plâtre, les cils sont restés pris, note encore Guy de Maupassant. Je n'oublierai jamais ce moulage pâle qui gardait, au-dessus des yeux fermés, les longs poils qui couraient jusqu'alors sur son regard. » C'est Guy de Maupassant qui fait la toilette du cadavre, l'asperge d'eau de Cologne, lui passe une chemise, un caleçon et des chaussettes de soie blanche. Des gants de peau, un pantalon à la hussarde, un gilet, un veston, une cravate complètent l'habillement. Flaubert est prêt à recevoir ses amis.

Tous sont atterrés par la nouvelle. « Ç'a été, pendant quelque temps, un trouble de mon individu, dans lequel je ne savais pas ce que je faisais et dans quelle ville je roulais en voiture, note Edmond de Goncourt. J'ai senti qu'un lien, parfois desserré, mais inextricablement noué, nous attachait secrètement l'un à l'autre. Et aujourd'hui, je me rappelle avec une certaine émotion la larme tremblante au bout d'un de ses cils, quand il m'embrassa en me disant adieu, au seuil de sa porte, il y a six semaines[1]. » Lorsque Laporte se présente pour s'incliner devant le corps, Guy de Maupassant, chapitré par les Commanville, lui interdit l'entrée de la chambre mortuaire. Caroline a la rancune tenace. Elle ne peut pardonner au visiteur le refus de cautionner les dettes de son mari. Les yeux secs, la mine affairée, elle passe outre aux volontés du défunt et décide que les obsèques seront religieuses. À peine arrivé, Edmond de Goncourt a une conversation avec Georges Pouchet dans une allée du jardin. « Il n'est pas mort d'un coup de sang, lui dit Pouchet. Il est mort d'une attaque

1. Goncourt, *Journal*, 8 mai 1880.

d'épilepsie... Dans sa jeunesse, vous le savez, il avait eu des attaques... Le voyage en Orient l'avait pour ainsi dire guéri... Il a été seize ans sans plus en avoir. Mais les ennuis des affaires de sa nièce lui en ont redonné... Et samedi, il est mort d'une attaque d'épilepsie congestive... Oui, avec tous les symptômes, de l'écume à la bouche... Tenez, sa nièce désirait qu'on moulât sa main, on ne l'a pas pu : elle avait gardé une si terrible contraction[1]... »

Au début de l'après-midi du 11 mai, le convoi funèbre se met en marche. Le deuil est conduit par Ernest Commanville et Guy de Maupassant. Une petite côte poussiéreuse mène à l'église de Canteleu, qui servit de modèle à celle où Mme Bovary va se confesser à l'abbé Bournisien. Pendant le trajet, les amis de Flaubert se succèdent pour tenir les cordons d'argent du poêle. Ni Hugo, ni Taine, ni Renan, ni Dumas fils, ni même Maxime Du Camp ne se sont dérangés. Mais Zola, Daudet, Goncourt, José Maria de Heredia sont fidèles au rendez-vous. Il y a là aussi un représentant du préfet, quelques journalistes, le maire de Rouen, des conseillers municipaux, des étudiants en pharmacie et, pour rendre les honneurs, un détachement du deuxième de ligne. De temps à autre, un roulement de tambour secoue la campagne assoupie dans le soleil.

Après le service religieux, on prend la route jusqu'au cimetière monumental de Rouen. Dans la foule qui serpente derrière le cercueil, Edmond de Goncourt, indigné, note que certains parlent de barbue à la normande, de caneton à l'orange et même de bordel. On arrive dans l'enclos funèbre, « tout plein de senteurs d'aubépine et dominant la ville ensevelie dans une ombre violette ». Flaubert doit être inhumé aux côtés des tombes du Dr Flaubert, de Mme Flaubert, de Caroline Hamard et de différents membres de sa famille. Consternation : les

1. En fait, d'après les plus récentes études médicales, la mort de Flaubert ne fut pas provoquée par une crise d'épilepsie, mais vraisemblablement par une hémorragie cérébrale.

fossoyeurs ont mal calculé leur affaire. Le cercueil du géant est trop long pour le trou qu'ils ont creusé. Ils manipulent la caisse maladroitement et elle se coince en biais, la tête en bas. On ne peut plus ni la remonter ni la descendre. La même mésaventure, grotesque et macabre, que pour l'enterrement de la sœur de Flaubert, trente-six ans plus tôt. Les cordes glissent sur les flancs du cercueil, les fossoyeurs s'échinent, poussent des jurons, Caroline gémit en se tordant les mains, Zola crie : « Assez, assez! » On en reste là. Le nécessaire sera fait par la suite, en l'absence de la famille. Un prêtre jette de l'eau bénite sur la bière. Point de discours. Flaubert ne l'aurait pas voulu. Quelques embrassades de condoléances et c'est la débandade. « Tout ce monde assoiffé dévale vers la ville avec des figures allumées et gaudriolantes, écrit Edmond de Goncourt. Daudet, Zola et moi nous repartons, refusant de nous mêler à la ripaille qui se prépare pour ce soir et revenons en parlant pieusement du mort[1]. » Trois jours plus tard, de retour à Paris, il complète ses impressions par un jugement sévère : « Le gendre-neveu, qui a ruiné Flaubert, n'est pas seulement un malhonnête homme commercialement parlant, mais un escroc... Et la nièce, les *petits boyaux* de Flaubert, Maupassant dit qu'il ne peut se prononcer sur elle. Elle a été, est et sera un instrument inconscient entre les mains de sa canaille de mari, qui a sur elle la puissance que les coquins ont sur les honnêtes femmes. Enfin, voici ce qui s'est passé après la mort de Flaubert. Commanville parle tout le temps de l'argent qu'on peut tirer des œuvres du défunt, a des revenez-y si étranges aux correspondances amoureuses du pauvre ami, qu'il donne l'idée qu'il serait capable de faire chanter les amoureuses survivantes. » Le soir de l'enterrement, Ernest Commanville dîne copieusement, se coupe sept tranches de jambon et, après le repas, emmène Guy de Maupassant dans le petit pavillon du jardin pour se justifier à ses yeux

1. Goncourt, *Journal*, 11 mai 1880.

et gagner sa sympathie. Caroline, de son côté, tente de séduire José Maria de Heredia par ses mines éplorées. « La femme se dégantait et laissait pendre sa main sur le dossier du banc, si près de la bouche de Heredia qu'elle semblait solliciter un baiser », écrit encore Edmond de Goncourt. Il voit dans cette coquetterie, un soir de funérailles, « une espèce de comédie amoureuse imposée par le mari à la femme pour avoir à merci une âme honnête et jeune, que la perspective troublante de la possession pourrait amener à tremper dans le filoutage contre l'autre branche héritière. » Et il conclut : « Ah! mon pauvre Flaubert! Voilà autour de ton cadavre des machines et des documents humains, dont tu aurais pu faire un beau roman provincial[1]. »

Quelques mois après la disparition de Flaubert, Caroline remet à Juliette Adam le manuscrit inachevé de *Bouvard et Pécuchet* pour être publié dans *La Nouvelle Revue*. Le texte paraît en volume, chez Lemerre, au printemps de 1881. À sa lecture, les amis du défunt sont désorientés, mais crient à l'apothéose du maître. Pour Guy de Maupassant, il s'agit d'une « prodigieuse critique de tous les systèmes scientifiques opposés les uns aux autres, se détruisant les uns les autres par les contradictions des faits, les contradictions des lois reconnues indiscutées. C'est l'histoire de la faiblesse de l'intelligence humaine, de l'éternelle et universelle bêtise. » Le roman devait être flanqué d'un « dossier de sottises », sorte de « dictionnaire des idées reçues » dont la lecture eût justifié toute l'entreprise. L'intention de Flaubert a été de tourner en ridicule l'ensemble des conceptions qui nourrissent et régissent la vie de ses contemporains. Ainsi, l'histoire de ces deux autodidactes en quête de vérité est un livre qui ne relève d'aucun genre connu. Par l'envergure encyclopédique de son sujet, la moquerie permanente de ses commentaires et la gravité des questions qu'il pose, il s'apparente à l'impérissable *Don Quichotte*. Il

1. Goncourt, *Journal*, 14 mai 1880.

y a dans ces pages caricaturales tant de science, tant de négation, tant de ricanement et tant de tristesse qu'elles constituent un piège pour les commentateurs successifs. Les uns le dénigrent, les autres le portent aux nues. Mais l'auteur en avait l'habitude. Autour de sa tombe, la guerre se poursuit avec la même férocité et la même ferveur. Si son œuvre grandit après sa mort, les traces matérielles de son passage sur terre s'effacent. La douce Caroline, confite en religion, vend la propriété de Croisset pour cent quatre-vingt mille francs. La maison sera démolie, à l'exception du pavillon de l'entrée, et remplacée par une usine. À cet endroit sacré, se succéderont une distillerie d'alcool de grains, une fabrique de produits chimiques, une papeterie...

En cette même année 1881, Maxime Du Camp publie, dans *La Revue des Deux Mondes*, ses *Souvenirs littéraires*. Ils révèlent l'épilepsie de Flaubert et attestent chez le mémorialiste une condescendance teintée de jalousie envers son ami de jeunesse. Caroline s'en montre choquée. Désormais elle se considère comme investie d'une mission : défendre la mémoire de son oncle. La renommée de celui-ci rejaillit sur elle. Gonflée d'importance, elle entreprend la publication des œuvres complètes de Flaubert. Elle fait d'abord paraître les lettres à George Sand et des fragments de *Par les champs et par les grèves*. Puis elle s'attaque à la correspondance générale. Mais le père Didon, son directeur de conscience, lui conseille instamment d'expurger ces textes trop intimes. « Vous êtes responsable devant Dieu et devant les hommes du résultat moral obtenu », lui dit-il en 1888. Deux ans plus tard, elle perd son mari et, devenue veuve, se consacre avec plus d'ardeur encore à son rôle de championne du flaubertisme.

Le 23 novembre 1890, un monument à la gloire de Flaubert, par Chapu, est inauguré à Rouen, dans le jardin du Musée. Edmond de Goncourt se rend à la cérémonie avec Zola et Maupassant. Il pleut; une musique de foire assourdit l'assistance; les autorités locales sont là, au grand complet; enfin Edmond de Goncourt, la gorge serrée d'émotion, prend la parole : « Après notre grand Balzac, le père et le maître à nous tous, Flaubert a été l'inventeur d'une réalité, peut-être aussi intense que celle de son précurseur, et incontestablement d'une réalité plus *artiste*, d'une réalité qu'on dirait obtenue comme par un objectif perfectionné, d'une réalité qu'on pourrait définir du *d'après nature* rigoureux, rendu par la prose d'un poète... Maintenant qu'il est mort, mon pauvre grand Flaubert, on est en train de lui accorder du génie autant que sa mémoire peut en vouloir. Mais sait-on, à l'heure présente, que de son vivant la critique mettait une certaine résistance à lui accorder même du talent?... Cette vie remplie de chefs-d'œuvre lui mérita quoi? La négation, l'insulte, le crucifiement moral... Eh bien, sous ces attaques, Flaubert est resté bon, sans fiel contre les heureux de la littérature, ayant gardé son gros rire affectueux d'enfant. » En prononçant ces paroles de respect et de tendresse, l'orateur se sent reporté quelque dix ans en arrière. N'a-t-il pas été lui-même, bien des fois, injuste envers Flaubert? Au moment de la péroraison, il éprouve une faiblesse dans les jambes et se raidit pour ne pas tomber. La pluie redouble. Un vent glacial souffle sur les têtes. Sous cette bourrasque, le monument de Chapu paraît à Edmond de Goncourt « un joli bas-relief en sucre, où la vérité a l'air de faire ses besoins dans un puits ». Le soir, journalistes et écrivains dînent dans un restaurant de la ville. Au menu, l'inévitable « canard rouennais ». La conversation est d'une gaieté sautillante. Flaubert est oublié au profit des derniers potins de Paris. Ayant bien mangé, bien bu et bien ri, la petite troupe reprend, à huit heures quarante, le train express pour la capitale.

Les quelques années qui ont précédé l'inauguration du monument ont été marquées par la disparition d'importants témoins dans la vie de Flaubert. Son frère Achille est mort fou, en janvier 1882, à Nice; la servante Julie en 1883; Louise Pradier en 1885; Élisa Schlésinger en 1888, dans un état de dérangement cérébral avancé. En février 1890, l'opéra de Reyer, *Salammbô*, est créé à Bruxelles; il sera repris, en 1892, à l'Opéra de Paris. Encore deux ans, et le nom de Gustave Flaubert est donné à une rue de la capitale, nouvellement ouverte sur l'emplacement de l'usine à gaz des Ternes. Guy de Maupassant sombre dans la démence et rend le dernier soupir en 1893. L'année suivante, c'est le tour de Maxime Du Camp de quitter la scène littéraire. Et l'hécatombe continue : Edmond de Goncourt en 1896. Alphonse Daudet en 1897... Seule Caroline paraît indestructible. En 1900, elle se remarie avec le Dr Franklin-Grout et, épanouie au milieu de son second bonheur conjugal, se montre moins rigoureuse dans sa politique d'édition posthume. Oubliant quelque peu les prescriptions du père Didon, elle permet la publication des œuvres de jeunesse de Flaubert, de la première *Éducation sentimentale*, de la première *Tentation de saint Antoine*, des *Notes de voyage* et enfin de la *Correspondance*, complétée par de nouveaux apports. En 1926, elle autorise même la divulgation des lettres à Louise Colet. La France découvre avec émerveillement un Flaubert, non plus tendu et rigoureux comme dans ses romans, mais débridé, gaillard, emporté, familier, généreux. En le lisant, on l'entend, on le voit, lui qui a toujours prêché *l'absence* pour un auteur. Ce n'est plus une création littéraire, c'est la vie même de l'écrivain que le public reçoit en plein visage. Admiré pour ses livres si patiemment travaillés, il l'est maintenant pour des pages d'humeur, noircies à la va vite, sans aucun souci de publication. Certains critiques vont même jusqu'à placer l'épistolier au-dessus du romancier.

Retirée à Antibes, dans la villa Tanit, Caroline assiste avec satisfaction, déférence et profit à l'extraordinaire ascension de son oncle. Consciente d'avoir bien rempli son devoir, elle est sereine. Elle meurt le 2 février 1931, à l'âge de quatre-vingt-cinq ans. Après son décès, les manuscrits qu'elle détenait sont répartis entre la bibliothèque de

Rouen, celle de l'Institut de France et celle de la Ville de Paris. Le reste des papiers de la succession sera dispersé dans des ventes aux enchères. Déjà le travail des analystes commence. Les esprits les plus vifs de la critique moderne se penchent sur l'illustre dépouille de Flaubert. Le peu de livres qu'il a écrits suscite une avalanche de commentaires sentencieux. On examine l'homme et l'œuvre, à la lumière de diverses théories philosophiques, politiques, neurologiques, psychanalytiques. Sans doute eût-il souffert de cet acharnement à le comprendre, lui qui voulait préserver son intimité en vivant loin de ses concitoyens et en expulsant de ses textes toute opinion personnelle. Mais la rançon du génie est d'offrir en pâture à la foule, après sa mort, les secrets qu'il a jalousement gardés au long de son existence. Et sa chance, c'est que, dans la majorité des cas, les traqueurs de vérité en sont pour leurs frais et que le mystère de l'artiste demeure entier malgré les plus savantes exégèses.

BIBLIOGRAPHIE

Pour écrire cette biographie, je me suis appuyé principalement sur l'immense correspondance de Flaubert et sur les Mémoires de ses contemporains. Le lecteur trouvera ci-dessous la liste de quelques-uns des ouvrages que j'ai consultés par ailleurs.

ALBALAT, Antoine, *Gustave Flaubert et ses amis*, Plon, 1927.

BARDÈCHE, Maurice, *L'Œuvre de Gustave Flaubert*, Les Sept Couleurs, 1974.

BARNES, Julian, *Le Perroquet de Flaubert*, Stock, 1984.

BERTRAND, Georges, *Les Jours de Flaubert*, Éditions du Myrte, 1947.

BOOD, Micheline et GRAND, Serge, *L'Indomptable Louise Colet*, Éditions Pierre Horay.

BROMBERT, Victor, *Flaubert*, « Écrivains de toujours », Le Seuil, 1971.

BRUNEAU, Jean, *Les Débuts littéraires de Gustave Flaubert*, Armand Colin, 1962.

– *Album Flaubert*, N.R.F., 1972.

Bulletin de la Société des Amis de Flaubert.

CHEVALLEY-SABATIER, Lucie, *Gustave Flaubert et sa nièce Caroline*, La Pensée Universelle.

CLÉBERT, Jean-Paul, *Louise Colet ou la Muse*, Presses de la Renaissance, 1986.

COMMANVILLE, Caroline, *Souvenirs intimes.*

DANGER, Pierre, *Sensations et objets dans les romans de Flaubert*, Armand Colin, 1973.

DEBRAY-GENETTE, R., *Flaubert*, Didier, 1970.

DIGEON, Claude, *Flaubert*, Hatier, 1970.

   – *Le Dernier Visage de Flaubert*, Aubier, 1946.

DU CAMP, Maxime, *Souvenirs littéraires* (2 volumes), Hachette, 1882-1883.

DUMESNIL, René, *Gustave Flaubert, l'homme et son œuvre*, Desclée De Brouwer, 1932.

   – *Flaubert et l'Éducation sentimentale*, Les Belles Lettres, 1943.

   – *Gustave Flaubert, son hérédité, son milieu, sa méthode*, Société française d'impression et de librairie, 1906.

EAUBONNE, Françoise d', *Les Plus Belles Lettres de Gustave Flaubert*, Calmann-Lévy, 1962.

FLAUBERT, Gustave, *Œuvres*, Conard.

   – *Œuvres complètes*, Club de l'Honnête homme.

   – *Œuvres* (2 volumes) Gallimard, La Pléiade.

   – *Œuvres complètes* (Intégrale), Le Seuil, 1964.

   – *Correspondance et supplément*, Conard.

   – *Correspondance* (2 volumes parus à ce jour), Gallimard, La Pléiade.

   – *Dictionnaire des Idées reçues*, Aubier, 1978.

   – *Correspondance Flaubert-Sand*, Flammarion, 1981.

Carnets de travail, présentés par Pierre-Marc de Biasi, Balland, 1988.

Flaubert et ses héritiers, dans le « Magazine Littéraire », février 1988.

GÉRARD-GAILLY, *Le Grand Amour de Flaubert*, 1944.

   – *L'Unique passion de Flaubert*, Le Divan, 1932.

   – *Flaubert ou les Fantômes de Trouville*, La Renaissance du livre, 1930.

GONCOURT, Edmond et Jules, *Journal* (4 volumes), Fasquelle-Flammarion, 1959.

GUILLEMIN, Henri, *Flaubert devant la vie et devant Dieu*, Plon, 1939.

HENRY, Gilles, *L'histoire du monde est une farce ou la vie de Gustave Flaubert*, Éditions Charles Corlet, 1980.

LANOUX, Armand, *Maupassant, le bel ami*, Fayard, 1967.

LELEU, Gabrielle, *Ébauches et Fragments inédits de Madame Bovary* (2 volumes), Conard, 1936.

MAURIAC, François, *Mes grands hommes*, Fayard, 1952.

MAYNAL, Édouard, *La Jeunesse de Flaubert*, Mercure de France, 1913.

– *Flaubert et son milieu*, Éditions de la Nouvelle Revue critique, 1927.

NADEAU, Maurice, *Gustave Flaubert, écrivain*, Éditions Lettres Nouvelles, 1980.

POMMIER, Jean et DIGEON, Claude, *Du nouveau sur Flaubert et son œuvre*, Mercure de France, 1952.

POULET, Georges, *Flaubert, les métamorphoses du cercle*, Plon, 1961.

SARTRE, Jean-Paul, *L'Idiot de la famille* (2 volumes), Gallimard, 1971.

STARKIE, Énid, *Flaubert, jeunesse et maturité*, Mercure de France, 1970.

SUFFEL, Jacques, *Gustave Flaubert*, « Les Classiques du XXe siècle », Éditions Universitaires, 1958.

THIBAUDET, Albert, *Gustave Flaubert*, Gallimard, 1935.

Index

Table

DU MÊME AUTEUR

Ouvrages de Flaubert

dans Le Livre de Poche

Dans Le Livre de Poche

Biographies, études...
(Extrait du catalogue)

Badinter Elisabeth
   Emilie, Emilie. L'ambition féminine
      au XVIIIe siècle (*vies de Mme du Châtelet, compagne de Voltaire, et de Mme d'Epinay, amie de Grimm*).

Badinter Elisabeth et Robert
   Condorcet.

Bona Dominique
   Les Yeux noirs (*vie des filles de José Maria de Heredia*).

Borer Alain
   Un sieur Rimbaud.

Bourin Jeanne
   La Dame de Beauté (*vie d'Agnès Sorel*).
   Très sage Héloïse.

Bramly Serge
   Léonard de Vinci.

Bredin Jean-Denis
   Sieyès, la clé de la Révolution française.

Castans Raymond
   Marcel Pagnol

Chalon Jean
   Chère George Sand.

Champion Jeanne
   Suzanne Valadon ou la recherche de la vérité.
   La Hurlevent (*vie d'Emily Brontë*).

Charles-Roux Edmonde
   L'Irrégulière (*vie de Coco Chanel*).
   Un désir d'Orient (*jeunesse d'Isabelle Eberhardt, 1877-1899*).

Chase-Riboud Barbara
   La Virginienne (*vie de la maîtresse de Jefferson*).

Chauvel Geneviève
   Saladin, rassembleur de l'Islam.

Peyrefitte Roger
   Tableaux de chasse ou la vie extraordinaire de Fernand Legros.
   La Jeunesse d'Alexandre, t. 1 et 2.

Renan Ernest
   Marc Aurèle ou la fin du monde antique.
   Souvenirs d'enfance et d'adolescence.

Rey Frédéric
   L'Homme Michel-Ange.

Roger Philippe
   Roland Barthes, roman.

Séguin Philippe
   Louis-Napoléon le Grand.

Sipriot Pierre
   Montherlant sans masque.

Stassinopoulos Huffington Arianna
   Picasso, créateur et destructeur.

Sweetman David
   Une vie de Vincent Van Gogh.

Thurman Judith
   Karen Blixen.

Troyat Henri
   Ivan le Terrible.
   Maupassant.

Dans la collection « Lettres gothiques » :
   Journal d'un bourgeois de Paris (*écrit entre 1405 et 1449 par un Parisien anonyme*).

IMPRIMÉ EN FRANCE PAR BRODARD ET TAUPIN
Usine de La Flèche (Sarthe).
LIBRAIRIE GÉNÉRALE FRANÇAISE - 6, rue Pierre-Sarrazin - 75006 Paris.

ISBN : 2 - 253 - 06111 - 5   ✦ 30/4380/9